개념+유형 최상위 탑

Top Book

5·1

개념+유형 최상위 탑

구성과 특징

STEP 1 핵심 개념과 문제

기본 실력 점검

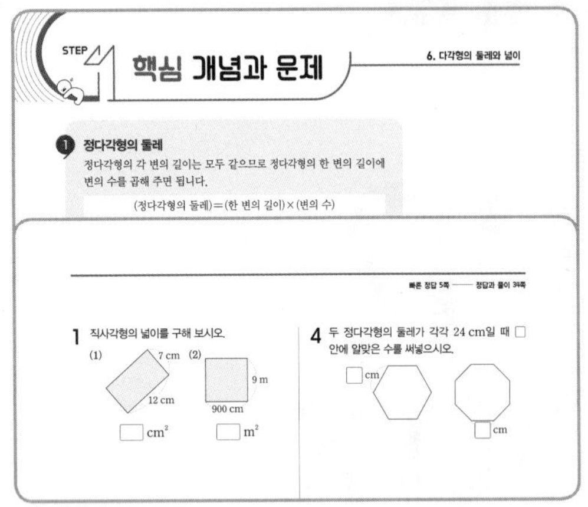
STEP 1 핵심 개념과 문제 — 6. 다각형의 둘레와 넓이

1 정다각형의 둘레

정다각형의 각 변의 길이는 모두 같으므로 정다각형의 한 변의 길이에 변의 수를 곱해 주면 됩니다.

(정다각형의 둘레)=(한 변의 길이)×(변의 수)

1 직사각형의 넓이를 구해 보시오.

4 두 정다각형의 둘레가 각각 24 cm일 때 □ 안에 알맞은 수를 써넣으시오.

핵심 개념

핵심 교과 개념을 보기 쉽게 정리

교과 개념과 연계된 상위 개념까지 빠짐없이 정리

핵심 문제

개념 이해를 점검할 수 있는 필수 문제로 구성

STEP 2 상위권 문제

상위권 실력 향상

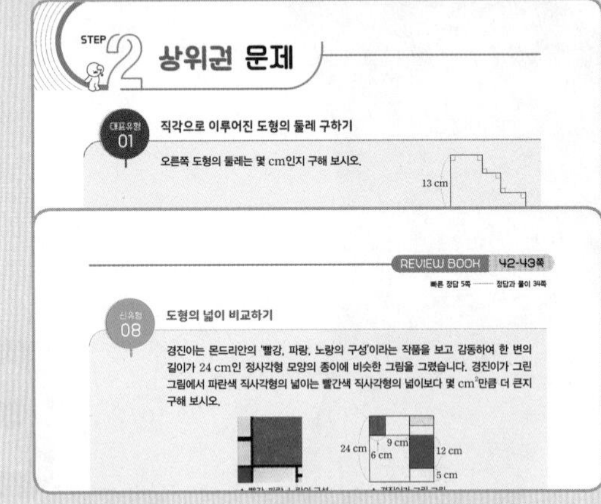
STEP 2 상위권 문제

대표유형 01 직각으로 이루어진 도형의 둘레 구하기

오른쪽 도형의 둘레는 몇 cm인지 구해 보시오.

REVIEW BOOK 42~43쪽

신유형 08 도형의 넓이 비교하기

경진이는 몬드리안의 '빨강, 파랑, 노랑의 구성'이라는 작품을 보고 감동하여 한 변의 길이가 24 cm인 정사각형 모양의 종이에 비슷한 그림을 그렸습니다. 경진이가 그린 그림에서 파란색 직사각형의 넓이는 빨간색 직사각형의 넓이보다 몇 cm^2만큼 더 큰지 구해 보시오.

대표유형

단원의 대표 문제를 단계별로 풀 수 있도록 구성

유제

대표유형의 유사 문제로 연습할 수 있도록 구성

신유형

생활 속에서 찾을 수 있는 흥미로운 문제로 구성

1:1 복습

복습 상위권 문제

복습 상위권 문제 — 6. 다각형의 둘레와 넓이

대표유형 1 • 직각으로 이루어진 도형의 둘레 구하기

오른쪽 도형의 둘레는 몇 cm인지 구해 보시오.

(　　　)

대표유형 2 • 크기가 같은 정사각형으로 만든 도형의 둘레 또는 넓이 구하기

오른쪽 도형은 크기가 같은 정사각형을 겹치지 않게 이어 붙여서 만든 도형입니다. 도형 전체의 넓이가 126 cm^2일 때 도형의 둘레는 몇 cm인지 구해 보시오.

(　　　)

“Top Book의 문제를 Review Book에서 1:1로 복습하여 최상위권을 정복해요”

STEP 3 상위권 실력 완성

상위권 문제 확인과 응용

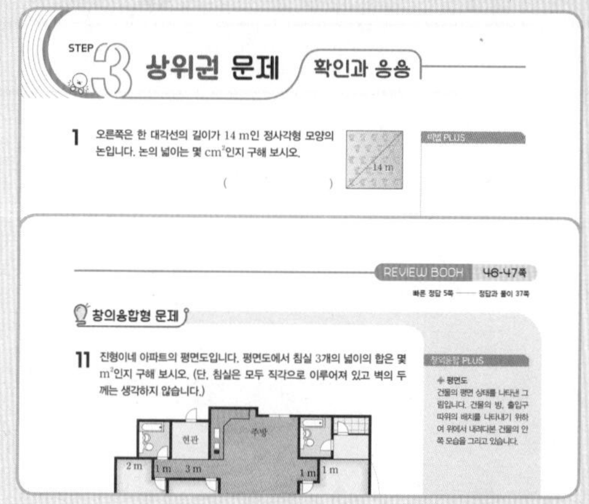

확인

대표유형 문제를 잘 익혔는지 확인할 수 있도록 구성

응용

대표유형 문제를 잘 익혀서 풀 수 있는 응용 문제로 구성

창의융합형 문제

타 과목과 융합된 문제로 구성

흥미 있는 소재의 문제로 구성

1:1 복습

STEP 4 최상위권 완전 정복

최상위권 문제

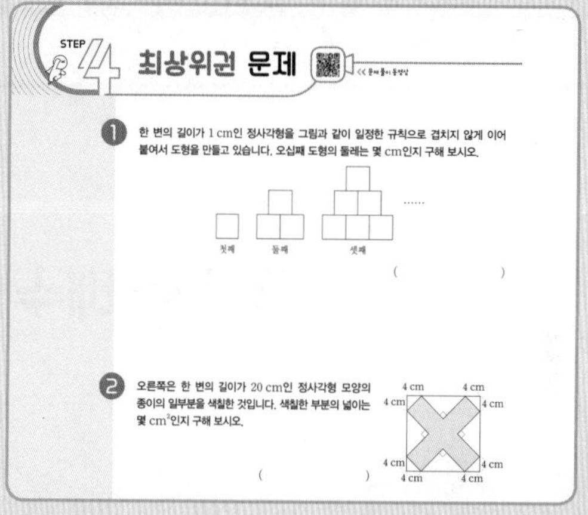

최상위권 문제

종합적 사고력을 기를 수 있는 문제로 구성

최상위권을 정복할 수 있는 최고난도 문제로 구성

1:1 복습

복습 상위권 문제 확인과 응용

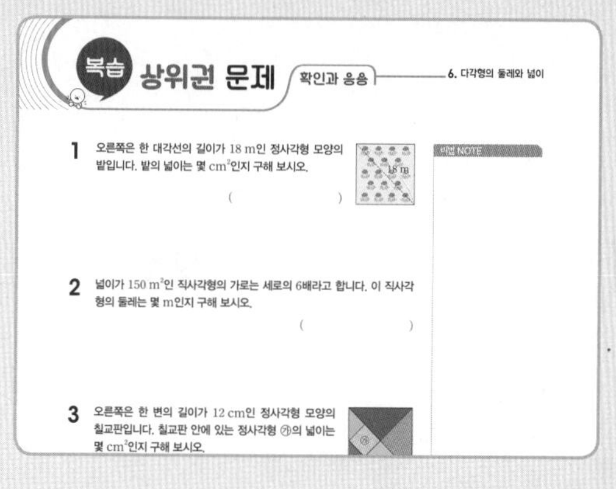

복습 최상위권 문제

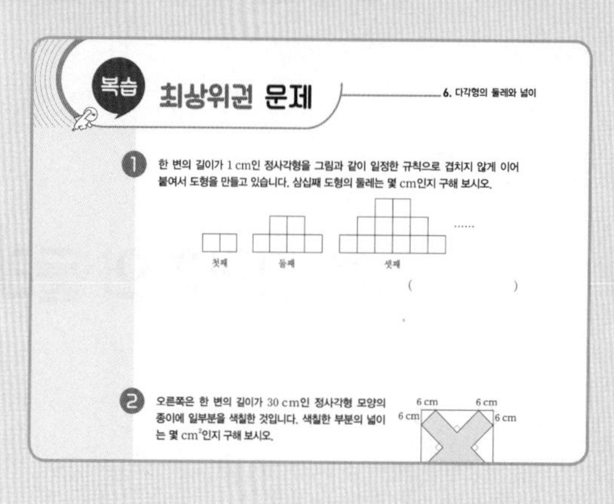

개념+유형 최상위 탑

차례

1

자연수의 혼합 계산

영역: 수와 연산

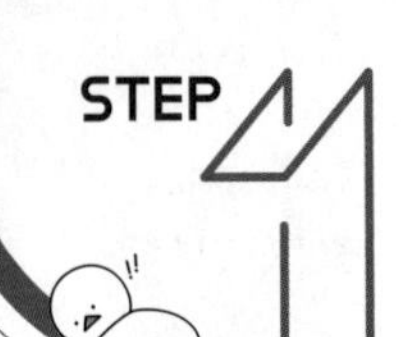

STEP 1 # 핵심 개념과 문제

1 덧셈과 뺄셈이 섞여 있는 식

덧셈과 뺄셈이 섞여 있는 식에서는 앞에서부터 차례대로 계산합니다. ( )가 있는 식에서는 ( ) 안을 먼저 계산합니다.

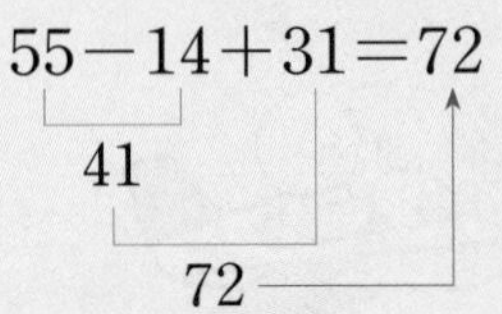

$55-14+31=72$ (41, 72) | $55-(14+31)=10$ (45, 10)

2 곱셈과 나눗셈이 섞여 있는 식

곱셈과 나눗셈이 섞여 있는 식에서는 앞에서부터 차례대로 계산합니다. ( )가 있는 식에서는 ( ) 안을 먼저 계산합니다.

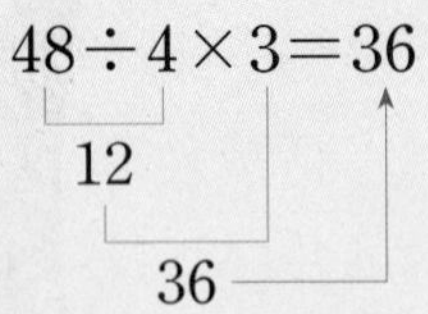

$48\div4\times3=36$ (12, 36) | $48\div(4\times3)=4$ (12, 4)

3 덧셈, 뺄셈, 곱셈(나눗셈)이 섞여 있는 식

덧셈, 뺄셈, 곱셈(나눗셈)이 섞여 있는 식에서는 곱셈(나눗셈)을 먼저 계산합니다. ( )가 있으면 ( ) 안을 가장 먼저 계산합니다.

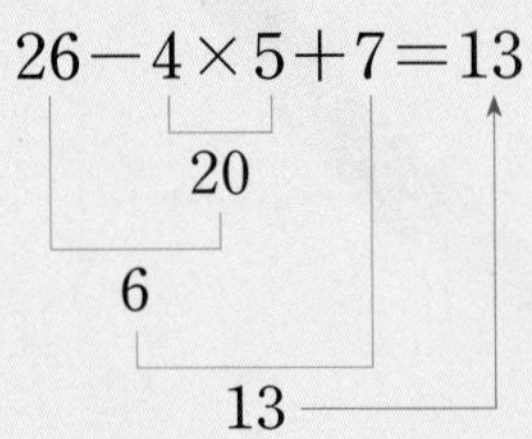

$26-4\times5+7=13$ (20, 6, 13)

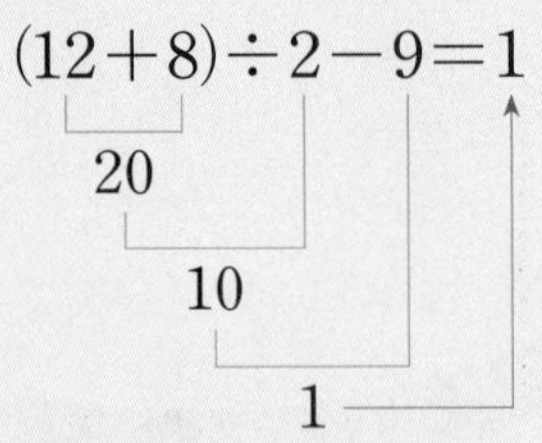

$(12+8)\div2-9=1$ (20, 10, 1)

4 덧셈, 뺄셈, 곱셈, 나눗셈이 섞여 있는 식

덧셈, 뺄셈, 곱셈, 나눗셈이 섞여 있는 식에서는 곱셈과 나눗셈을 먼저 계산합니다. ( )가 있으면 ( ) 안을 가장 먼저 계산합니다.

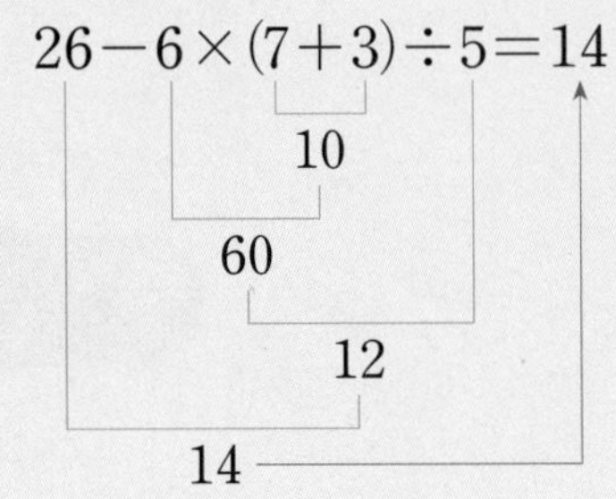

$26-6\times(7+3)\div5=14$ (10, 60, 12, 14)

중1 연계

덧셈과 곱셈의 교환법칙

두 수의 순서를 바꾸어 계산해도 그 결과는 같습니다.

예 • $2+3=3+2=5$
• $2\times3=3\times2=6$

덧셈과 곱셈의 결합법칙

어느 두 수를 먼저 계산해도 그 결과는 같습니다.

예 • $(2+3)+4=2+(3+4)=9$
• $(2\times3)\times4=2\times(3\times4)=24$

분배법칙

어떤 수에 두 수의 합을 곱한 것은 어떤 수에 각각의 수를 곱하여 더한 것과 그 결과가 같습니다.

예 $2\times(3+4)=2\times3+2\times4=6+8=14$

개념 PLUS

식에 쓰이는 괄호에는 소괄호 ( ), 중괄호 { }가 있습니다. ( ), { }가 있는 식에서는 ( ) 안을 먼저 계산한 후 { } 안을 계산합니다.

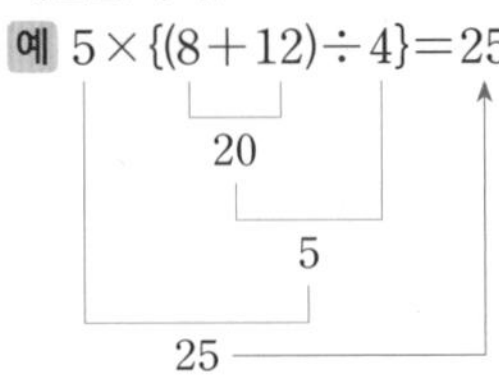

예 $5\times\{(8+12)\div4\}=25$ (20, 5, 25)

1 재호와 영주 중에서 잘못 계산한 사람은 누구입니까?

재호: $70 \div 14 \times 5 = 25$

영주: $41 - (23 + 9) = 28$

(　　　　　　　　　　)

2 계산 결과를 비교하여 ○ 안에 >, =, <를 알맞게 써넣으시오.

(1) $54 \div 2 + 84 \div 7$ ○ $8 + 2 \times (20 - 9)$

(2) $2 \times 23 - 9 \times 4$ ○ $4 + (41 - 5) \div 6$

3 문제 카드와 식 카드가 각각 2장씩 있습니다. 문제에 알맞은 식을 찾아 선으로 이어 보시오.

700원짜리 딱풀과 2000원짜리 테이프를 3개씩 샀습니다. 모두 얼마를 내야 합니까?	700원짜리 딱풀 1개와 2000원짜리 테이프 3개를 샀습니다. 모두 얼마를 내야 합니까?
•	•
•	•
$(700 + 2000) \times 3$	$700 + 2000 \times 3$

4 혜영이네 반은 남학생이 18명, 여학생이 14명입니다. 혜영이네 반 학생 중에서 수영을 할 수 있는 학생이 11명이라면 수영을 못하는 학생은 몇 명인지 하나의 식으로 나타내어 구해 보시오.

식 |

답 |

5 공책 한 권은 1100원, 연필 한 타는 6000원입니다. 원영이는 10000원으로 공책 두 권과 연필 한 자루를 샀습니다. 원영이가 받은 거스름돈은 얼마인지 하나의 식으로 나타내어 구해 보시오. (단, 연필 한 타는 12자루입니다.)

식 |

답 |

6 다음 식이 성립하도록 (　)로 묶어 보시오.

$19 + 3 \times 20 - 16 = 31$

STEP 2 상위권 문제

대표유형 01 식이 성립하도록 ○ 안에 +, −, ×, ÷ 써넣기

식이 성립하도록 ○ 안에 +, −, ×, ÷를 한 번씩 알맞게 써넣으시오.

12 ○ 5 ○ 4 ○ 30 ○ 6=59

(1) ○ 안에 +, −, ×, ÷를 한 번씩 넣어서 여러 가지 식을 만들었습니다. 만든 식의 계산 결과를 각각 구해 보시오.

- $12+5\times4-30\div6=$ □
- $12-5+4\times30\div6=$ □
- $12\times5-4+30\div6=$ □
- $12\times5\div4+30-6=$ □
- $12\times5+4-30\div6=$ □

(2) 계산 결과가 59가 되도록 ○ 안에 +, −, ×, ÷를 한 번씩 알맞게 써넣으시오.

12 ○ 5 ○ 4 ○ 30 ○ 6=59

비법 PLUS

계산이 가능한 경우를 생각하여 여러 가지 방법으로 ○ 안에 기호를 써넣어 봅니다.

유제 1 식이 성립하도록 ○ 안에 +, −, ×, ÷를 한 번씩 알맞게 써넣으시오.

10 ○ 2 ○ 8 ○ 3 ○ 2=27

유제 2 식이 성립하도록 ○ 안에 +, −, ×, ÷를 한 번씩 알맞게 써넣으시오.

(6 ○ 2) ○ 4 ○ 9 ○ 3=29

빠른 정답 2쪽 —— 정답과 풀이 8쪽

약속에 따라 계산하기

㉮★㉯를 다음과 같이 약속할 때 (12★5)★7의 값을 구해 보시오.

㉮★㉯=(㉮+㉯)×㉯−㉮

(1) 12★5의 값은 얼마입니까?

( )

(2) (12★5)★7의 값은 얼마입니까?

( )

비법 PLUS

약속한 방법에 따라 식을 만들고 계산합니다.

3 **㉮■㉯를 다음과 같이 약속할 때 30■(24■12)의 값을 구해 보시오.**

㉮■㉯=㉮÷(㉮−㉯)×㉯

( )

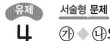

유제
4 서술형 문제

㉮◆㉯와 ㉮♥㉯를 각각 다음과 같이 약속할 때 (12◆3)♥5의 값은 얼마인지 풀이 과정을 쓰고 답을 구해 보시오.

- ㉮◆㉯=㉮+(㉮−㉯)÷㉯
- ㉮♥㉯=㉮÷㉯+㉮

풀이 |

답 |

대표유형 03 □ 안에 들어갈 수 있는 수 구하기

□ 안에 들어갈 수 있는 가장 큰 자연수를 구해 보시오.

$$14 \times (15-8) \div 7 < 28 - \square$$

(1) $14 \times (15-8) \div 7$의 값은 얼마입니까?

(　　　　　　　　)

(2) □ 안에 들어갈 수 있는 가장 큰 자연수는 얼마입니까?

(　　　　　　　　)

비법 PLUS

식을 계산하여 간단히 나타낸 후 '<' 또는 '>'를 '='라고 생각하여 □ 안에 들어갈 수 있는 수를 구합니다.

5 □ 안에 들어갈 수 있는 가장 작은 자연수를 구해 보시오.

$$16 \div (64 \div 8) \times 2 < \square + 2$$

(　　　　　　　　)

6 □ 안에 공통으로 들어갈 수 있는 자연수는 모두 몇 개인지 구해 보시오.

- $\square + 3 < 126 \div 14 \times 2$
- $(13 \times 6 - 24) \div 9 < \square$

(　　　　　　　　)

빠른 정답 2쪽 ―― 정답과 풀이 8쪽

어떤 수 구하기

어떤 수에 121을 11로 나눈 몫을 더한 다음 3을 곱하면 12와 5의 곱과 같습니다. 어떤 수를 구해 보시오.

(1) 어떤 수를 □라 하여 식을 만들어 보시오.

식 |

(2) 어떤 수는 얼마입니까?

(　　　　　　)

비법 PLUS

어떤 수를 □라 하여 식을 만들고, 식의 계산 순서를 거꾸로 생각하여 어떤 수를 구합니다.

유제 7

어떤 수에서 4를 뺀 다음 3과 7의 곱으로 나누면 165를 11로 나눈 몫과 같습니다. 어떤 수를 구해 보시오.

(　　　　　　)

유제 8

서술형 문제

어떤 수에 29를 더한 다음 8을 곱해야 하는데 잘못하여 어떤 수에서 8을 뺀 다음 29를 곱했더니 899가 되었습니다. 바르게 계산한 값은 얼마인지 풀이 과정을 쓰고 답을 구해 보시오.

풀이 |

답 |

대표유형 05 혼합 계산을 활용하여 문장제 해결하기

자두가 60개 있습니다. 여학생 3명과 남학생 4명으로 이루어진 모둠에 한 사람당 자두를 4개씩 나누어 주려고 합니다. 자두를 2모둠에 나누어 주고 선생님께 3개를 드린다면 남은 자두는 몇 개인지 하나의 식으로 나타내어 구해 보시오.

(1) 남은 자두 수를 알아보는 식을 만들려고 합니다. □ 안에 알맞은 수를 써넣으시오.

(전체 자두 수)−(2모둠에 나누어 준 자두 수)
−(선생님께 드린 자두 수)
$=\square-(3+\square)\times4\times\square-\square$

(2) 남은 자두는 몇 개입니까?

(　　　　　　　　)

비법 PLUS
+, −, ×, ÷, (　)를 사용해서 하나의 식으로 나타내어 문장제 문제를 해결합니다.

유제 9

연정이는 문구점에서 5자루에 3500원 하는 연필 3자루와 8권에 12000원 하는 공책 4권을 사려고 합니다. 연정이가 7000원을 가지고 있다면 부족한 돈은 얼마인지 하나의 식으로 나타내어 구해 보시오. (단, 연필 한 자루와 공책 한 권의 가격은 각각 같습니다.)

식 |

답 |

유제 10

민규는 20일 중 5일은 쉬고 매일 50분씩 달리기를 하였고, 지영이는 20일 중 2일은 쉬고 매일 40분씩 달리기를 하였습니다. 민규와 지영이가 20일 동안 달리기를 한 시간은 모두 몇 분인지 하나의 식으로 나타내어 구해 보시오.

식 |

답 |

신유형 06

바코드 숫자 사이의 규칙

바코드(barcode)는 상품의 정보를 기계가 읽을 수 있도록 굵기가 다른 검은색 선들의 조합으로 나타낸 것입니다. 바코드 아래에는 13개의 숫자가 있는데 앞쪽 3자리 숫자는 제조 국가, 다음 4자리 숫자는 제조 업체, 그 다음 5자리 숫자는 고유 상품을 나타내고 마지막 한 자리 숫자는 바코드가 정확히 구성되어 있는지를 확인할 수 있는 체크 숫자입니다. 바코드 숫자 사이에는 다음과 같은 규칙이 있습니다.

> (홀수 번째 자리 수의 합)+(짝수 번째 자리 수의 합)×3+(체크 숫자)=10×★
> (단, ★은 자연수입니다.)

오른쪽 바코드의 체크 숫자를 구해 보시오.

(1) 바코드 숫자 사이의 규칙을 이용하여 체크 숫자를 구하려고 합니다. □ 안에 알맞은 수를 써넣으시오.

> (8+0+1+4+□+□)
> +(8+1+3+5+□+2)×□+■=10×★
> ⇨ □+■=10×★

(2) 바코드의 체크 숫자는 얼마입니까?

( )

신유형 PLUS

✚ 바코드 숫자 사이의 규칙 확인하기

8 80 1037 00639 1

(8+0+0+7+0+3) ← 홀수 번째 자리의 수
+(8+1+3+0+6+9) ← 짝수 번째 자리의 수
×3+1
=100 ← 10×10

유제 11

오른쪽 바코드의 체크 숫자를 구해 보시오.

( )

STEP 3 상위권 문제 확인과 응용

1 세 개의 식을 하나의 식으로 나타내어 보시오.

㉠ $40-21\div3=33$
㉡ $4\times5+1=21$
㉢ $120-13\times9=3$

식 |

비법 PLUS

계산 순서가 바뀌지 않도록 ( )를 사용하여 하나의 식으로 나타냅니다.

2 □ 안에 들어갈 수 있는 자연수는 모두 몇 개인지 구해 보시오.

$6\times5-49\div7>\square+18$

( )

3 딸기 26상자와 키위 7상자가 있습니다. 딸기는 한 상자에 28개씩 들어 있고, 키위는 한 상자에 8개씩 들어 있습니다. 딸기 수는 키위 수의 몇 배인지 구해 보시오.

( )

4 그림과 같이 정사각형을 모양과 크기가 같은 3개의 직사각형으로 나누었습니다. 나눈 직사각형 한 개의 네 변의 길이의 합은 몇 cm인지 구해 보시오.

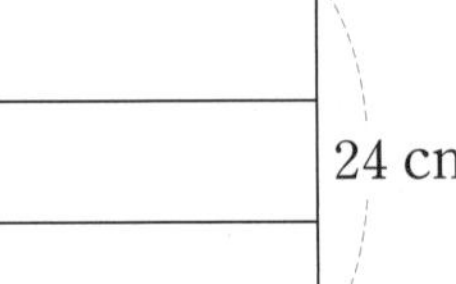

( )

직사각형의 긴 변의 길이는 정사각형의 한 변의 길이와 같습니다.

5 70에 어떤 수를 더하고 3을 곱해야 하는데 잘못하여 70에서 어떤 수를 빼고 3으로 나누었더니 20이 되었습니다. 바르게 계산한 값은 얼마인지 구해 보시오.

( )

비법 PLUS

6 기호 $\begin{vmatrix} & \\ & \end{vmatrix}$를 다음과 같이 약속할 때 $\begin{vmatrix} 8 & ★ \\ 5 & 7 \end{vmatrix}=41$에서 ★에 알맞은 수를 구해 보시오.

$\begin{vmatrix} ㉠ & ㉡ \\ ㉢ & ㉣ \end{vmatrix}=㉠\times㉣-㉡\times㉢$

( )

약속에 따라 식을 만든 후 ★에 알맞은 수를 구해 봅니다.

서술형 문제

7 보트 한 대를 빌려 타는 데 30분에 5000원이라고 합니다. 10명이 보트 3대를 1시간 30분 동안 빌려 타고 똑같이 나누어 대여비를 내기로 했습니다. 한 사람이 내야 하는 돈은 얼마인지 풀이 과정을 쓰고 답을 구해 보시오.

풀이 |

답 |

8 똑같은 접시 8개가 들어 있는 상자의 무게를 재어 보니 850 g이었습니다. 여기에 똑같은 접시 5개를 더 넣어서 무게를 재어 보니 1330 g이었습니다. 빈 상자는 몇 g인지 구해 보시오.

( )

비법 PLUS

접시 5개를 더 넣었을 때 늘어난 무게를 이용하여 접시 1개의 무게를 먼저 알아봅니다.

서술형 문제

9 지문이네 학교에는 450명이 있습니다. 이 학교에서 수학 학원을 다니는 학생은 284명이고, 영어 학원을 다니는 학생은 202명입니다. 또 수학 학원과 영어 학원을 모두 다니는 학생은 148명입니다. 지문이네 학교에서 수학 학원도 영어 학원도 다니지 않는 학생은 몇 명인지 풀이 과정을 쓰고 답을 구해 보시오.

풀이 |

답 |

10 경민이는 매일 아침에 주스를 한 병씩 마십니다. 11월 중에 주스 한 병의 값이 830원에서 900원으로 올라 11월의 주스 값으로 25880원을 냈습니다. 11월에 오른 주스 값으로 마신 주스는 몇 병인지 구해 보시오.

( )

빠른 정답 2쪽 —— 정답과 풀이 10쪽

창의융합형 문제

11 SRT는 2016년 12월에 개통된 수서발 고속 열차입니다. SRT의 길이는 201 m이고, 한 시간에 300 km를 갈 수 있습니다. SRT가 한 시간에 300 km를 가는 빠르기로 터널에 들어가기 시작한 지 2분 만에 완전히 통과했다면 이 터널의 길이는 몇 m인지 구해 보시오.

▲ SRT

(　　　　　　　　　　)

창의융합 PLUS

✚ SRT
한 시간에 300 km를 달릴 수 있는 열차로 매우 빠르게 달릴 수 있어서 SRT(Super Rapid Train)라는 이름을 붙였습니다.

12 지현이는 가지고 있는 돈을 태국 돈으로 바꾸려고 합니다. 한국 돈 100원을 태국 돈 3바트로 바꿀 수 있습니다. 지현이가 5000원짜리 지폐 2장, 1000원짜리 지폐 7장, 500원짜리 동전 6개, 100원짜리 동전 4개를 모두 태국 돈으로 바꾸면 몇 바트가 되는지 구해 보시오. (단, 환전 수수료는 생각하지 않습니다.)

오늘의 환율

태국 THB ▽	3	=	대한민국 KRW ▽	100

통	환율	현찰		송금		환율 그래프
		살 때	팔 때	보낼 때	받을 때	
중국 CNY	173.74	173.83	157.29	167.21	163.91	

(　　　　　　　　　　)

✚ 태국
동남아시아 중심부에 위치한 태국은 동남아시아에서 유일하게 다른 나라의 지배를 받은 적이 없는 나라이며 국왕이 있습니다. 공용어는 타이어이지만 영어를 사용하는 사람들도 많으며 화폐의 단위는 '바트'입니다.

STEP 4 최상위권 문제

1 철우는 기차역에서 출발하여 삼촌 댁에 가는 데 10분에 25 km씩 가는 기차를 1시간 20분 동안 타고, 남은 거리는 1분에 50 m씩 가는 빠르기로 걸었습니다. 기차역에서 삼촌 댁까지의 거리가 203 km라면 철우가 걸어간 시간은 모두 몇 분인지 구해 보시오.

(　　　　　　　　)

2 ㉮★㉯=㉮×9−㉯×8+7이라고 약속할 때 □ 안에 알맞은 수를 구해 보시오.

(□★3)★5=138

(　　　　　　　　)

3 긴 변이 24 cm, 짧은 변이 8 cm인 직사각형 모양의 색 테이프 15장을 그림과 같이 겹치게 이어 붙였습니다. 이어 붙인 색 테이프 전체의 네 변의 길이의 합은 몇 cm인지 구해 보시오.

24 cm
8 cm
2 cm
……

(　　　　　　　　)

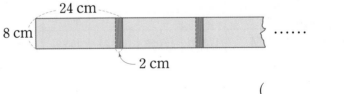

빠른 정답 2쪽 —— 정답과 풀이 11쪽

4 청아가 가지고 있는 돈은 정훈이가 가지고 있는 돈의 2배보다 3000원 더 적고, 수진이가 가지고 있는 돈보다 3000원 더 많습니다. 수진이가 정훈이보다 2000원 더 많이 가지고 있다면 청아가 가지고 있는 돈은 얼마인지 구해 보시오.

( )

5 어느 전시회의 입장료는 한 사람당 5000원입니다. 5명이 넘는 단체일 때에는 5명을 넘는 사람 수에 대해서만 500원씩 할인해 주고, 10명을 넘으면 10명을 넘는 사람 수에 대해서만 300원씩 더 할인해 줍니다. 예를 들어 20명이 입장을 하는 경우 5명은 5000원, 5명은 4500원, 10명은 4200원씩 내야 합니다. 태우네 반 학생의 입장료가 93700원일 때 태우네 반 학생은 몇 명인지 구해 보시오.

( )

6 5장의 수 카드 [1], [2], [5], [7], [9]와 $+$, $-$, $\times$, $\div$, ( )를 각각 한 번씩 모두 사용하여 계산 결과가 가장 크게 되는 식을 만들고, 계산해 보시오. (단, 계산 결과는 자연수입니다.)

식 | ______________________

답 | ______________________

그림을 감상해 보세요.

김명국, 「달마도」, 1600년대

2

약수와 배수

영역: 수와 연산

STEP 1

핵심 개념과 문제

1 약수와 배수

• 약수: 어떤 수를 나누어떨어지게 하는 수

예 6의 약수 구하기

$6\div1=6$ $6\div2=3$ $6\div3=2$ $6\div6=1$

⇨ 6의 약수: 1, 2, 3, 6

참고 • 어떤 수의 약수 중에서 가장 작은 수는 1입니다.
• 어떤 수의 약수 중에서 가장 큰 수는 어떤 수 자신입니다.

• 배수: 어떤 수를 1배, 2배, 3배⋯⋯ 한 수

예 3의 배수 구하기

$3\times1=3$ $3\times2=6$ $3\times3=9$ $3\times4=12$⋯⋯

⇨ 3의 배수: 3, 6, 9, 12⋯⋯

참고 • 어떤 수의 배수 중에서 가장 작은 수는 어떤 수 자신입니다.
• 어떤 수의 배수는 셀 수 없이 많습니다.

2 곱을 이용하여 약수와 배수의 관계 알아보기

■=▲×● ⇨ ■는 ▲와 ●의 배수입니다.
▲와 ●는 ■의 약수입니다.

예 • 10을 두 수의 곱으로 나타내어 약수와 배수의 관계 알아보기

10은 1과 10의 배수 / 10은 2와 5의 배수

$10=1\times10$ $10=2\times5$

1과 10은 10의 약수 / 2와 5는 10의 약수

⇨ 10은 1, 2, 5, 10의 배수입니다.
1, 2, 5, 10은 10의 약수입니다.

• 18을 여러 수의 곱으로 나타내어 약수와 배수의 관계 알아보기

$18=1\times18$ $18=2\times9$ $18=3\times6$ $18=2\times3\times3$

⇨ 18은 1, 2, 3, 6, 9, 18의 배수입니다.
1, 2, 3, 6, 9, 18은 18의 약수입니다.

참고 큰 수를 작은 수로 나누었을 때 나누어떨어지면 두 수는 약수와 배수의 관계입니다.

중1 연계

• 소수(素數): 1보다 큰 자연수 중에서 약수가 1과 자기 자신뿐인 수
⇨ 약수가 2개뿐인 자연수
예 2, 3, 5, 7, 11⋯⋯

개념 PLUS

배수 판정법

• 2의 배수: 일의 자리 숫자가 0, 2, 4, 6, 8인 수
• 3의 배수: 각 자리 수의 합이 3의 배수인 수
예 123: $1+2+3=\underline{6}$
⇨ 3의 배수
• 4의 배수: 끝의 두 자리 수가 00 또는 4의 배수인 수
예 1<u>28</u> ⇨ 4의 배수
• 5의 배수: 일의 자리 숫자가 0 또는 5인 수
• 9의 배수: 각 자리 수의 합이 9의 배수인 수
예 351: $3+5+1=\underline{9}$
⇨ 9의 배수

1 소망이와 재윤이가 각각 약수를 구한 것입니다. 약수를 잘못 구한 사람은 누구입니까?

- 소망: 24의 약수는 1, 2, 3, 4, 6, 8, 12, 24야.
- 재윤: 49의 약수는 1, 3, 7, 49야.

(　　　　　　　　)

2 두 수가 약수와 배수의 관계인 것을 모두 찾아 기호를 써 보시오.

㉠ (3, 42)	㉡ (7, 81)
㉢ (76, 8)	㉣ (45, 15)

(　　　　　　　　)

3 어떤 수의 배수를 가장 작은 수부터 차례대로 쓴 것입니다. 열두째 수를 구해 보시오.

7, 14, 21, 28, 35……

(　　　　　　　　)

4 약수의 수가 많은 수부터 차례대로 써 보시오.

18　　25　　51

(　　　　　　　　)

5 □ 안에 공통으로 들어갈 수 있는 수는 어느 것입니까? (　　　)

- 2와 3은 □의 약수입니다.
- □는 2와 3의 배수입니다.

① 8　② 9　③ 10　④ 12　⑤ 15

6 13의 배수 중에서 150에 가장 가까운 수를 구해 보시오.

(　　　　　　　　)

3 공약수와 최대공약수

- 공약수: 공통된 약수
- 최대공약수: 공약수 중에서 가장 큰 수

예 18과 24의 최대공약수 구하기

방법 1 여러 수의 곱으로 나타낸 곱셈식 이용하기

$12=2\times2\times3$

$18=2\times3\times3$

⇨ 최대공약수: $2\times3=6$

방법 2 공약수 이용하기

2) 12 18 ← 1 이외의 공약수가 없을 때까지 나눕니다.
3) 6 9
2 3

⇨ 최대공약수: $2\times3=6$

- **공약수와 최대공약수의 관계**

두 수의 공약수는 두 수의 최대공약수의 약수와 같습니다.

예 8과 12의 공약수와 최대공약수의 관계

- 8과 12의 공약수: 1, 2, 4
- 8과 12의 최대공약수인 4의 약수: 1, 2, 4

→ 같습니다.

중1 연계

- 서로소: 최대공약수가 1인 두 자연수

예 5와 8은 최대공약수가 1이므로 서로소입니다.

4 공배수와 최소공배수

- 공배수: 공통된 배수
- 최소공배수: 공배수 중에서 가장 작은 수

예 18과 30의 최소공배수 구하기

방법 1 여러 수의 곱으로 나타낸 곱셈식 이용하기

$18=2\times3\times3$

$30=2\times3\times5$

⇨ 최소공배수: $2\times3\times3\times5=90$

방법 2 공약수 이용하기

2) 18 30
3) 9 15
3 5

⇨ 최소공배수: $2\times3\times3\times5=90$

- **공배수와 최소공배수의 관계**

두 수의 공배수는 두 수의 최소공배수의 배수와 같습니다.

예 4와 6의 공배수와 최소공배수의 관계

- 4와 6의 공배수: 12, 24, 36……
- 4와 6의 최소공배수인 12의 배수: 12, 24, 36……

→ 같습니다.

개념 PLUS

최대공배수 구하는 방법을 배우지 않는 이유

공배수는 한없이 커지므로 최대공배수는 구할 수 없습니다.

1 잘못 설명한 것을 찾아 기호를 써 보시오.

> ㉠ 27과 36의 공약수 중에서 가장 작은 수는 1입니다.
> ㉡ 27과 36의 공약수는 두 수를 모두 나누어떨어지게 할 수 있습니다.
> ㉢ 27과 36의 공약수 중에서 가장 큰 수는 3입니다.

( )

2 두 수의 최대공약수가 가장 큰 것을 찾아 기호를 써 보시오.

> ㉠ (36, 48) ㉡ (40, 16) ㉢ (18, 27)

( )

3 어떤 두 수의 최대공약수가 18일 때 이 두 수의 공약수의 합을 구해 보시오.

( )

4 효진이와 채원이가 각각 아래의 규칙에 따라 바둑돌을 100개씩 놓을 때, 같은 자리에 흰 바둑돌을 놓는 경우는 모두 몇 번입니까?

같은 자리

효진 ●●○●●○●●○●●○●······

채원 ●●●○●●●○●●●○●······

( )

5 지안이는 6일마다 독서 토론을 하고, 10일마다 지역 봉사 활동을 합니다. 오늘 두 가지를 모두 했다면 다음번에 처음으로 두 가지를 모두 할 때는 며칠 뒤입니까?

( )

6 가위 30개와 풀 42개를 최대한 많은 학생에게 남김없이 똑같이 나누어 주려고 합니다. 한 명이 받을 수 있는 가위와 풀은 각각 몇 개입니까?

가위 ( )

풀 ( )

STEP 2 상위권 문제

대표유형 01 조건을 만족하는 어떤 수 구하기

다음 〈조건〉을 모두 만족하는 어떤 수를 구해 보시오.

〈조건〉
- 어떤 수는 50의 약수입니다.
- 어떤 수의 약수를 모두 더하면 31입니다.

(1) 50의 약수를 모두 구해 보시오.

( )

(2) 위 (1)에서 구한 수 중에서 약수를 모두 더하면 31인 수는 무엇입니까?

( )

비법 PLUS
어떤 수의 약수 중에서 가장 큰 수는 어떤 수 자신이므로 어떤 수의 약수의 합이 ■이면 어떤 수는 ■보다 작은 수입니다.

유제 1 다음 〈조건〉을 모두 만족하는 어떤 수를 구해 보시오.

〈조건〉
- 어떤 수는 64의 약수입니다.
- 어떤 수의 약수를 모두 더하면 63입니다.

( )

유제 2 다음 〈조건〉을 모두 만족하는 어떤 수를 구해 보시오.

〈조건〉
- 어떤 수는 7의 배수입니다.
- 어떤 수의 약수를 모두 더하면 56입니다.

( )

빠른 정답 2쪽 —— 정답과 풀이 12쪽

주어진 범위에서 공배수의 개수 구하기

100부터 300까지의 수 중에서 4의 배수이면서 7의 배수인 수는 모두 몇 개인지 구해 보시오.

(1) 1부터 300까지의 수 중에서 4의 배수이면서 7의 배수인 수는 모두 몇 개입니까?

( )

(2) 1부터 99까지의 수 중에서 4의 배수이면서 7의 배수인 수는 모두 몇 개입니까?

( )

(3) 100부터 300까지의 수 중에서 4의 배수이면서 7의 배수인 수는 모두 몇 개입니까?

( )

비법 PLUS

■의 배수이면서 ▲의 배수인 수
⇨ ■와 ▲의 공배수
⇨ ■와 ▲의 최소공배수의 배수

3 200부터 400까지의 수 중에서 6의 배수이면서 5의 배수인 수는 모두 몇 개인지 구해 보시오.

( )

유제

4 서술형 문제

180부터 380까지의 수 중에서 9의 배수이면서 12의 배수인 수는 모두 몇 개인지 풀이 과정을 쓰고 답을 구해 보시오.

풀이 |

답 |

대표유형 03 배수 판정하기

다음 네 자리 수가 3의 배수일 때 ■에 들어갈 수 있는 숫자를 모두 구해 보시오.

324■

(1) □ 안에 알맞은 수를 써넣으시오.

324■가 3의 배수이려면 각 자리 수의 합인 3+2+4+■=□+■가 □의 배수이어야 합니다.

(2) ■에 들어갈 수 있는 숫자를 모두 구해 보시오.

( )

비법 PLUS

배수 판정법
- 2의 배수: 일의 자리 숫자가 0, 2, 4, 6, 8인 수
- 3의 배수: 각 자리 수의 합이 3의 배수인 수
- 4의 배수: 끝의 두 자리 수가 00 또는 4의 배수인 수
- 5의 배수: 일의 자리 숫자가 0 또는 5인 수
- 9의 배수: 각 자리 수의 합이 9의 배수인 수

유제 5 다음 네 자리 수가 4의 배수일 때 □ 안에 들어갈 수 있는 숫자를 모두 구해 보시오.

51□2

( )

유제 6 다음 다섯 자리 수가 9의 배수일 때 □ 안에 들어갈 수 있는 숫자를 구해 보시오.

1624□

( )

빠른 정답 2쪽 —— 정답과 풀이 12쪽

나머지가 있을 때 어떤 수(나누는 수) 구하기

40과 34를 어떤 수로 나누면 나머지가 모두 4입니다. 어떤 수를 구해 보시오.

(1) □ 안에 알맞은 수를 써넣으시오.

어떤 수는 40−□=□과 34−□=□의 공약수입니다.

(2) 어떤 수는 얼마입니까?

(   )

비법 PLUS

■와 ●를 어떤 수로 나눌 때 나머지가 모두 ▲인 경우

⇨ (■−▲)와 (●−▲)를 어떤 수로 나누면 나누어떨어집니다.

⇨ 어떤 수는 (■−▲)와 (●−▲)의 공약수 중 나머지인 ▲보다 큰 수

7 48과 30을 어떤 수로 나누면 나머지가 모두 3입니다. 어떤 수를 구해 보시오.

(   )

8 나눗셈식을 보고 어떤 수가 될 수 있는 수를 모두 구해 보시오.

• 79÷(어떤 수)=■…7
• 59÷(어떤 수)=●…5

(   )

대표유형 05 나머지가 있을 때 어떤 수(나누어지는 수) 구하기

15로 나누어도 5가 남고 18로 나누어도 5가 남는 어떤 수가 있습니다. 어떤 수가 될 수 있는 수 중에서 가장 작은 수를 구해 보시오.

(1) □ 안에 알맞은 수를 써넣으시오.

'(어떤 수)－□'는 15와 18의 공배수입니다.

(2) 어떤 수가 될 수 있는 수 중에서 가장 작은 수를 구해 보시오.

(　　　　　　　　)

비법 PLUS

어떤 수를 ■와 ●로 나눌 때 나머지가 모두 ▲인 경우
⇨ '(어떤 수)－▲'를 ■와 ●로 나누면 나누어떨어집니다.
⇨ '(어떤 수)－▲'는 ■와 ●의 공배수
⇨ 어떤 수는 ■와 ●의 공배수보다 ▲만큼 더 큰 수

유제 9

16으로 나누어도 4가 남고 20으로 나누어도 4가 남는 어떤 수가 있습니다. 어떤 수가 될 수 있는 수 중에서 가장 작은 수를 구해 보시오.

(　　　　　　　　)

유제 10

나눗셈식을 보고 어떤 수가 될 수 있는 수 중에서 가장 작은 수를 구해 보시오.

- (어떤 수)÷24＝▲…2
- (어떤 수)÷32＝★…2

(　　　　　　　　)

빠른 정답 2쪽 —— 정답과 풀이 12쪽

직사각형을 나누어 정사각형 만들기

가로가 90 cm, 세로가 72 cm인 직사각형 모양의 종이를 크기가 같은 정사각형 모양으로 남는 부분 없이 자르려고 합니다. 가장 큰 정사각형 모양으로 자르면 자른 종이는 모두 몇 장이 되는지 구해 보시오.

(1) 가장 큰 정사각형 모양으로 자른 종이의 한 변은 몇 cm입니까?

( )

(2) 가장 큰 정사각형 모양으로 자르면 자른 종이는 모두 몇 장이 됩니까?

( )

비법 PLUS

가로 ■ cm, 세로 ▲ cm인 직사각형을 크기가 같은 가장 큰 정사각형으로 남는 부분 없이 자르기
⇨ 가장 큰 정사각형의 한 변의 길이: ■와 ▲의 최대공약수

11 가로가 88 cm, 세로가 96 cm인 직사각형 모양의 벽에 크기가 같은 정사각형 모양의 색종이를 빈틈없이 겹치지 않게 붙이려고 합니다. 가장 큰 정사각형 모양의 색종이를 붙인다면 색종이는 모두 몇 장이 필요한지 구해 보시오.

( )

서술형 문제

12 가로가 20 cm, 세로가 24 cm인 직사각형 모양의 타일을 빈틈없이 겹치지 않게 늘어 놓아 가장 작은 정사각형 모양을 만들려고 합니다. 직사각형 모양의 타일은 모두 몇 장이 필요한지 풀이 과정을 쓰고 답을 구해 보시오.

풀이 |

답 |

대표유형 07

최대공약수와 최소공배수를 이용하여 어떤 수 구하기

36과 어떤 수의 최대공약수는 18이고 최소공배수는 180입니다. 어떤 수를 구해 보시오.

(1) 36과 어떤 수의 최소공배수를 구하는 과정을 나타낸 것입니다. □ 안에 알맞은 수를 써넣으시오.

18) 36 (어떤 수)
  2 ㉠

⇨ 최소공배수: □×2×㉠=180

(2) 위 (1)에서 ㉠에 알맞은 수는 얼마입니까?

( )

(3) 어떤 수는 얼마입니까?

( )

비법 PLUS

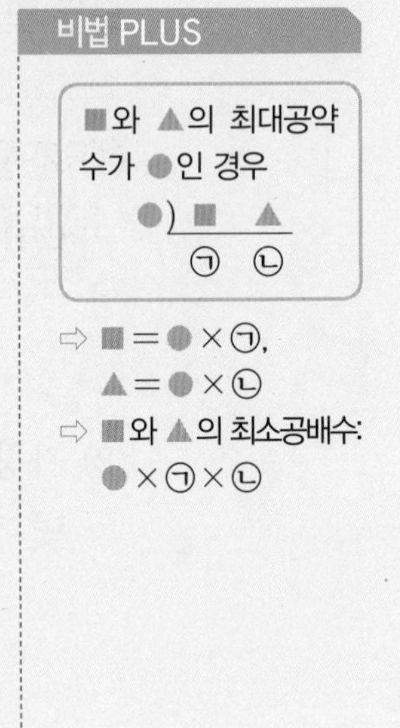

유제 13 42와 어떤 수의 최대공약수는 14이고 최소공배수는 210입니다. 어떤 수를 구해 보시오.

( )

유제 14 어떤 수와 54의 최대공약수는 27이고 최소공배수는 162입니다. 어떤 수를 구해 보시오.

( )

빠른 정답 2쪽 —— 정답과 풀이 12쪽

신유형 08

띠가 서로 같을 때 나이 구하기

선영이의 이모는 올해 12살인 선영이와 띠가 서로 같습니다. 대화를 읽고 선영이의 이모의 나이를 구해 보시오.

이모의 나이는 올해 40살인 어머니보다 적고 34살인 외삼촌보다는 많아.
그럼 너의 이모의 나이는…….
선영
진우

(1) □ 안에 알맞은 수를 써넣으시오.

선영이와 이모는 띠가 서로 같으므로 이모의 나이는 선영이의 나이보다 의 배수만큼 많습니다.

(2) 이모의 나이는 몇 살입니까?

( )

신유형 PLUS

띠는 사람이 태어난 해를 열두 동물들의 이름으로 이르는 말입니다. 순서대로 쥐, 소, 호랑이, 토끼, 용, 뱀, 말, 양, 원숭이, 닭, 개, 돼지입니다.

유제 **15** 주환이의 일기를 읽고 큰아버지의 나이를 구해 보시오.

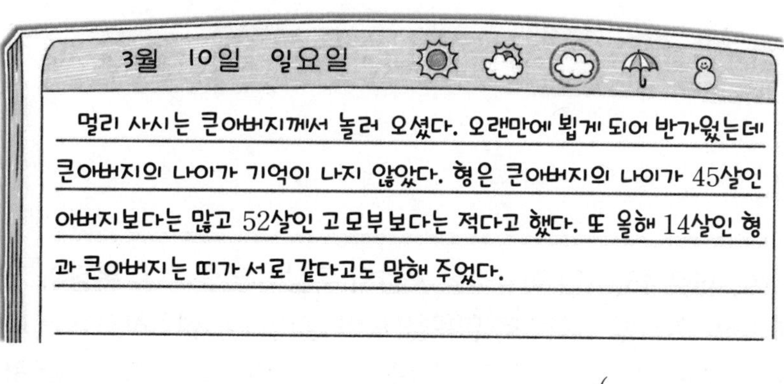
3월 10일 일요일

멀리 사시는 큰아버지께서 놀러 오셨다. 오랜만에 뵙게 되어 반가웠는데 큰아버지의 나이가 기억이 나지 않았다. 형은 큰아버지의 나이가 45살인 아버지보다는 많고 52살인 고모부보다는 적다고 했다. 또 올해 14살인 형과 큰아버지는 띠가 서로 같다고도 말해 주었다.

( )

STEP 3 상위권 문제 확인과 응용

비법 PLUS

1 연필 36자루를 5명보다 많은 학생에게 남김없이 똑같이 나누어 주려고 합니다. 나누어 줄 수 있는 방법은 모두 몇 가지인지 구해 보시오.

(　　　　　　　　)

2 수 카드를 모두 한 번씩 사용하여 네 자리 수를 만들려고 합니다. 만들 수 있는 네 자리 수 중에서 4의 배수는 모두 몇 개인지 구해 보시오.

3　4　6　8

(　　　　　　　　)

서술형 문제

3 어느 고속버스 터미널에서 ㉮ 버스는 30분마다 출발하고, ㉯ 버스는 18분마다 출발합니다. 두 버스가 오전 6시에 동시에 출발할 때, 오전 6시부터 낮 12시까지 동시에 출발하는 시각은 모두 몇 번인지 풀이 과정을 쓰고 답을 구해 보시오.

풀이 |

답 |

✚ 두 버스가 각각 ■분, ▲분마다 출발할 때 두 버스는 ■와 ▲의 최소공배수마다 동시에 출발합니다.

4 가로 36 m, 세로 45 m인 직사각형 모양의 목장이 있습니다. 목장의 가장자리를 따라 일정한 간격으로 말뚝을 박아 울타리를 설치하려고 합니다. 네 모퉁이에는 반드시 말뚝을 박아야 하고, 말뚝은 가장 적게 사용하려고 합니다. 울타리를 설치하는 데 필요한 말뚝의 수를 구해 보시오. (단, 말뚝의 두께는 생각하지 않습니다.)

(　　　　　　　　)

✚ 한 가장자리의 처음과 끝에 말뚝을 박을 경우

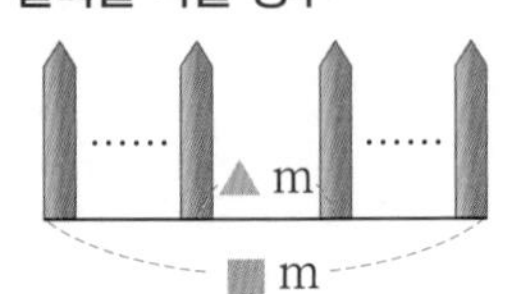

(필요한 말뚝 수)
=(■÷▲+1)개

5 다음을 계산한 값은 9의 배수입니다. □ 안에 들어갈 수 있는 두 자리 수는 모두 몇 개인지 구해 보시오.

432+□

(　　　　　　　　)

비법 PLUS

✚(■+▲)가 ●의 배수일 때 ▲가 ●의 배수이면 ■도 ●의 배수입니다.

서술형 문제

6 귤 58개와 자두 77개를 최대한 많은 학생에게 똑같이 나누어 주었더니 귤은 2개, 자두는 5개가 남았습니다. 귤과 자두를 몇 명에게 나누어 준 것인지 풀이 과정을 쓰고 답을 구해 보시오.

풀이 |

답 |

7 길이가 600 m인 도로의 한쪽에 처음부터 15 m 간격으로 가로수를 심고, 20 m 간격으로 가로등을 세우려고 합니다. 가로수와 가로등이 겹치는 부분에는 가로등만 세우고, 도로의 처음과 끝에도 가로등만 세우려고 합니다. 필요한 가로수는 모두 몇 그루인지 구해 보시오. (단, 가로수와 가로등의 두께는 생각하지 않습니다.)

(　　　　　　　　)

✚도로 한쪽의 처음과 끝에 가로수를 심지 않을 경우

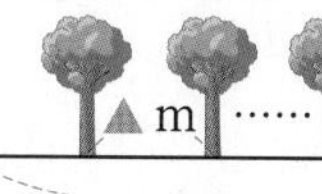

(필요한 가로수의 수) =(■÷▲−1)그루

비법 PLUS

8 1부터 200까지의 자연수 중에서 5의 배수도 8의 배수도 아닌 수는 모두 몇 개인지 구해 보시오.

( )

9 다음을 만족하는 수 중에서 90에 가장 가까운 수를 구해 보시오.

- 4로 나누면 3이 남습니다.
- 5로 나누면 4가 남습니다.

( )

어떤 수를 4와 5로 나눌 때 1이 모자라서 나누어떨어지지 않으므로 '(어떤 수)+1'을 4와 5로 나누면 나누어떨어집니다.

10 톱니 수가 각각 18개, 45개, 20개인 3개의 톱니바퀴 ㉮, ㉯, ㉰가 맞물려 돌아가고 있습니다. 세 톱니바퀴의 톱니가 처음 맞물렸던 자리에서 다시 만나려면 ㉮ 톱니바퀴는 적어도 몇 바퀴를 돌아야 하는지 구해 보시오.

( )

세 수의 최소공배수 구하기
먼저 두 수의 최소공배수를 구한 다음 그 수와 나머지 수의 최소공배수를 구합니다.

창의융합형 문제

11 고대 그리스 사람들은 수 6을 자신을 제외한 약수의 합으로 표시할 수 있음을 알아차리고 이것이야말로 완전한 수의 형태라고 생각했습니다. 피타고라스학파는 이러한 수를 완전수라고 불렀습니다. 25부터 30까지의 자연수 중에서 완전수를 구해 보시오.

▲ 피타고라스

6의 약수: 1, 2, 3, 6 ⇨ $1+2+3=6$

(　　　　　　　　)

창의융합 PLUS

+ 피타고라스
고대 그리스의 철학자이자 수학자인 피타고라스는 수를 만물의 근원으로 생각했으며, '피타고라스의 정리'를 최초로 증명했습니다. 또한, 그의 사상을 주축으로 형성된 학파를 피타고라스학파라고 합니다.

12 항공 장애등은 붉은빛의 등을 켜서 야간 항공에 장애가 되는 높은 건축물이나 위험물의 존재를 항공기 조종사에게 알리는 시설입니다. 어떤 건물에서 첨탑의 항공 장애등은 2초 동안 켜져 있다가 1초 동안 꺼져 있고, 옥상의 항공 장애등은 3초 동안 켜져 있다가 2초 동안 꺼져 있습니다. 오후 9시에 첨탑과 옥상의 항공 장애등이 동시에 켜진 뒤 오후 10시까지 함께 켜져 있는 시간은 모두 몇 초인지 구해 보시오.

(　　　　　　　　)

+ 항공 장애등
항공 장애등은 높이가 150 m 이상인 건축물, 구조물 또는 너비가 90 m 이상인 강·계곡, 고속도로를 가로지르는 가공선 또는 지지탑, 높이가 60 m 이상인 철탑 등에 설치합니다.

STEP 4

최상위권 문제

1 어떤 수의 배수를 구했더니 100보다 작은 수가 6개였습니다. 어떤 수가 될 수 있는 수 중에서 가장 작은 수의 약수의 합을 구해 보시오.

( )

2 다음 다섯 자리 수는 5의 배수이면서 3의 배수입니다. 다섯 자리 수가 될 수 있는 수 중에서 가장 작은 수를 구해 보시오.

4㉠39㉡

( )

3 두 자연수 ㉮와 ㉯의 최대공약수는 6이고 최소공배수는 90입니다. 이 두 수의 차가 12일 때 ㉮를 구해 보시오. (단, ㉮ $<$ ㉯입니다.)

( )

4 오른쪽 그림과 같은 삼각형 모양의 땅의 둘레에 같은 간격으로 나무를 심으려고 합니다. 세 모퉁이에는 반드시 나무를 심어야 하고, 나무를 가장 적게 심으려고 합니다. 필요한 나무는 모두 몇 그루인지 구해 보시오. (단, 나무의 두께는 생각하지 않습니다.)

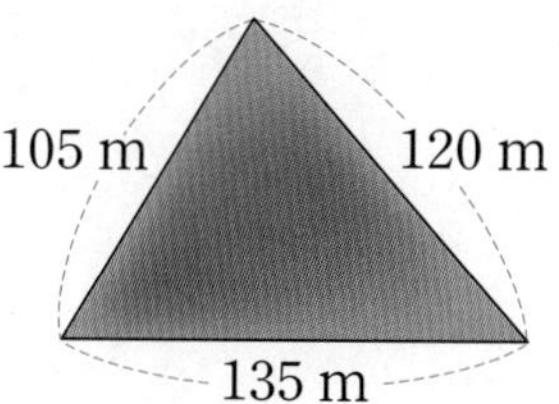

(　　　　　　　　)

5 수정이네 학교에서 하는 야외 활동에 110명보다 많고 130명보다 적은 학생이 참여했습니다. 각 천막에 학생 수를 똑같이 배정하려고 천막 한 개에 4명, 5명, 6명으로 인원을 바꾸어 배정해 보아도 항상 2명이 남는다고 합니다. 야외 활동에 참여한 학생은 모두 몇 명인지 구해 보시오.

(　　　　　　　　)

6 오늘은 월요일입니다. 오늘부터 ㉠일 후는 수요일이고, ㉡일 후는 토요일입니다. 오늘부터 (㉠ × ㉡)일 후는 무슨 요일인지 구해 보시오.

(　　　　　　　　)

그림을 감상해 보세요.

신윤복, 「쌍검대무」, 1700년대

3

규칙과 대응

영역: 규칙성

STEP 1 핵심 개념과 문제

1 두 양 사이의 대응 관계를 찾아 식으로 나타내기

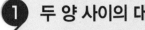

• 모양에서 변하는 부분과 변하지 않는 부분 찾기

왼쪽에 있는 파란색 사각판 2개는 변하지 않고, 그 오른쪽에 있는 빨간색 사각판과 파란색 사각판의 수가 1개씩 늘어납니다.

• 대응 관계를 표를 이용하여 찾고 식으로 나타내기

빨간색 사각판의 수(개)	1	2	3	4	……
파란색 사각판의 수(개)	3	4	5	6	……

파란색 사각판의 수는 빨간색 사각판의 수보다 2만큼 더 큽니다.
⇨ (빨간색 사각판의 수)+2=(파란색 사각판의 수)
빨간색 사각판의 수는 파란색 사각판의 수보다 2만큼 더 작습니다.
⇨ (파란색 사각판의 수)−2=(빨간색 사각판의 수)

• 대응 관계를 기호를 사용하여 식으로 나타내기

> 두 양 사이의 대응 관계를 식으로 간단하게 나타낼 때는 각 양을 ○, □, △, ☆ 등과 같은 기호로 표현할 수 있습니다.

파란색 사각판의 수를 □, 빨간색 사각판의 수를 △라고 하여 기호를 사용한 식으로 나타내면 △+2=□ 또는 □−2=△입니다.

2 생활 속에서 대응 관계를 찾아 식으로 나타내기

㉠ 음료 1개에 들어 있는 설탕의 양: 약 45 g

㉡ 지하철이 1초 동안 이동하는 거리: 약 30 m

	서로 관계가 있는 두 양		대응 관계
㉠	설탕의 양	음료의 수	(음료의 수)×45 =(설탕의 양)
㉡	지하철 이동 거리	걸린 시간	(걸린 시간)×30 =(지하철 이동 거리)

개념 PLUS

대응 관계: 한 양이 변할 때 다른 양이 그에 따라 일정하게 변하는 관계

중 1 연계

정비례

두 양 x, y에서 x가 2배, 3배, 4배……로 변함에 따라 y도 2배, 3배, 4배……로 변하는 관계가 있으면 y는 x에 **정비례한다**고 합니다.

예

x	1	2	3	4
y	2	4	6	8

⇨ $y=2\times x$

반비례

두 양 x, y에서 x가 2배, 3배, 4배……로 변함에 따라 y는 $\frac{1}{2}$배, $\frac{1}{3}$배, $\frac{1}{4}$배……로 변하는 관계가 있으면 y는 x에 **반비례한다**고 합니다.

예

x	1	2	4	8
y	16	8	4	2

⇨ $x\times y=16$

빠른 정답 3쪽 —— 정답과 풀이 18쪽

[1~2] 도형의 배열을 보고 물음에 답하시오.

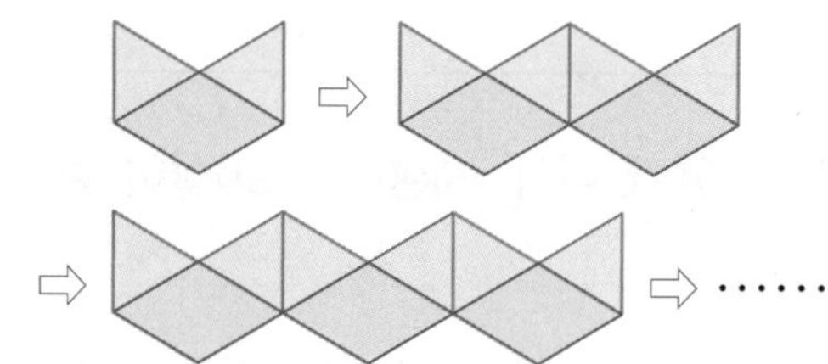

1 사각형의 수와 삼각형의 수가 어떻게 변하는지 표를 이용하여 알아보시오.

사각형의 수(개)	1	2	3	4	……
삼각형의 수(개)	2				……

2 사각형의 수와 삼각형의 수 사이의 대응 관계를 써 보시오.

( )

3 은지네 샤워기에서는 1분에 11 L의 물이 나옵니다. 샤워기를 사용한 시간과 물이 나온 양 사이의 대응 관계를 기호를 사용하여 식으로 나타내어 보시오.

> 샤워기를 사용한 시간을 □, 물이 나온 양을 □(이)라고 할 때, 두 양 사이의 대응 관계를 식으로 나타내면 □ 입니다.

4 그림과 같이 색 테이프를 겹치게 이어 붙이고 있습니다. 색 테이프의 수를 △, 겹쳐진 부분의 수를 □라고 할 때, 두 양 사이의 대응 관계를 표를 이용하여 찾고 식으로 나타내어 보시오.

……

겹쳐진 부분의 수(곳)	1	2	3	4	……
색 테이프의 수(개)	2				……

식 |

5 대응 관계를 나타낸 식을 보고, 식에 알맞은 상황을 만들어 보시오.

> ○×5=□

상황 |

6 삼각형 조각으로 규칙적인 배열을 만들고 있습니다. 열여덟째에 필요한 삼각형 조각은 모두 몇 개입니까?

1 2 3 4 ……

( )

상위권 문제

대표유형 01 나이 사이의 대응 관계

올해 지환이의 나이는 12살이고 고모의 나이는 49살입니다. 지환이가 20살이 될 때 고모는 몇 살이 되는지 구해 보시오.

(1) 지환이의 나이와 고모의 나이 사이의 대응 관계를 식으로 나타내어 보시오.

식 |

(2) 지환이가 20살이 될 때 고모는 몇 살이 됩니까?

(　　　　　　)

비법 PLUS

지환이의 나이와 고모의 나이 차를 이용하여 대응 관계를 알아봅니다.

유제 1

올해 지현이의 나이는 10살이고 동생의 나이는 7살입니다. 지현이가 35살이 될 때 동생은 몇 살이 되는지 구해 보시오.

(　　　　　　)

유제 2

서술형 문제

2000년에 병진이는 2살이었고 2008년에 덕규는 16살이었습니다. 병진이가 42살이 될 때 덕규는 몇 살이 되는지 풀이 과정을 쓰고 답을 구해 보시오.

풀이 |

답 |

대표유형 02

대응 관계 알아맞히기

수지와 청아가 대응 관계 알아맞히기 놀이를 하고 있습니다. 수지가 9라고 말하면 청아는 11이라고 답하고, 수지가 11이라고 말하면 청아는 15라고 답합니다. 또 수지가 13이라고 말하면 청아는 19라고 답합니다. 수지가 15라고 말할 때 청아가 답할 수를 구해 보시오.

(1) 수지가 말한 수와 청아가 답한 수 사이의 대응 관계를 표를 이용하여 알아보시오.

수지가 말한 수	9	11		……
청아가 답한 수			19	……

(2) 수지가 말한 수와 청아가 답한 수 사이의 대응 관계를 식으로 나타내어 보시오.

식 |

(3) 수지가 15라고 말할 때 청아가 답할 수를 구해 보시오.

( )

비법 PLUS

수지가 말한 수와 청아가 답한 수 사이의 대응 관계를 알아봅니다.

3 대휘와 동욱이가 대응 관계 알아맞히기 놀이를 하고 있습니다. 대휘가 2라고 말하면 동욱이는 7이라고 답하고, 대휘가 3이라고 말하면 동욱이는 10이라고 답합니다. 또 대휘가 4라고 말하면 동욱이는 13이라고 답합니다. 대휘가 20이라고 말할 때 동욱이가 답할 수를 구해 보시오.

( )

4 한솔이는 수를 일정한 규칙에 따라 2개씩 묶었습니다. 빈칸에 알맞은 수를 구해 보시오.

2 6 | 3 12 | 5 30 | □ 72

( )

대표유형 03 도형의 수와 성냥개비의 수 사이의 대응 관계

다음과 같은 방법으로 성냥개비를 사용하여 정삼각형을 만들고 있습니다. 정삼각형을 13개 만들 때 필요한 성냥개비는 모두 몇 개인지 구해 보시오.

(1) 정삼각형의 수와 성냥개비의 수 사이의 대응 관계를 표를 이용하여 찾고 식으로 나타내어 보시오.

정삼각형의 수(개)	1	2	3	4	……
성냥개비의 수(개)	3				……

식 |

(2) 정삼각형을 13개 만들 때 필요한 성냥개비는 모두 몇 개입니까?

( )

비법 PLUS

성냥개비를 사용하여 한 변이 맞닿게 ★각형을 만들기

★각형의 수가 1씩 늘어날 때마다 필요한 성냥개비의 수는 (★−1)씩 늘어납니다.

유제 5

다음과 같은 방법으로 성냥개비를 사용하여 정사각형을 만들고 있습니다. 정사각형을 22개 만들 때 필요한 성냥개비는 모두 몇 개인지 구해 보시오.

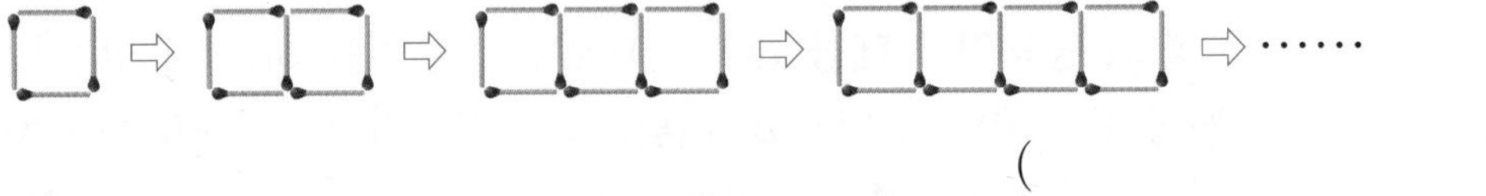

( )

유제 6

서술형 문제

다음과 같은 방법으로 성냥개비를 사용하여 정오각형을 만들고 있습니다. 성냥개비 61개로 만들 수 있는 정오각형은 몇 개인지 풀이 과정을 쓰고 답을 구해 보시오.

풀이 |

답 |

빠른 정답 3쪽 —— 정답과 풀이 18쪽

대표유형 04 크고 작은 도형의 수 구하기

작은 정사각형 조각으로 규칙적인 배열을 만들고 있습니다. 다섯째 모양에서 찾을 수 있는 크고 작은 정사각형은 모두 몇 개인지 구해 보시오.

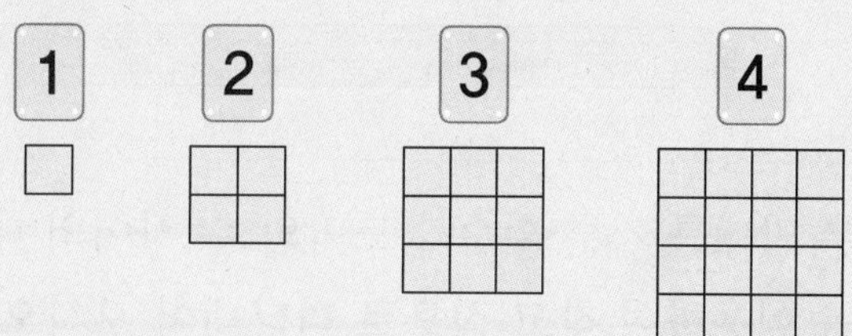

(1) 배열 순서와 크고 작은 정사각형의 수 사이의 대응 관계를 찾아  안에 알맞은 수를 써넣으시오.

배열 순서	크고 작은 정사각형의 수(개)
1	$1\times1=\square$
2	$1\times1+2\times2=\square$
3	$1\times1+2\times2+3\times3=\square$
4	$1\times1+2\times2+3\times3+\square\times\square=\square$
⋮	⋮

(2) 다섯째 모양에서 찾을 수 있는 크고 작은 정사각형은 모두 몇 개입니까?

( )

비법 PLUS

찾을 수 있는 크고 작은 정사각형의 종류

- 작은 정사각형 1개짜리

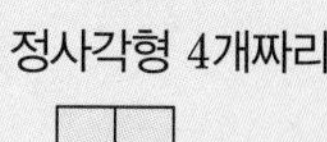

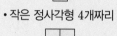

- 작은 정사각형 4개짜리
- 작은 정사각형 9개짜리

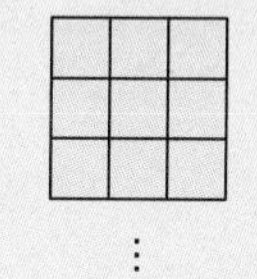

⋮

유제 7

작은 마름모 조각으로 규칙적인 배열을 만들고 있습니다. 여섯째 모양에서 찾을 수 있는 크고 작은 마름모는 모두 몇 개인지 구해 보시오.

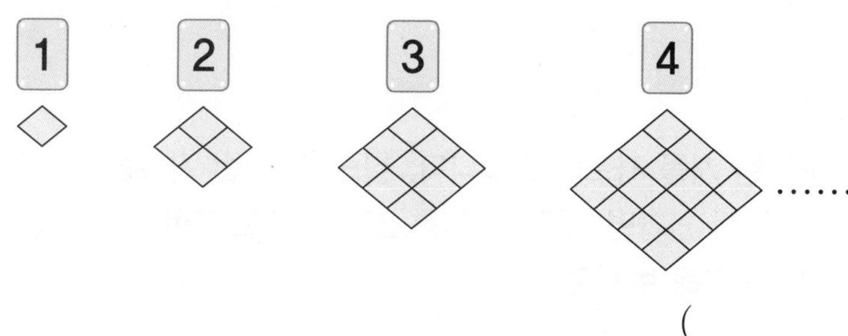

( )

대표유형 05

자르는 데 걸리는 시간 구하기

나무 막대 한 개를 자르려고 합니다. 나무 막대를 한 번 자르는 데 6분이 걸린다면 쉬지 않고 21도막으로 자르는 데 걸리는 시간은 모두 몇 분인지 구해 보시오.

(1) 나무 막대를 자른 횟수와 도막의 수 사이의 대응 관계를 표를 이용하여 찾고 식으로 나타내어 보시오.

자른 횟수(번)	1	2	3	4	……
도막의 수(도막)	2				……

식 |

(2) 나무 막대 한 개를 21도막으로 자르려면 몇 번 잘라야 합니까?

( )

(3) 나무 막대를 쉬지 않고 21도막으로 자르는 데 걸리는 시간은 모두 몇 분입니까?

( )

비법 PLUS

나무 막대를 자른 횟수와 도막의 수 사이의 대응 관계를 알아봅니다.

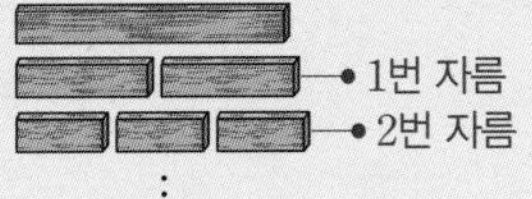

유제 8

통나무 한 개를 자르려고 합니다. 통나무를 한 번 자르는 데 5분이 걸린다면 쉬지 않고 30도막으로 자르는 데 걸리는 시간은 모두 몇 시간 몇 분인지 구해 보시오.

( )

유제 9

철근 한 개를 자르려고 합니다. 철근을 한 번 자르는 데 3분이 걸리고 한 번 자를 때마다 1분씩 쉰다면 철근 한 개를 25도막으로 자르는 데 걸리는 시간은 모두 몇 시간 몇 분인지 구해 보시오.

( )

빠른 정답 3쪽 —— 정답과 풀이 18쪽

신유형 06

두 도시의 시각 사이의 대응 관계

2월의 어느 날 서울에 사는 다일이는 런던에 출장을 가신 아버지와 런던의 시각으로 내일 오전 9시에 영상 통화를 하기로 했습니다. 다일이가 아버지에게 전화를 해야 하는 시각은 서울의 시각으로 몇 시인지 구해 보시오.

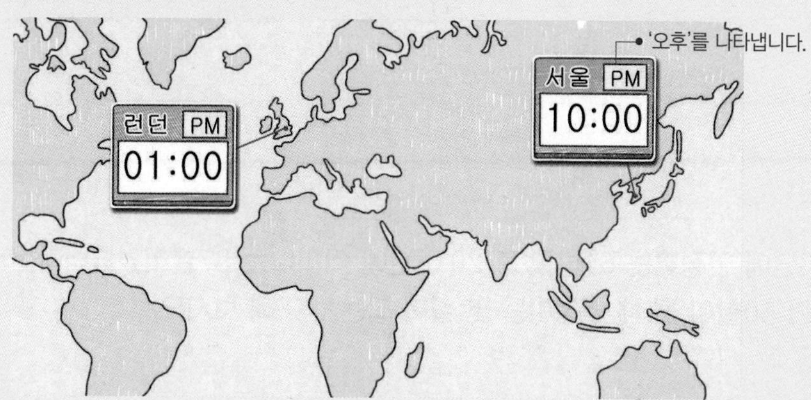

(1) 서울의 시각과 런던의 시각 사이의 대응 관계를 표를 이용하여 찾고 식으로 나타내어 보시오.

서울의 시각	오후 10시	오후 11시	밤 12시	오전 1시
런던의 시각	오후 1시			

식 |

(2) 다일이가 내일 아버지에게 전화를 해야 하는 시각은 서울의 시각으로 몇 시입니까?

( )

신유형 PLUS

서울의 시각과 런던의 시각 사이의 대응 관계를 알아봅니다.

유제 10

1월의 어느 날 서울에 사는 현수가 마드리드에 있는 지혜와 통화를 하고 있습니다. 서울에서 축구 경기가 시작하는 시각은 마드리드의 시각으로 몇 시인지 구해 보시오.

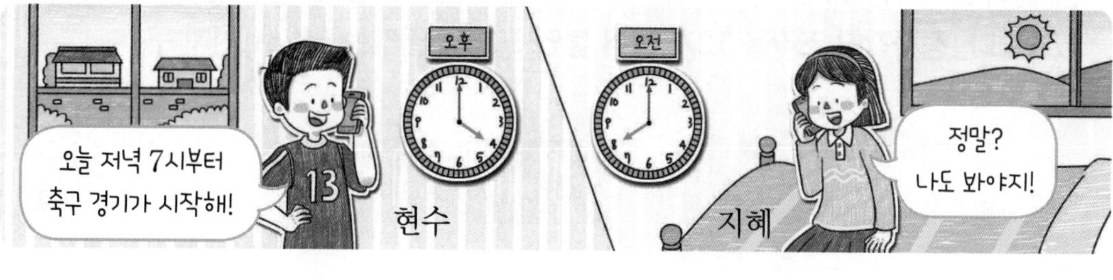

( )

STEP 3 상위권 문제 확인과 응용

비법 PLUS

1 길이가 36 cm인 철사를 겹치지 않게 모두 사용하여 직사각형 모양을 한 개 만들었습니다. 만든 직사각형의 가로를 □, 세로를 △라고 할 때, 두 양 사이의 대응 관계를 식으로 나타내어 보시오.

식 |

2 2013년에 연정이는 6살이었고 2015년에 어머니는 37살이었습니다. 어머니가 50살이 될 때 연정이는 몇 살이 되는지 구해 보시오.

(　　　　　　　　)

+ 2015년에 연정이는 몇 살인지 구한 다음 연정이의 나이와 어머니의 나이 사이의 대응 관계를 알아봅니다.

3 6명이 앉을 수 있는 탁자를 그림과 같이 한 줄로 이어 붙이려고 합니다. 탁자를 9개 이어 붙였을 때 앉을 수 있는 사람은 모두 몇 명인지 구해 보시오.

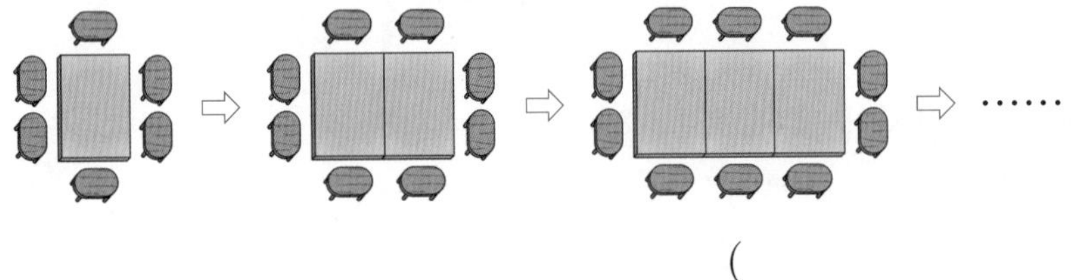

(　　　　　　　　)

4 한 변이 3 cm인 정사각형 조각을 그림과 같이 겹치지 않게 이어 붙이고 있습니다. 정사각형 조각을 12개 이어 붙인 도형의 둘레는 몇 cm인지 구해 보시오.

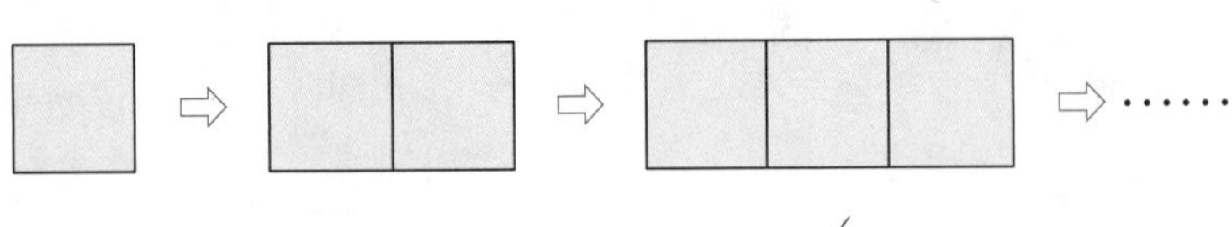

(　　　　　　　　)

+ 정사각형 조각의 수와 둘레 사이의 대응 관계를 알아봅니다.

5 마트에서 1500원짜리 아이스크림을 한 개 팔 때마다 아이스크림 값의 $\frac{1}{6}$이 이익으로 남는다고 합니다. 팔린 아이스크림의 수를 □, 남는 이익을 △라고 할 때, 두 양 사이의 대응 관계를 식으로 나타내고, 남는 이익이 6000원일 때 팔린 아이스크림은 몇 개인지 구해 보시오.

식 |

답 |

비법 PLUS

먼저 아이스크림 한 개를 팔 때 남는 이익은 얼마인지 구합니다.

서술형 문제

6 12월의 어느 날 서울의 시각이 오전 10시일 때 프라하의 시각은 오전 2시입니다. 서울에 사는 민서는 12월 4일 오후 6시부터 한 시간 동안 프라하에 있는 언니와 통화를 했습니다. 통화를 마쳤을 때 프라하는 몇 월 며칠 몇 시인지 풀이 과정을 쓰고 답을 구해 보시오.

풀이 |

답 |

7 어떤 상자에 ②를 넣으면 ④가 나오고 ⑤를 넣으면 ⑬이 나옵니다. 또 ⑥을 넣으면 ⑯이 나옵니다. 이 상자에 ⑧을 넣으면 (★)이 나오고 ⑫를 넣으면 (♥)가 나올 때 ★+♥의 값을 구해 보시오.

( )

상자에 넣은 수와 상자에서 나온 수 사이의 대응 관계를 알아봅니다.

서술형 문제

8 일정한 규칙에 따라 수를 늘어놓은 것입니다. 처음으로 250보다 큰 수가 놓이는 것은 몇째인지 풀이 과정을 쓰고 답을 구해 보시오.

7, 11, 15, 19, 23, 27……

풀이 |

답 |

비법 PLUS

9 어느 제과점에서 똑같은 식빵 6개를 만드는 데 밀가루 900 g이 필요하고, 만든 식빵은 한 봉지에 2개씩 담아 판매합니다. 밀가루 5 kg으로 식빵을 몇 개까지 만들 수 있고, 몇 봉지까지 팔 수 있는지 구해 보시오. (단, 식빵은 한 번에 6개씩만 만듭니다.)

(,)

만든 식빵의 수와 필요한 밀가루의 양 사이의 대응 관계, 만든 식빵의 수와 팔 수 있는 봉지의 수 사이의 대응 관계를 각각 알아봅니다.

10 효림이가 도서관을 떠난 지 6분 후에 영선이가 효림이를 만나기 위해 뒤따라갔습니다. 효림이는 일정한 빠르기로 1분에 40 m씩 걷고, 영선이는 일정한 빠르기로 1분에 80 m씩 걷습니다. 영선이가 출발한 지 몇 분 만에 효림이를 만날 수 있는지 구해 보시오.

( )

먼저 효림이가 도서관을 떠나 6분 동안 간 거리를 구합니다.

빠른 정답 3쪽 —— 정답과 풀이 20쪽

창의융합형 문제

11 도현이네 반 학생 24명은 미술관에서 인상주의 화가들의 작품을 관람한 후 엽서를 한 사람당 한 장씩 받았습니다. 이 엽서를 교실에 있는 게시판에 누름 못을 사용하여 모두 붙이려고 합니다. 그림과 같이 게시판의 가로로는 10장까지 이어 붙일 수 있고, 세로로는 겹치지 않게 붙여야 합니다. 도현이네 반 학생들이 받은 엽서를 가로로 최대한 이어 붙여서 모두 붙일 때 필요한 누름 못은 모두 몇 개인지 구해 보시오.

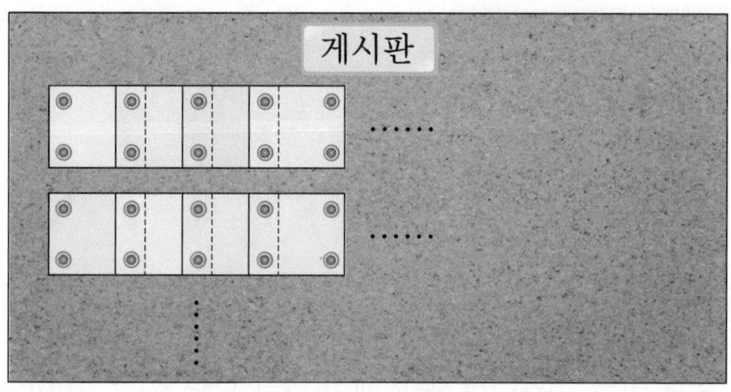

(　　　　　　　　)

12 알파벳 26자는 그 순서를 밀거나 당기면 쉽게 암호를 만들 수 있습니다. 민아는 오른쪽 〈보기〉와 같은 방법으로 알파벳 26자의 순서를 3개씩 밀어서 자신만의 암호를 만들었습니다. 예를 들어 알파벳 I를 암호에서 F로 나타냈습니다. 같은 규칙으로 민아가 수아에게 암호를 적어 카드를 보냈습니다. 카드에 적힌 암호를 풀어 알파벳으로 써 보시오.

〈보기〉

알파벳 I LOVE YOU

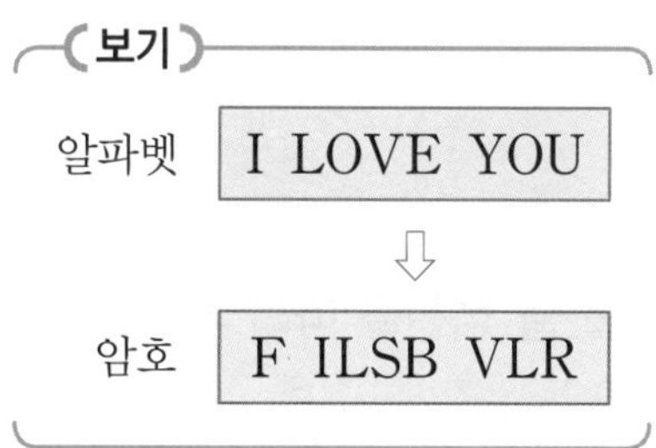

암호 F ILSB VLR

카드 속 암호를 풀어 봐!
QFJB FP DLIA
민아
수아

(　　　　　　　　)

창의융합 PLUS

인상주의 화가 모네

모네는 프랑스 출신의 대표적인 인상주의 화가로 그의 작품 「인상: 해돋이」에서 '인상주의'라는 말이 처음 생겨났습니다.
모네는 하나의 주제로 여러 장의 작품을 그려서 동일한 사물이 '빛'에 따라 어떻게 변하는지 보여주고자 노력하였습니다.

최초의 암호

기원전 450년 무렵 스파르타 지역에서 전쟁 시 비밀 메시지를 전달하기 위한 목적으로 사용된 것이 최초의 암호입니다. 원통형 나무 막대에 폭이 좁고 긴 양피지를 감고 가로로 글씨를 쓴 뒤 풀어 보면 글씨가 모두 뒤섞여 알아보기 어렵습니다. 이 암호를 풀기 위해서는 동일한 굵기의 나무 막대가 필요한데 이 나무 막대를 '스키테일'이라고 불렀기 때문에 이 암호를 스키테일 암호라고 합니다.

▲ 스키테일

STEP 4

최상위권 문제

《 문제 풀이 동영상

1 □, ○, △ 사이의 대응 관계를 나타낸 표입니다. 표를 완성하고 □와 △ 사이의 대응 관계를 식으로 나타내어 보시오.

□	18	15	12	9		3	……
○	6	5		3	2	1	……
△	11		9	8	7		……

식 |

2 5분에 10 L의 따뜻한 물이 나오는 수도와 6분에 18 L의 차가운 물이 나오는 수도를 동시에 틀어 물통에 물을 받고 있습니다. 물통에 따뜻한 물을 24 L 받았을 때 차가운 물은 몇 L를 받았는지 구해 보시오. (단, 수도에서 나오는 물의 양은 일정합니다.)

(　　　　　　　　)

3 그림과 같이 끈을 점선을 따라 자르려고 합니다. 끈을 15번 자르면 몇 도막이 되는지 구해 보시오.

1번

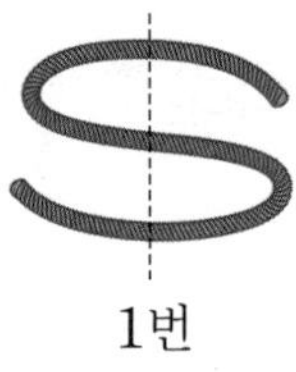

2번

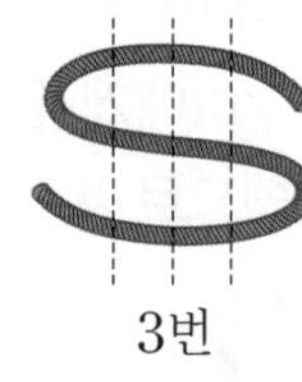

3번

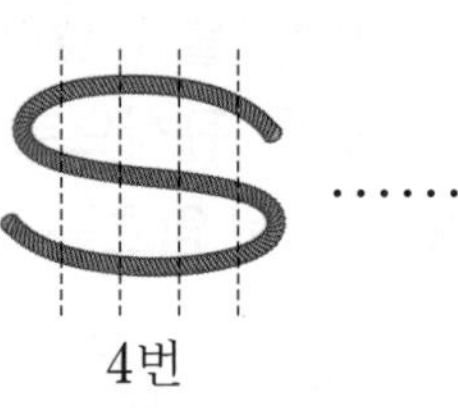

4번

……

(　　　　　　　　)

4 그림과 같이 생기는 점의 수가 최대가 되도록 직선을 그으려고 합니다. 직선을 14개 그었을 때 생기는 점은 모두 몇 개인지 구해 보시오. (단, 직선끼리 겹치지 않습니다.)

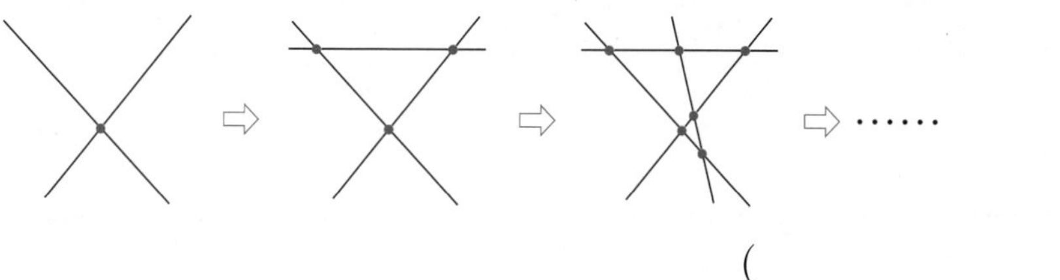

(　　　　　　　　)

5 파란색 정사각형 조각과 빨간색 정사각형 조각으로 규칙적인 배열을 만들고 있습니다. 파란색 정사각형 조각이 80개일 때 사용한 빨간색 정사각형 조각은 몇 개인지 구해 보시오.

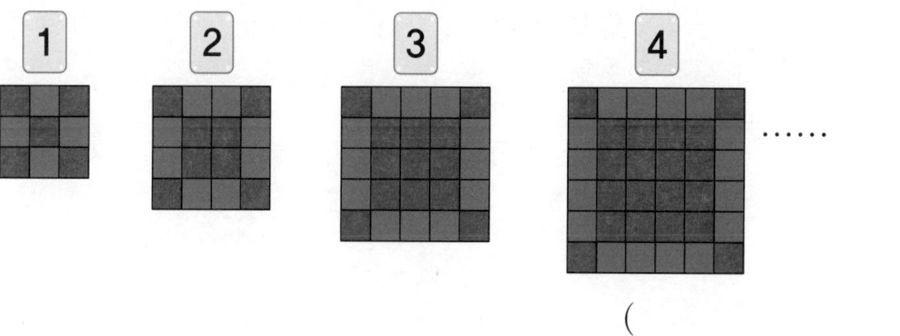

(　　　　　　　　)

6 정사각형 조각으로 규칙적인 배열을 만들고 있습니다. 정사각형 조각 17개를 사용하여 만든 모양의 둘레가 216 cm일 때 정사각형 조각의 한 변은 몇 cm인지 구해 보시오.

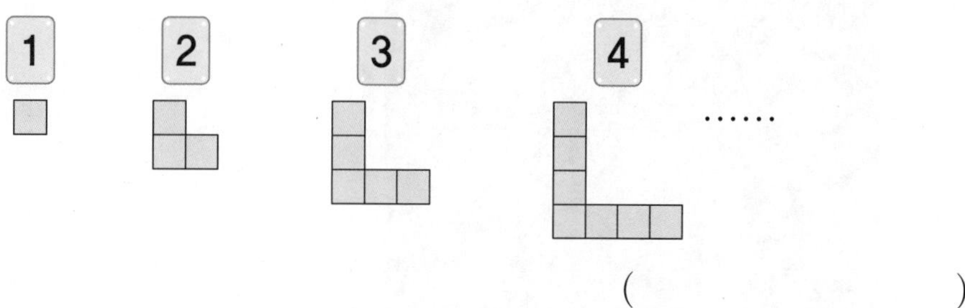

(　　　　　　　　)

구스타프 클림트, 「아델레 블로흐-바우어의 초상」, 1907년

4

약분과 통분

영역: 수와 연산

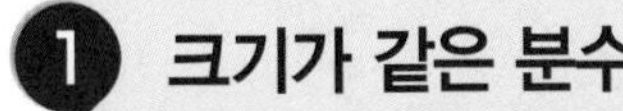

STEP 1 핵심 개념과 문제

1 크기가 같은 분수

크기가 같은 분수

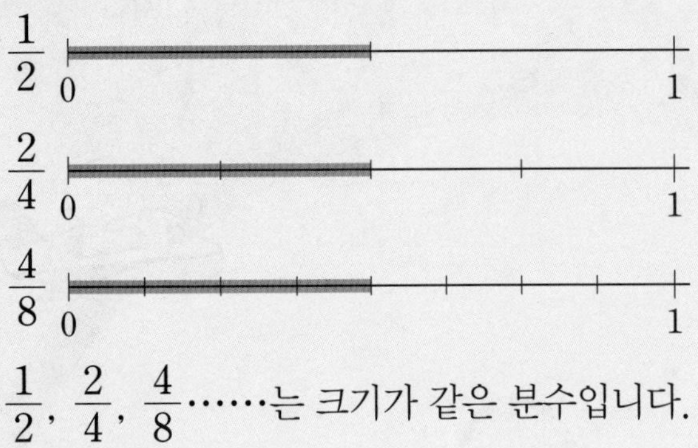

$\frac{1}{2}, \frac{2}{4}, \frac{4}{8}$……는 크기가 같은 분수입니다.

크기가 같은 분수 만들기

- 분모와 분자에 각각 **0이 아닌 같은 수를 곱합니다.**

$$\frac{1}{3}=\frac{2}{6}=\frac{3}{9}=\frac{4}{12}$$

(분모와 분자에 각각 ×2, ×3, ×4)

- 분모와 분자를 각각 **0이 아닌 같은 수로 나눕니다.**

$$\frac{16}{24}=\frac{8}{12}=\frac{4}{6}=\frac{2}{3}$$

(분모와 분자를 각각 ÷2, ÷4, ÷8)

중1 연계

등식
등호(=)를 사용하여 나타낸 식

등식의 성질
- 등호의 양쪽에 0이 아닌 같은 수를 곱해도 등식은 성립합니다.
- 등호의 양쪽을 0이 아닌 같은 수로 나누어도 등식은 성립합니다.

2 약분

- **약분**: 분모와 분자를 공약수로 나누어 간단한 분수로 만드는 것

예 $\frac{12}{20}$를 약분하기

$\frac{\overset{6}{\cancel{12}}}{\underset{10}{\cancel{20}}}=\frac{6}{10}$ ← $\frac{12}{20}=\frac{12\div2}{20\div2}=\frac{6}{10}$

$\frac{\overset{3}{\cancel{12}}}{\underset{5}{\cancel{20}}}=\frac{3}{5}$ ← $\frac{12}{20}=\frac{12\div4}{20\div4}=\frac{3}{5}$

- **기약분수**: 분모와 분자의 공약수가 1뿐인 분수

예 $\frac{15}{45}$를 기약분수로 나타내기

$$\frac{\overset{5}{\cancel{15}}}{\underset{15}{\cancel{45}}}=\frac{\overset{1}{\cancel{5}}}{\underset{3}{\cancel{15}}}=\frac{1}{3}$$

개념 PLUS

분수의 분모와 분자를 1로 나누면 자기 자신이 되므로 약분할 때에는 1을 제외한 공약수로 나눕니다.

1 $\frac{16}{24}$과 크기가 같은 분수를 모두 찾아 ○표 하시오.

$\frac{3}{4}$ $\frac{48}{72}$ $\frac{8}{12}$ $\frac{32}{40}$

2 $\frac{12}{28}$를 약분하여 만들 수 있는 분수를 모두 찾아 써 보시오.

$\frac{3}{7}$ $\frac{1}{4}$ $\frac{4}{9}$ $\frac{6}{14}$

( )

3 원태네 학교 학생 432명 중에서 안경을 쓴 학생은 117명입니다. 원태네 학교 학생 중에서 안경을 쓴 학생은 전체 학생의 몇 분의 몇인지 기약분수로 나타내어 보시오.

( )

4 지수는 케이크를 똑같이 5조각으로 나누어 한 조각을 먹었습니다. 민규는 같은 크기의 케이크를 똑같이 10조각으로 나누었습니다. 지수와 같은 양을 먹으려면 민규는 몇 조각을 먹어야 합니까?

( )

5 $\frac{2}{9}$와 크기가 같은 분수 중에서 분모가 60보다 크고 80보다 작은 분수를 모두 써 보시오.

( )

6 진분수 $\frac{\square}{8}$가 기약분수라고 할 때, □ 안에 들어갈 수 있는 수를 모두 써 보시오.

( )

3 통분

- 통분: 분수의 분모를 같게 하는 것
- 공통분모: 통분한 분모

예 $\frac{3}{4}$과 $\frac{1}{6}$을 통분하기

방법 1 분모의 곱을 공통분모로 하여 통분하기

$$\left(\frac{3}{4}, \frac{1}{6}\right) \Rightarrow \left(\frac{3\times6}{4\times6}, \frac{1\times4}{6\times4}\right) \Rightarrow \left(\frac{18}{24}, \frac{4}{24}\right)$$

방법 2 분모의 최소공배수를 공통분모로 하여 통분하기

$$\left(\frac{3}{4}, \frac{1}{6}\right) \Rightarrow \left(\frac{3\times3}{4\times3}, \frac{1\times2}{6\times2}\right) \Rightarrow \left(\frac{9}{12}, \frac{2}{12}\right)$$

개념 PLUS

분모가 작을 때는 방법 1 로, 분모가 클 때는 방법 2 로 통분하는 것이 편리합니다.

4 분수의 크기 비교

분모가 다른 두 분수의 크기 비교 → 두 분수를 통분하여 크기를 비교합니다.

예 $\frac{4}{7}$와 $\frac{5}{8}$의 크기 비교

$$\left(\frac{4}{7}, \frac{5}{8}\right) \overset{\text{통분}}{\Rightarrow} \left(\frac{32}{56}, \frac{35}{56}\right) \overset{\text{크기 비교}}{\Rightarrow} \frac{4}{7} < \frac{5}{8}$$

분모가 다른 세 분수의 크기 비교 → 두 분수끼리 통분하여 차례대로 크기를 비교합니다.

예 $\frac{3}{5}$, $\frac{1}{4}$, $\frac{5}{6}$의 크기 비교

$$\left(\frac{3}{5}, \frac{1}{4}\right) \Rightarrow \left(\frac{12}{20}, \frac{5}{20}\right) \Rightarrow \frac{3}{5} > \frac{1}{4}$$

$$\left(\frac{1}{4}, \frac{5}{6}\right) \Rightarrow \left(\frac{3}{12}, \frac{10}{12}\right) \Rightarrow \frac{1}{4} < \frac{5}{6}$$

$$\left(\frac{3}{5}, \frac{5}{6}\right) \Rightarrow \left(\frac{18}{30}, \frac{25}{30}\right) \Rightarrow \frac{3}{5} < \frac{5}{6}$$

$$\Rightarrow \frac{5}{6} > \frac{3}{5} > \frac{1}{4}$$

개념 PLUS

분자가 분모보다 1 작은 분수의 크기 비교

'(분자)=(분모)-1'인 분수는 분모가 클수록 더 큰 분수입니다.

예 $\frac{2}{3}$와 $\frac{4}{5}$의 크기 비교

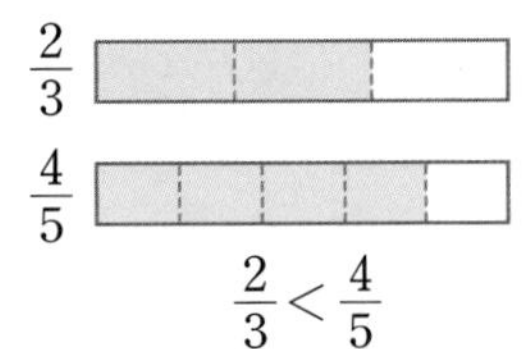

$\frac{2}{3} < \frac{4}{5}$

$\frac{1}{2}$을 이용한 분수의 크기 비교

- (분자)$\times 2 >$(분모)이면 $\frac{1}{2}$보다 큰 분수입니다.
  예 $\frac{7}{8} \rightarrow 7\times2>8 \rightarrow \frac{7}{8}>\frac{1}{2}$
- (분자)$\times 2 <$(분모)이면 $\frac{1}{2}$보다 작은 분수입니다.
  예 $\frac{4}{9} \rightarrow 4\times2<9 \rightarrow \frac{4}{9}<\frac{1}{2}$

5 분수와 소수의 크기 비교

예 $\frac{1}{5}$과 0.3의 크기 비교

방법 1 분수를 소수로 나타내어 크기 비교하기

$\frac{1}{5}=\frac{2}{10}=0.2$이므로 $0.2<0.3 \Rightarrow \frac{1}{5}<0.3$

방법 2 소수를 분수로 나타내어 크기 비교하기

$\frac{1}{5}=\frac{2}{10}$, $0.3=\frac{3}{10}$이므로 $\frac{2}{10}<\frac{3}{10} \Rightarrow \frac{1}{5}<0.3$

1 $\left(\frac{3}{10}, \frac{3}{16}\right)$을 잘못 통분한 것을 찾아 기호를 써 보시오.

㉠ $\left(\frac{24}{80}, \frac{15}{80}\right)$	㉡ $\left(\frac{42}{240}, \frac{45}{240}\right)$
㉢ $\left(\frac{48}{160}, \frac{30}{160}\right)$	㉣ $\left(\frac{96}{320}, \frac{60}{320}\right)$

(　　　　　　　　)

2 분수와 소수의 크기를 비교하여 큰 수부터 차례대로 써 보시오.

0.7　　$\frac{3}{4}$　　$1\frac{1}{2}$　　1.4

(　　　　　　　　)

3 수영을 현석이는 $\frac{7}{8}$시간 동안 했고, 연정이는 $\frac{13}{18}$시간 동안 했습니다. 누가 수영을 더 오래 했습니까?

(　　　　　　　　)

4 $\frac{3}{8}$과 $\frac{1}{6}$을 통분하려고 합니다. 공통분모가 될 수 있는 수 중에서 50보다 크고 100보다 작은 수를 모두 찾아 써 보시오.

(　　　　　　　　)

5 어떤 두 기약분수를 통분하였더니 $\frac{39}{48}, \frac{44}{48}$가 되었습니다. 통분하기 전의 두 기약분수를 구해 보시오.

(　　　　　,　　　　　)

6 지우는 집에서 출발하여 학교에 가려고 합니다. 우체국과 수영장 중에서 어디를 지나가는 것이 더 가깝습니까?

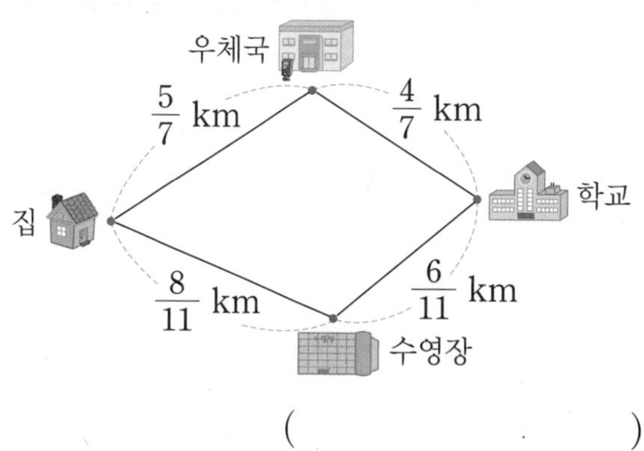

(　　　　　　　　)

상위권 문제

대표유형 01 약분하여 나타낼 수 있는 분수의 개수 구하기

분모가 46인 진분수 중에서 약분하여 나타낼 수 있는 분수는 모두 몇 개인지 구해 보시오.

$\frac{1}{46}$, $\frac{2}{46}$, $\frac{3}{46}$ …… $\frac{43}{46}$, $\frac{44}{46}$, $\frac{45}{46}$

(1) 분모가 46인 진분수를 약분할 때 분자가 될 수 있는 수를 알아보려고 합니다. □ 안에 알맞은 수를 써넣으시오.

46=2×□이므로 분자가 □의 배수 또는 □의 배수일 때 약분할 수 있습니다.

(2) 분모가 46인 진분수 중에서 약분하여 나타낼 수 있는 분수는 모두 몇 개입니까?

(　　　　　　　　)

비법 PLUS

$\frac{▲}{■}$가 약분될 때 ▲는 ■의 약수의 배수입니다.

유제 1 분모가 39인 진분수 중에서 약분하여 나타낼 수 있는 분수는 모두 몇 개인지 구해 보시오.

$\frac{1}{39}$, $\frac{2}{39}$, $\frac{3}{39}$ …… $\frac{36}{39}$, $\frac{37}{39}$, $\frac{38}{39}$

(　　　　　　　　)

유제 2 분모가 65인 진분수 중에서 기약분수는 모두 몇 개인지 구해 보시오.

$\frac{1}{65}$, $\frac{2}{65}$, $\frac{3}{65}$ …… $\frac{62}{65}$, $\frac{63}{65}$, $\frac{64}{65}$

(　　　　　　　　)

빠른 정답 4쪽 —— 정답과 풀이 23쪽

대표유형 02 두 분수 사이의 분수 구하기

$\frac{1}{3}$보다 크고 $\frac{4}{9}$보다 작은 분수 중에서 분모가 36인 분수는 모두 몇 개인지 구해 보시오.

(1) 36을 공통분모로 하여 $\frac{1}{3}$과 $\frac{4}{9}$를 통분해 보시오.

(,)

(2) $\frac{1}{3}$보다 크고 $\frac{4}{9}$보다 작은 분수 중에서 분모가 36인 분수는 모두 몇 개입니까?

( )

비법 PLUS

■보다 크고 ▲보다 작은 수에는 ■와 ▲가 포함되지 않습니다.

유제 3

$\frac{17}{28}$보다 크고 $\frac{16}{21}$보다 작은 분수 중에서 분모가 84인 분수는 모두 몇 개인지 구해 보시오.

( )

유제 4

서술형 문제

$\frac{2}{5}$보다 크고 $\frac{7}{12}$보다 작은 분수 중에서 분모가 60인 기약분수는 모두 몇 개인지 풀이 과정을 쓰고 답을 구해 보시오.

풀이 |

답 |

대표유형 03 약분하기 전의 분수 구하기

분모와 분자의 합이 72이고 기약분수로 나타내면 $\frac{2}{7}$가 되는 분수를 구해 보시오.

(1) 72는 $\frac{2}{7}$의 분모와 분자의 합의 몇 배입니까?

(　　　　　　　　)

(2) 분모와 분자의 합이 72이고 기약분수로 나타내면 $\frac{2}{7}$가 되는 분수는 무엇입니까?

(　　　　　　　　)

비법 PLUS

- 분모와 분자의 합이 ■이고 기약분수로 나타내면 $\frac{▲}{●}$인 경우
  ⇨ ■는 (● + ▲)의 배수
- 분모와 분자의 차가 ■이고 기약분수로 나타내면 $\frac{▲}{●}$인 경우
  ⇨ ■는 (● − ▲)의 배수

유제 5 분모와 분자의 차가 42이고 기약분수로 나타내면 $\frac{3}{10}$이 되는 분수를 구해 보시오.

(　　　　　　　　)

유제 6 서술형 문제

다음 〈조건〉을 모두 만족하는 분수를 구하려고 합니다. 풀이 과정을 쓰고 답을 구해 보시오.

〈조건〉
- 분모와 분자의 최소공배수는 60입니다.
- 기약분수로 나타내면 $\frac{3}{4}$이 됩니다.

풀이 |

답 |

빠른 정답 4쪽 —— 정답과 풀이 23쪽

대표유형 04 분자를 같게 하여 분수의 크기 비교하기

■에 알맞은 자연수 중에서 가장 큰 수를 구해 보시오.

$$\frac{3}{7} < \frac{4}{■}$$

(1) $\frac{3}{7}$과 $\frac{4}{■}$를 분자 3과 4의 최소공배수로 분자를 같게 하려고 합니다. □ 안에 알맞은 수를 써넣으시오.

$$\frac{3}{7} < \frac{4}{■} \Rightarrow \frac{12}{\square} < \frac{12}{■ \times \square}$$

(2) ■에 알맞은 자연수 중에서 가장 큰 수는 얼마입니까?

( )

비법 PLUS

분자가 같을 때는 분모가 작을수록 큰 수입니다.

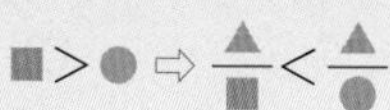

■>● ⇨ ▲/■ < ▲/●

유제 7 □ 안에 들어갈 수 있는 자연수 중에서 가장 작은 수를 구해 보시오.

$$\frac{3}{\square} < \frac{7}{11}$$

( )

유제 8 □ 안에 들어갈 수 있는 자연수는 모두 몇 개인지 구해 보시오.

$$\frac{6}{13} < \frac{5}{\square} < 0.8$$

( )

대표유형 05 분수의 크기가 변하지 않게 분모 또는 분자에 더하거나 빼는 수 구하기

$\frac{5}{9}$의 분자에 20을 더했을 때 분수의 크기가 변하지 않으려면 분모에 얼마를 더해야 하는지 구해 보시오.

(1) $\frac{5}{9}$의 분자에 20을 더했을 때 분자는 얼마가 됩니까?

( )

(2) $\frac{5}{9}$와 크기가 같은 분수 중에서 위 (1)에서 구한 수를 분자로 하는 분수는 무엇입니까?

( )

(3) 분수의 크기가 변하지 않으려면 분모에 얼마를 더해야 합니까?

( )

비법 PLUS

분수의 크기가 변하지 않으려면 주어진 분수와 크기가 같아야 합니다.

유제 9

$\frac{8}{11}$의 분모에 22를 더했을 때 분수의 크기가 변하지 않으려면 분자에 얼마를 더해야 하는지 구해 보시오.

( )

유제 10

$\frac{72}{162}$의 분자에서 60을 뺐을 때 분수의 크기가 변하지 않으려면 분모에서 얼마를 빼야 하는지 구해 보시오.

( )

신유형 06 잘 어울리는 음 찾기

각 음에는 고유한 진동수가 있습니다. 피타고라스는 두 음의 진동수를 각각 분모와 분자로 하는 진분수를 만들어 기약분수로 나타내었을 때, 분모와 분자가 모두 7보다 작으면 두 음이 잘 어울려서 우리 귀에 아름답게 들리고, 그렇지 않으면 잘 어울리지 않는다고 생각했습니다. 다음 중 잘 어울리는 음을 모두 찾아 기호를 써 보시오.

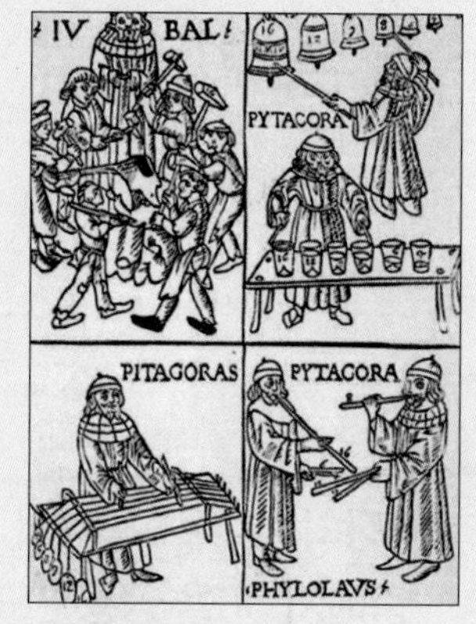

▲ 피타고라스와 진동수

각 음의 진동수

음	도	레	미	파	솔	라	시
진동수	264	297	330	352	396	440	495

㉠ (도, 라)　　㉡ (파, 솔)　　㉢ (미, 시)

(1) 두 음의 진동수로 진분수를 만들어 기약분수로 각각 나타내어 보시오.

㉠ (　　　), ㉡ (　　　), ㉢ (　　　)

(2) 잘 어울리는 음을 모두 찾아 기호를 써 보시오.

(　　　)

신유형 PLUS

진동수가 더 큰 음을 분모, 진동수가 더 작은 음을 분자로 하여 진분수를 만듭니다.

유제 11 악보에 표시된 부분 중 잘 어울리지 않는 음끼리 모은 부분을 찾아 기호를 써 보시오.

각 음의 진동수

음	도	레	미	파	솔	라	시
진동수	264	297	330	352	396	440	495

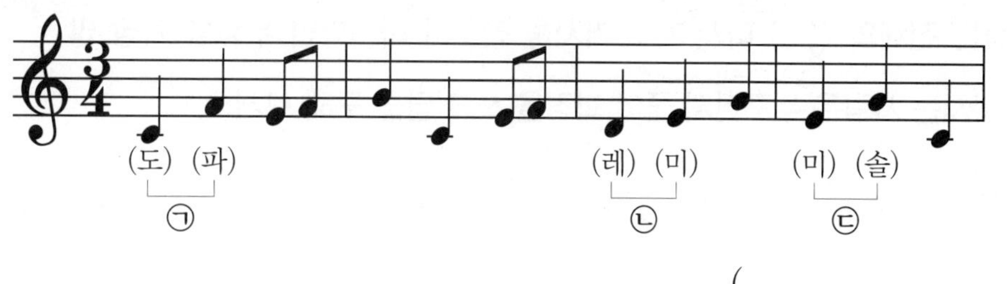

(　　　)

STEP 3 상위권 문제 확인과 응용

1 $\frac{7}{8}$과 크기가 같은 분수 중에서 분모가 두 자리 수인 분수는 모두 몇 개인지 구해 보시오.

(　　　　　　　　)

2 4장의 수 카드 중에서 2장을 뽑아 한 번씩만 사용하여 만들 수 있는 진분수 중에서 56을 공통분모로 하여 통분할 수 있는 진분수를 모두 써 보시오.

3　7　8　5

(　　　　　　　　)

3 ㉠과 ㉡ 사이에 있는 분수 중에서 분모가 20인 기약분수를 모두 구해 보시오.

㉠ 0.01이 54개인 수
㉡ 0.01이 76개인 수

(　　　　　　　　)

서술형 문제

4 우유를 지혜, 승하, 정호가 나누어 마시려고 합니다. 지혜는 전체의 0.4를, 승하는 전체의 $\frac{3}{8}$을 마시고, 나머지를 정호가 마신다면 우유를 가장 많이 마시는 사람은 누구인지 풀이 과정을 쓰고 답을 구해 보시오.

풀이 |

답 |

비법 PLUS

+ ㉠과 ㉡ 사이에 있는 수를 분모가 100인 분수로 나타내어 봅니다.

+ 전체에서 $\frac{▲}{■}$를 제외한 나머지는 전체의 $\left(1-\frac{▲}{■}\right)$입니다.

5 분모가 5인 분수 중에서 $\frac{9}{16}$에 가장 가까운 분수는 얼마인지 구해 보시오.

(　　　　　　　　)

비법 PLUS

서술형 문제

6 분모가 45인 진분수 중에서 기약분수로 나타내었을 때 단위분수가 되는 분수는 모두 몇 개인지 구해 보시오.

$$\frac{1}{45}, \frac{2}{45}, \frac{3}{45} \cdots\cdots \frac{42}{45}, \frac{43}{45}, \frac{44}{45}$$

풀이 |

답 |

7 다음 〈조건〉을 모두 만족하는 분수를 구해 보시오.

〈조건〉
- 분모와 분자의 최대공약수로 약분하면 $\frac{3}{11}$입니다.
- 분모와 분자의 최소공배수는 165입니다.

(　　　　　　　　)

✚ 어떤 분수를 기약분수로 나타내면 $\frac{●}{▲}$이고 분모와 분자의 최대공약수가 ■일 때, 어떤 분수는 $\frac{● \times ■}{▲ \times ■}$입니다.

8 수직선에서 ㉠이 나타내는 수를 기약분수로 나타내어 보시오.

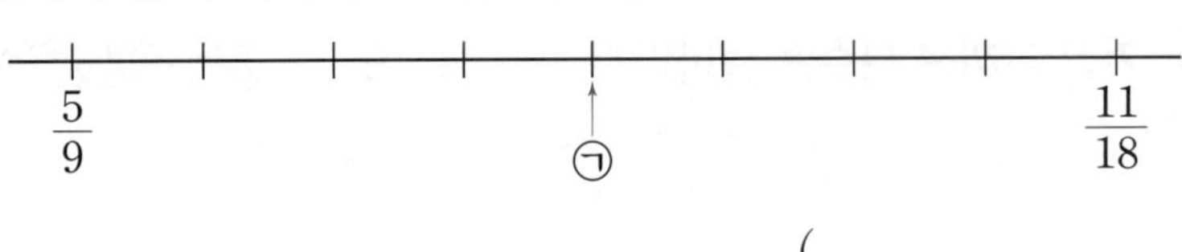

( )

비법 PLUS

두 분수 사이의 나누어진 칸 수를 각각 분모와 분자에 곱하여 크기가 같은 분수를 만듭니다.

9 $\frac{17}{21}$의 분모와 분자에서 각각 같은 수를 뺐더니 $\frac{3}{4}$과 크기가 같은 분수가 되었습니다. 분모와 분자에서 각각 뺀 수는 얼마인지 구해 보시오.

( )

10 두 식을 모두 만족하는 ■와 ▲를 각각 구해 보시오.

$$\frac{▲}{■+1}=\frac{1}{2},\ \frac{▲}{■+4}=\frac{1}{3}$$

■ ( )

▲ ( )

$\frac{1}{2}$, $\frac{1}{3}$과 각각 크기가 같은 분수 중에서 분자가 같은 분수를 찾아봅니다.

빠른 정답 4쪽 —— 정답과 풀이 25쪽

창의융합형 문제

11 컬링은 얼음판에서 둥글고 납작한 돌을 미끄러뜨려 과녁에 넣어 얻은 점수를 겨루는 경기입니다. 과녁 안에 있는 돌 중에서 상대편의 돌보다 원의 중심에 더 가까운 돌의 수만큼 점수를 얻게 됩니다. 다음은 ㉮ 조가 1점을 얻었을 때의 과녁의 모습입니다. □ 안에 들어갈 수 있는 가장 큰 자연수를 구해 보시오.

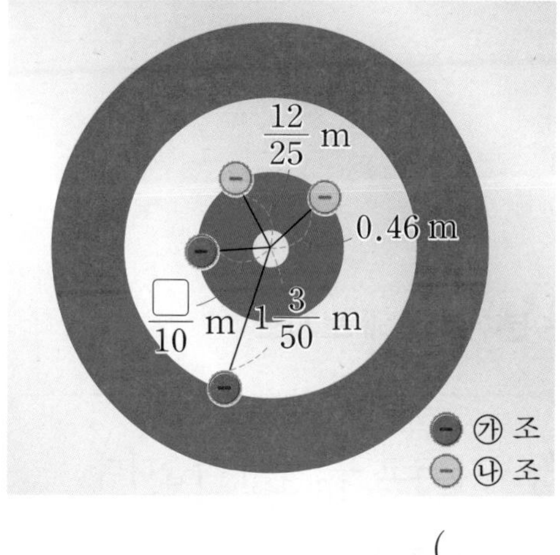

(　　　　　　　　)

12 아시아 45개국이 참가한 2018 하계아시안게임에서 축구 종목의 우승국은 한국입니다. 대회가 개최되기 전에 통계 전문가들은 어느 나라가 우승할지 예측하였습니다. 어느 설문 조사 결과에 따르면 이번 대회 축구 종목의 예상 우승국을 중국이라고 응답한 사람은 전체의 $\frac{2}{25}$, 한국이라고 응답한 사람은 전체의 0.23, 이란이라고 응답한 사람은 전체의 $\frac{7}{50}$, 일본이라고 응답한 사람은 전체의 $\frac{1}{5}$이었습니다. 네 나라 중에서 많은 사람이 축구 종목의 우승국이라고 예상한 나라부터 차례대로 써 보시오.

(　　　　　　　　)

창의융합 PLUS

✚ 컬링(curling)
동계올림픽의 인기 종목인 컬링은 매우 복잡하고 다양한 작전이 필요하기 때문에 '빙판 위의 체스'라고 불립니다.
컬링은 스코틀랜드에서 유래되었으며, 1998년 제18회 동계올림픽부터 정식 종목으로 채택되었습니다.

✚ 하계아시안게임
제2차 세계대전 후 아시아 여러 나라의 우호와 세계 평화를 목적으로 4년마다 열리는 국제 스포츠 대회입니다. 우리나라에서는 1986년, 2002년, 2014년에 걸쳐 모두 3회 개최되었습니다.

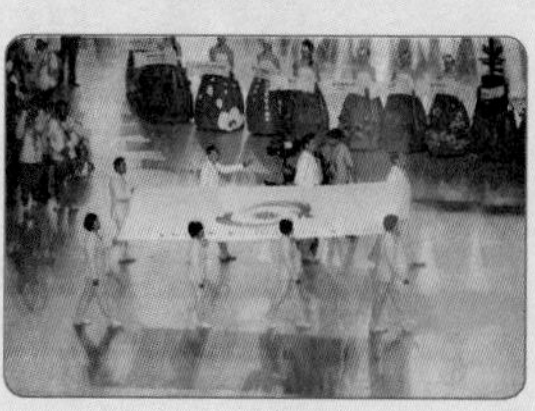

STEP 4 최상위권 문제

《 문제 풀이 동영상

1 5장의 수 카드 중에서 2장을 뽑아 한 번씩만 사용하여 0.5보다 큰 진분수를 만들려고 합니다. 만들 수 있는 진분수 중 가장 작은 수를 구해 보시오.

3 7 8 9 5

( )

2 다음 (조건)을 모두 만족하는 분수를 구해 보시오.

(조건)
- $\frac{7}{12}$보다 크고 $\frac{11}{16}$보다 작습니다.
- 분모가 48인 진분수입니다.
- $\frac{21}{32}$보다 큰 분수입니다.

( )

3 분모와 분자의 합이 40인 분수가 있습니다. 이 분수의 분자에서 5를 빼고 분모에 5를 더한 다음 기약분수로 나타내었더니 $\frac{3}{7}$이 되었습니다. 처음 분수를 구해 보시오.

( )

빠른 정답 4쪽 —— 정답과 풀이 27쪽

4 다음과 같이 분수를 규칙에 따라 늘어놓았습니다. $\frac{3}{5}$과 크기가 같은 분수가 처음으로 놓이는 때는 몇째 번인지 구해 보시오.

$$\frac{4}{12}, \frac{6}{15}, \frac{8}{18}, \frac{10}{21}, \frac{12}{24}, \frac{14}{27}\cdots\cdots$$

( )

5 분수를 큰 수부터 차례대로 늘어놓은 것입니다. ●와 ♥에 알맞은 자연수 중에서 ●×♥의 계산 결과가 가장 클 때의 값을 구해 보시오.

$$\frac{7}{2}, \frac{3}{●}, \frac{7}{6}, \frac{3}{♥}, \frac{7}{10}$$

( )

6 ㉠과 ㉡에 알맞은 수 중에서 가장 작은 자연수를 각각 구해 보시오.

$$\frac{㉠}{㉡\times㉡\times㉡}=\frac{1}{28}$$

㉠ ( )

㉡ ( )

그림을 감상해 보세요.

빈센트 반 고흐, 「해바라기」, 1888년

5

분수의 덧셈과 뺄셈

영역: 수와 연산

STEP 1 핵심 개념과 문제

1 받아올림이 없는 분모가 다른 진분수의 덧셈

• $\frac{1}{6}+\frac{1}{4}$의 계산

방법 1 두 분모의 곱을 공통분모로 하여 통분한 후 계산하기

$$\frac{1}{6}+\frac{1}{4}=\frac{1\times4}{6\times4}+\frac{1\times6}{4\times6}=\frac{4}{24}+\frac{6}{24}=\frac{10}{24}=\frac{5}{12}$$

통분하기 / 분모는 그대로 두고 분자끼리 더하기 / 약분하기

방법 2 두 분모의 최소공배수를 공통분모로 하여 통분한 후 계산하기

$$\frac{1}{6}+\frac{1}{4}=\frac{1\times2}{6\times2}+\frac{1\times3}{4\times3}=\frac{2}{12}+\frac{3}{12}=\frac{5}{12}$$

• 6과 4의 최소공배수: 12

2 받아올림이 있는 분모가 다른 진분수의 덧셈

• $\frac{3}{4}+\frac{1}{2}$의 계산

방법 1 두 분모의 곱을 공통분모로 하여 통분한 후 계산하기

$$\frac{3}{4}+\frac{1}{2}=\frac{3\times2}{4\times2}+\frac{1\times4}{2\times4}=\frac{6}{8}+\frac{4}{8}=\frac{10}{8}=1\frac{2}{8}=1\frac{1}{4}$$

가분수를 대분수로 나타내기

방법 2 두 분모의 최소공배수를 공통분모로 하여 통분한 후 계산하기

$$\frac{3}{4}+\frac{1}{2}=\frac{3}{4}+\frac{1\times2}{2\times2}=\frac{3}{4}+\frac{2}{4}=\frac{5}{4}=1\frac{1}{4}$$

• 4와 2의 최소공배수: 4

3 받아올림이 있는 분모가 다른 대분수의 덧셈

• $1\frac{4}{5}+2\frac{3}{10}$의 계산

방법 1 자연수는 자연수끼리, 분수는 분수끼리 더해서 계산하기

$$1\frac{4}{5}+2\frac{3}{10}=1\frac{8}{10}+2\frac{3}{10}=(1+2)+\left(\frac{8}{10}+\frac{3}{10}\right)$$
$$=3+\frac{11}{10}=3+1\frac{1}{10}=4\frac{1}{10}$$

방법 2 대분수를 가분수로 나타내어 계산하기

$$1\frac{4}{5}+2\frac{3}{10}=\frac{9}{5}+\frac{23}{10}=\frac{18}{10}+\frac{23}{10}=\frac{41}{10}=4\frac{1}{10}$$

개념 PLUS

진분수의 덧셈에서 두 가지 방법의 장점

방법 1 두 분모끼리 곱하면 되므로 공통분모를 구하기 쉽습니다.

방법 2 두 분모의 최소공배수를 공통분모로 하여 통분하므로 분자끼리의 덧셈이 쉽고, 계산한 결과를 약분할 필요가 없거나 간단합니다.

개념 PLUS

대분수의 덧셈에서 두 가지 방법의 장점

방법 1 자연수는 자연수끼리, 분수는 분수끼리 계산하므로 분수 부분의 계산이 쉽습니다.

방법 2 대분수를 가분수로 나타내어 계산하므로 자연수 부분과 분수 부분을 따로 떼어 계산하지 않아도 됩니다.

1 계산 결과를 찾아 선으로 이어 보시오.

$2\frac{7}{8}+1\frac{1}{6}$ •

$1\frac{7}{12}+2\frac{5}{8}$ •

• $3\frac{13}{24}$

• $4\frac{1}{24}$

• $4\frac{5}{24}$

2 다음이 나타내는 두 분수의 합을 구해 보시오.

- $\frac{1}{8}$이 5개인 수
- $\frac{1}{12}$보다 $\frac{1}{6}$만큼 더 큰 수

( )

3 집에서 병원을 지나 학교까지 가는 거리는 모두 몇 km입니까?

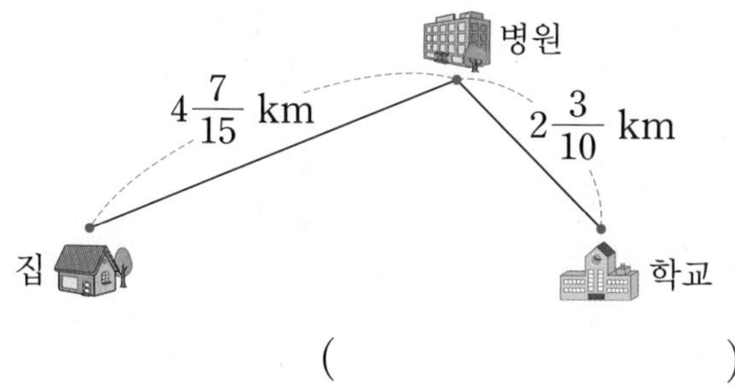

( )

4 빈칸에 알맞은 수를 써넣으시오.

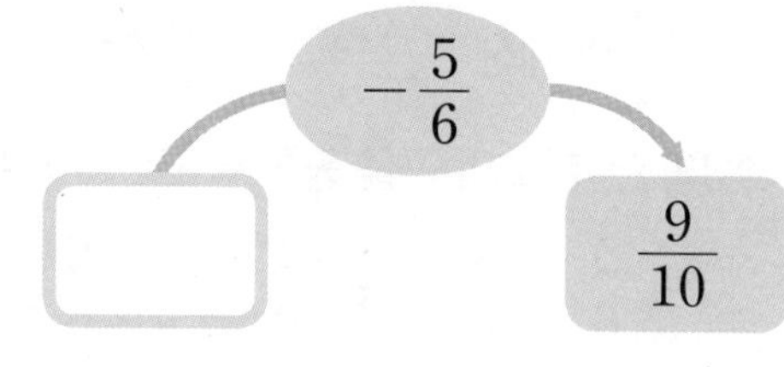

5 수학 공부를 준규는 오전에 $\frac{1}{3}$시간, 오후에 $\frac{3}{4}$시간 했고, 수호는 오전에 $\frac{2}{3}$시간, 오후에 $\frac{1}{2}$시간 했습니다. 누가 수학 공부를 더 오래 했습니까?

( )

6 3장의 수 카드를 한 번씩만 사용하여 대분수를 만들려고 합니다. 만들 수 있는 가장 큰 대분수와 가장 작은 대분수의 합을 구해 보시오.

4 1 5

( )

4 받아내림이 없는 분모가 다른 진분수의 뺄셈

• $\frac{5}{6}-\frac{3}{4}$의 계산

방법 1 두 분모의 곱을 공통분모로 하여 통분한 후 계산하기

$$\frac{5}{6}-\frac{3}{4}=\frac{5\times4}{6\times4}-\frac{3\times6}{4\times6}=\frac{20}{24}-\frac{18}{24}=\frac{2}{24}=\frac{1}{12}$$

통분하기 / 분모는 그대로 두고 분자끼리 빼기 / 약분하기

방법 2 두 분모의 최소공배수를 공통분모로 하여 통분한 후 계산하기

$$\frac{5}{6}-\frac{3}{4}=\frac{5\times2}{6\times2}-\frac{3\times3}{4\times3}=\frac{10}{12}-\frac{9}{12}=\frac{1}{12}$$

6과 4의 최소공배수: 12

5 받아내림이 없는 분모가 다른 대분수의 뺄셈

• $7\frac{3}{4}-3\frac{2}{5}$의 계산

방법 1 자연수는 자연수끼리, 분수는 분수끼리 빼서 계산하기

$$7\frac{3}{4}-3\frac{2}{5}=7\frac{15}{20}-3\frac{8}{20}=(7-3)+\left(\frac{15}{20}-\frac{8}{20}\right)$$
$$=4+\frac{7}{20}=4\frac{7}{20}$$

방법 2 대분수를 가분수로 고쳐서 계산하기

$$7\frac{3}{4}-3\frac{2}{5}=\frac{31}{4}-\frac{17}{5}=\frac{155}{20}-\frac{68}{20}=\frac{87}{20}=4\frac{7}{20}$$

개념 PLUS

대분수의 뺄셈에서 두 가지 방법의 장점

방법 1 자연수는 자연수끼리, 분수는 분수끼리 계산하므로 분수 부분의 계산이 쉽습니다.

방법 2 대분수를 가분수로 나타내어 계산하므로 자연수 부분과 분수 부분을 따로 떼어 계산하지 않아도 됩니다.

6 받아내림이 있는 분모가 다른 대분수의 뺄셈

• $5\frac{1}{9}-3\frac{5}{6}$의 계산

방법 1 자연수는 자연수끼리, 분수는 분수끼리 빼서 계산하기

분수 부분끼리 뺄 수 없을 때는 자연수 부분에서 1을 받아내림하여 계산합니다.

$$5\frac{1}{9}-3\frac{5}{6}=5\frac{2}{18}-3\frac{15}{18}=4\frac{20}{18}-3\frac{15}{18}$$
$$=(4-3)+\left(\frac{20}{18}-\frac{15}{18}\right)=1+\frac{5}{18}=1\frac{5}{18}$$

방법 2 대분수를 가분수로 고쳐서 계산하기

$$5\frac{1}{9}-3\frac{5}{6}=\frac{46}{9}-\frac{23}{6}=\frac{92}{18}-\frac{69}{18}=\frac{23}{18}=1\frac{5}{18}$$

개념 PLUS

분모가 다른 세 분수의 덧셈과 뺄셈

앞에서부터 두 분수씩 차례대로 통분하여 계산합니다.

예 $\frac{1}{2}+\frac{2}{3}-\frac{3}{4}$
$=\left(\frac{3}{6}+\frac{4}{6}\right)-\frac{3}{4}$
$=\frac{7}{6}-\frac{3}{4}$
$=\frac{14}{12}-\frac{9}{12}=\frac{5}{12}$

1 처음 잘못 계산한 부분을 찾아 ○표 하고, 바르게 고쳐 계산해 보시오.

$$\frac{7}{12}-\frac{1}{3}=\frac{7}{12}-\frac{1}{3\times4}$$
$$=\frac{7}{12}-\frac{1}{12}=\frac{6}{12}=\frac{1}{2}$$

$\frac{7}{12}-\frac{1}{3}$

2 계산 결과를 비교하여 ○ 안에 >, =, <를 알맞게 써넣으시오.

(1) $\frac{5}{6}-\frac{1}{4}$ ○ $\frac{3}{5}-\frac{1}{2}$

(2) $3\frac{5}{8}-3\frac{7}{12}$ ○ $1\frac{4}{9}-1\frac{1}{6}$

3 가장 큰 분수와 가장 작은 분수의 차를 구해 보시오.

$2\frac{5}{6}$　　$3\frac{7}{10}$　　$1\frac{1}{15}$

(　　　　　　　　)

4 진우가 딸기 $2\frac{7}{10}$ kg을 샀습니다. 진우가 딸기를 준서에게 $1\frac{1}{3}$ kg, 태형이에게 $1\frac{1}{12}$ kg을 주었다면 진우에게 남은 딸기는 몇 kg입니까?

(　　　　　　　　)

5 요한이네 밭에 배추, 콩, 감자를 심었습니다. 배추는 밭 전체의 $\frac{3}{8}$, 콩은 밭 전체의 $\frac{1}{5}$에 심었습니다. 남은 부분에는 모두 감자를 심었다면 감자를 심은 부분은 밭 전체의 얼마입니까?

(　　　　　　　　)

6 ㉡에서 ㉢까지의 거리는 몇 km입니까?

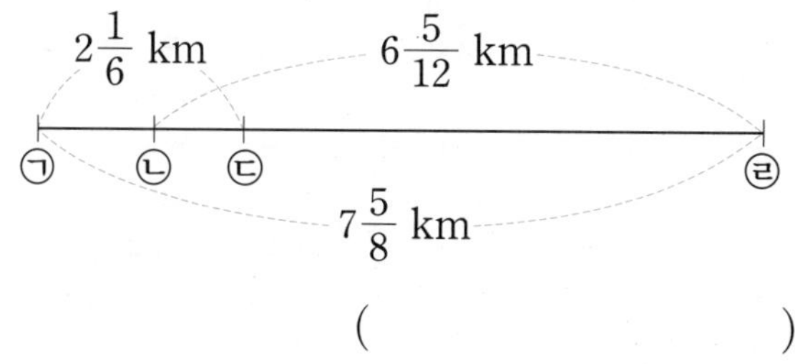

(　　　　　　　　)

STEP 2 상위권 문제

대표유형 01

바르게 계산한 값 구하기

어떤 수에서 $\frac{1}{6}$을 빼야 할 것을 잘못하여 더했더니 $\frac{3}{4}$이 되었습니다. 바르게 계산한 값을 구해 보시오.

(1) 어떤 수는 얼마입니까?

( )

(2) 바르게 계산한 값은 얼마입니까?

( )

비법 PLUS

덧셈과 뺄셈의 관계를 이용하여 어떤 수를 구할 수 있습니다.

(어떤 수)+■=▲

⇨ (어떤 수)=▲−■

유제 1

어떤 수에 $\frac{3}{10}$을 더해야 할 것을 잘못하여 뺐더니 $2\frac{4}{15}$가 되었습니다. 바르게 계산한 값을 구해 보시오.

( )

유제 2

서술형 문제

어떤 수에서 $5\frac{8}{9}$을 빼야 할 것을 잘못하여 더했더니 $15\frac{11}{12}$이 되었습니다. 바르게 계산한 값은 얼마인지 풀이 과정을 쓰고 답을 구해 보시오.

풀이 |

답 |

이어 붙인 색 테이프 전체의 길이 구하기

길이가 $1\frac{3}{8}$ m인 색 테이프 3장을 그림과 같이 $\frac{5}{12}$ m씩 겹치게 이어 붙였습니다. 이어 붙인 색 테이프 전체의 길이는 몇 m인지 구해 보시오.

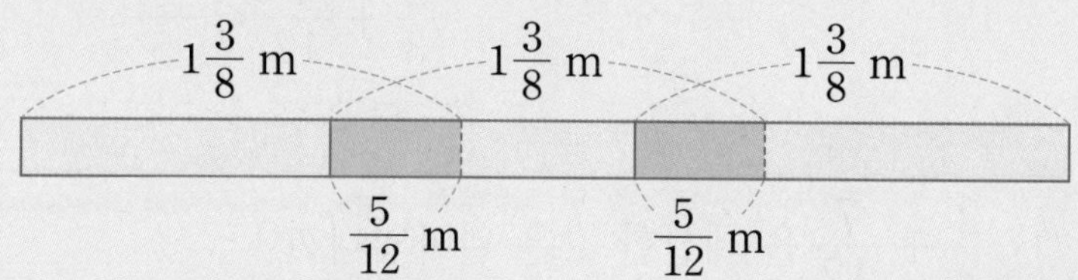

(1) 색 테이프 3장의 길이의 합은 몇 m입니까?

( )

(2) 겹쳐진 부분의 길이의 합은 몇 m입니까?

( )

(3) 이어 붙인 색 테이프 전체의 길이는 몇 m입니까?

( )

비법 PLUS

(겹쳐진 부분의 수)
=(색 테이프의 수)−1

유제 **3** 길이가 $3\frac{1}{4}$ m인 색 테이프 3장을 그림과 같이 $1\frac{1}{6}$ m씩 겹치게 이어 붙였습니다. 이어 붙인 색 테이프 전체의 길이는 몇 m인지 구해 보시오.

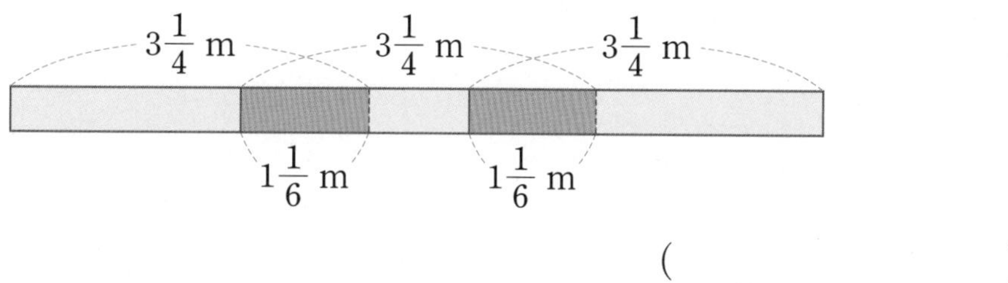

( )

4 길이가 $1\frac{1}{5}$ m인 색 테이프 4장을 일정한 길이만큼씩 겹치게 한 줄로 이어 붙였더니 전체의 길이가 $4\frac{1}{2}$ m가 되었습니다. 색 테이프를 몇 m씩 겹치게 이어 붙였는지 구해 보시오.

( )

대표유형 03 □ 안에 들어갈 수 있는 자연수 구하기

□ 안에 들어갈 수 있는 자연수 중에서 가장 작은 수를 구해 보시오.

$$\frac{2}{3}+\frac{7}{12}<\frac{\square}{5}$$

(1) $\frac{2}{3}+\frac{7}{12}$을 계산한 값은 얼마입니까?

( )

(2) □ 안에 들어갈 수 있는 자연수 중에서 가장 작은 수는 얼마입니까?

( )

비법 PLUS

$\frac{▲}{●}<\frac{\square}{★}$에서 □ 안에 들어갈 수 있는 자연수는 $\frac{▲}{●}$와 $\frac{\square}{★}$를 통분한 후 분자 부분의 크기를 비교하여 구합니다.

유제 5 □ 안에 들어갈 수 있는 자연수 중에서 가장 작은 수를 구해 보시오.

$$7\frac{1}{6}-2\frac{2}{3}<\frac{\square}{11}$$

( )

유제 6 □ 안에 들어갈 수 있는 자연수는 모두 몇 개인지 구해 보시오.

$$1\frac{8}{15}+\frac{\square}{7}<2$$

( )

대표유형 04 빈 물통의 무게 구하기

물이 가득 들어 있는 물통의 무게를 재었더니 $5\frac{6}{7}$ kg이었습니다. 이 물통에 들어 있는 물의 반을 마신 다음 무게를 다시 재었더니 $3\frac{5}{6}$ kg이었습니다. 빈 물통의 무게는 몇 kg인지 구해 보시오.

(1) 전체 물의 반의 무게는 몇 kg입니까?

( )

(2) 빈 물통의 무게는 몇 kg입니까?

( )

비법 PLUS

먼저 전체 물의 반의 무게를 구해 봅니다.

유제 7 주스가 가득 들어 있는 병의 무게를 재었더니 $3\frac{7}{8}$ kg이었습니다. 주스의 반을 마신 다음 무게를 다시 재었더니 $2\frac{5}{6}$ kg이었습니다. 빈 병의 무게는 몇 kg인지 구해 보시오.

( )

유제 8 서술형 문제

물이 가득 들어 있는 물통의 무게를 재었더니 $4\frac{1}{5}$ kg이었습니다. 이 물통에서 물을 $\frac{1}{3}$만큼 사용하고 다시 물통의 무게를 재었더니 $3\frac{8}{45}$ kg이었습니다. 빈 물통의 무게는 몇 kg인지 풀이 과정을 쓰고 답을 구해 보시오.

풀이 |

답 |

대표유형 05 수 카드로 만든 두 대분수의 합 또는 차 구하기

6장의 수 카드를 한 번씩만 모두 사용하여 2개의 대분수를 만들었습니다. 만든 두 대분수의 합이 가장 크게 될 때의 합을 구해 보시오.

5 8 3 2 7 4

(1) 합이 가장 크게 되는 두 대분수를 만들어 보시오.

( )

(2) 위 (1)에서 만든 두 대분수의 합을 구해 보시오.

( )

비법 PLUS

합 또는 차가 가장 큰 두 대분수 만들기
두 대분수의 합 또는 차가 가장 크게 되려면 자연수 부분의 합 또는 차가 가장 커야 합니다.

유제 **9** 6장의 수 카드를 한 번씩만 모두 사용하여 2개의 대분수를 만들었습니다. 만든 두 대분수의 합이 가장 크게 될 때의 합을 구해 보시오.

2 6 8 5 1 9

( )

유제 **10** 6장의 수 카드를 한 번씩만 모두 사용하여 2개의 대분수를 만들었습니다. 만든 두 대분수의 차가 가장 크게 될 때의 차를 구해 보시오.

3 8 9 4 1 6

( )

신유형 06 분수를 단위분수의 합으로 나타내기

정사각형 모양의 색종이 한 장의 크기를 1이라고 할 때, 색종이를 똑같이 반으로 계속해서 접어 나가면 크기가 각각 $\frac{1}{2}$, $\frac{1}{4}$, $\frac{1}{8}$, $\frac{1}{16}$……인 색종이 조각을 만들 수 있습니다. 색종이를 4번 접은 다음 오려서 만든 오른쪽 색종이 조각을 보고 $\frac{11}{16}$을 서로 다른 단위분수의 합으로 나타내어 보시오.

$\frac{1}{16}$	$\frac{1}{16}$	$\frac{1}{16}$	$\frac{1}{16}$
$\frac{1}{16}$	$\frac{1}{16}$	$\frac{1}{16}$	$\frac{1}{16}$
$\frac{1}{16}$	$\frac{1}{16}$		
$\frac{1}{16}$			

(1) ㉠, ㉡, ㉢이 나타내는 부분의 크기를 각각 단위분수로 나타내어 보시오.

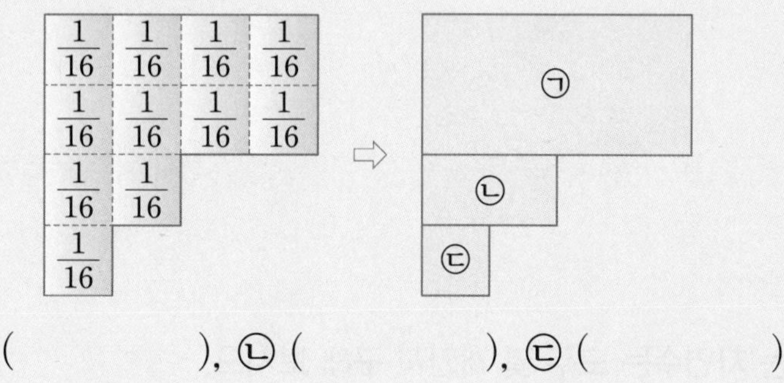

㉠ (　　　　), ㉡ (　　　　), ㉢ (　　　　)

(2) $\frac{11}{16}$을 서로 다른 단위분수의 합으로 나타내어 보시오.

$$\frac{11}{16}=\frac{1}{\square}+\frac{1}{\square}+\frac{1}{\square}$$

신유형 PLUS

분수 막대를 사용하여 단위분수의 합으로 나타낼 수도 있습니다.

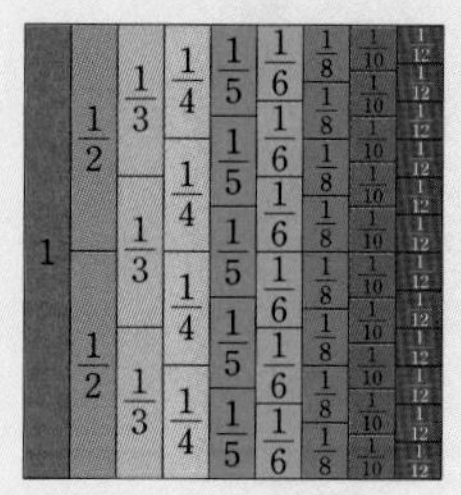

예 $\frac{1}{2}=\frac{1}{4}+\frac{1}{4}$,
$\frac{1}{2}=\frac{1}{6}+\frac{1}{6}+\frac{1}{6}$

유제 11

정사각형 모양의 색종이 한 장의 크기를 1이라고 할 때, 색종이를 똑같이 반으로 계속해서 접어 나가면 크기가 각각 $\frac{1}{2}$, $\frac{1}{4}$, $\frac{1}{8}$, $\frac{1}{16}$, $\frac{1}{32}$……인 색종이 조각을 만들 수 있습니다. 색종이를 5번 접은 다음 오려서 만든 오른쪽 색종이 조각을 보고 $\frac{27}{32}$을 서로 다른 단위분수의 합으로 나타내어 보시오.

$\frac{1}{32}$	$\frac{1}{32}$	$\frac{1}{32}$	$\frac{1}{32}$	$\frac{1}{32}$	$\frac{1}{32}$	$\frac{1}{32}$	$\frac{1}{32}$
$\frac{1}{32}$	$\frac{1}{32}$	$\frac{1}{32}$	$\frac{1}{32}$	$\frac{1}{32}$	$\frac{1}{32}$	$\frac{1}{32}$	$\frac{1}{32}$
$\frac{1}{32}$	$\frac{1}{32}$	$\frac{1}{32}$	$\frac{1}{32}$	$\frac{1}{32}$	$\frac{1}{32}$	$\frac{1}{32}$	$\frac{1}{32}$
$\frac{1}{32}$	$\frac{1}{32}$	$\frac{1}{32}$					

$$\frac{27}{32}=\square+\square+\square+\square$$

STEP 3 상위권 문제 확인과 응용

1 우희는 부산에 가는 데 버스를 $2\frac{1}{6}$시간, 기차를 $1\frac{1}{3}$시간 타고, $\frac{1}{3}$시간 동안 걸어서 도착했습니다. 우희가 부산에 가는 데 걸린 시간은 모두 몇 시간 몇 분인지 구해 보시오.

( )

비법 PLUS

✚ 1시간=60분

⇨ $\frac{1}{60}$시간=1분

⇨ $\frac{■}{60}$시간=■분

2 ㉠◉㉡을 다음과 같이 약속할 때 $\frac{5}{6}$◉$\frac{3}{4}$을 계산해 보시오.

㉠◉㉡=㉠+㉠−㉡

( )

3 □ 안에 들어갈 수 있는 자연수는 모두 몇 개인지 구해 보시오.

$$\frac{1}{4}-\frac{1}{5}<\frac{1}{\square+6}$$

( )

✚ 단위분수는 분모가 작을수록 더 큰 분수입니다.

4 빈 상자에 귤을 가득 채우고 무게를 재었더니 $6\frac{8}{9}$ kg이었습니다. 상훈이가 이 상자에 든 귤을 $\frac{2}{3}$만큼 나누어 주고 다시 상자의 무게를 재었더니 $2\frac{5}{6}$ kg이었습니다. 빈 상자의 무게는 몇 kg인지 구해 보시오.

( )

5 ㉮ 병과 ㉯ 병에 주스가 각각 들어 있습니다. $\frac{5}{6}$ L의 주스가 들어 있는 ㉮ 병에서 $\frac{1}{8}$ L의 주스를 ㉯ 병으로 옮겨 담았더니 두 병에 들어 있는 주스의 양이 같아졌습니다. 처음 ㉯ 병에 들어 있던 주스는 몇 L인지 구해 보시오.

( )

비법 PLUS

✚ ㉮ 병에서 ㉯ 병으로 옮겨 담은 주스의 양을 ▲ L라 하여 식을 세워 봅니다.
(처음 ㉮ 병의 주스의 양) −▲ =(처음 ㉯ 병의 주스의 양) +▲

서술형 문제

6 수영이가 딸기를 3개의 접시에 나누어 담았습니다. 첫째 접시에는 전체의 $\frac{2}{5}$를, 둘째 접시에는 전체의 $\frac{1}{4}$을, 셋째 접시에는 전체의 $\frac{3}{10}$을 담았습니다. 접시에 나누어 담고 남은 딸기가 3개라면 수영이가 처음에 가지고 있던 딸기는 몇 개인지 풀이 과정을 쓰고 답을 구해 보시오.

풀이 |

답 |

7 길이가 같은 색 테이프 4장을 $\frac{2}{5}$ m씩 겹치게 한 줄로 이어 붙였더니 색 테이프 전체의 길이가 $3\frac{1}{7}$ m가 되었습니다. 색 테이프 한 장의 길이는 몇 m인지 구해 보시오.

( )

✚ 색 테이프 ★장을 겹치게 이어 붙였을 때 겹쳐진 부분은 (★−1)군데입니다.

서술형 문제

8 다음과 같은 규칙으로 분수를 늘어놓으려고 합니다. 여덟째 분수와 열두째 분수의 차는 얼마인지 풀이 과정을 쓰고 답을 구해 보시오.

$$2\frac{1}{2},\ 4\frac{3}{5},\ 6\frac{5}{8},\ 8\frac{7}{11},\ 10\frac{9}{14}\cdots\cdots$$

풀이 |

답 |

비법 PLUS

9 우민이는 어떤 일의 $\frac{1}{2}$을 하는 데 4일이 걸리고, 윤정이는 같은 일의 $\frac{1}{8}$을 하는 데 3일이 걸립니다. 이 일을 두 사람이 함께 한다면 일을 모두 끝내는 데 며칠이 걸리는지 구해 보시오. (단, 두 사람이 하루에 하는 일의 양은 각각 일정합니다.)

( )

✚ 어떤 일을 일정한 빠르기로 $\frac{1}{■}$을 하는 데 ▲일이 걸린다면 일을 모두 끝내는 데에는 (■×▲)일이 걸립니다.

10 ■와 ▲는 서로 다른 기약분수입니다. ■와 ▲를 각각 구해 보시오.

$$■+▲=\frac{11}{12},\ ■-▲=\frac{1}{6}$$

■ ( )

▲ ( )

빠른 정답 5쪽 —— 정답과 풀이 31쪽

창의융합형 문제

11 금은 강도가 약하기 때문에 다른 금속과 섞어서 제품을 만드는 경우가 많습니다. 이때 함유된 금의 양에 따라 18 K, 14 K와 같은 표시를 하여 나타내는데 18 K는 전체의 $\frac{18}{24}$만큼이 금이고, 14 K는 전체의 $\frac{14}{24}$만큼이 금이며 나머지는 은, 아연, 구리 등과 같은 다른 물질로 이루어져 있습니다. 금, 구리, 은을 섞어서 만든 18 K 금반지의 전체의 $\frac{1}{5}$이 은이라면 구리는 금반지 전체의 몇 분의 몇인지 구해 보시오.

(　　　　　　　　　　)

12 그림은 고대 이집트 신화에 나오는 '호루스의 눈'입니다. '호루스의 눈'은 파라오의 왕권을 보호하는 상징으로 모두 여섯 부분으로 되어 있으며 수학적 비밀이 숨어 있습니다. 여섯 부분을 나타내는 분수는 모두 더해도 1이 되지 않는데 이집트 사람들은 이 부족한 부분을 지혜의 신인 토트가 채워준다고 생각했습니다. 토트가 채워준 부분을 분수로 나타내면 얼마인지 구해 보시오.

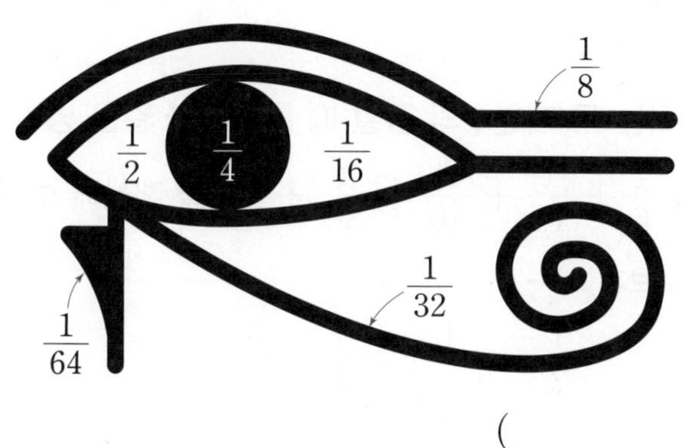

(　　　　　　　　　　)

창의융합 PLUS

캐럿(carat)
캐럿은 합금에 함유된 금의 양을 나타내는 단위로 기호는 보통 K를 사용합니다. 순수한 금을 24 K로 하므로 1 K는 합금에 함유된 금의 양이 전체의 $\frac{1}{24}$임을 나타냅니다.

'호루스의 눈'의 의미
호루스의 눈은 각 부분이 6개의 분수를 나타내는 동시에 사람의 감각을 상징합니다.

그림	분수	상징
	$\frac{1}{64}$	촉각
	$\frac{1}{32}$	미각
	$\frac{1}{16}$	청각
	$\frac{1}{8}$	생각
	$\frac{1}{4}$	시각
	$\frac{1}{2}$	후각

STEP 4 최상위권 문제

≪ 문제 풀이 동영상

1 어느 농부가 논에 벼를 심는 데 홀수 날에는 논 전체의 $\frac{1}{10}$을 심고, 짝수 날에는 논 전체의 $\frac{1}{8}$을 심으려고 합니다. 이와 같은 방법으로 5월 1일부터 매일 벼를 심는다면 논에 벼를 모두 심는 데 며칠이 걸리는지 구해 보시오.

(　　　　　　　　)

2 환희네 학교 학생들이 가 본 고궁을 조사하였더니 경복궁을 가 본 학생은 전체의 $\frac{2}{5}$, 창경궁을 가 본 학생은 전체의 $\frac{3}{7}$, 경복궁과 창경궁을 모두 가 본 학생은 전체의 $\frac{5}{14}$였습니다. 경복궁과 창경궁 두 곳을 모두 가 보지 않은 학생은 전체의 몇 분의 몇인지 구해 보시오.

(　　　　　　　　)

3 단위분수의 분모가 연속하는 두 자연수의 곱일 때 〈보기〉와 같은 방법으로 나타낼 수 있습니다. 이를 이용하여 $\frac{1}{6}+\frac{1}{12}+\frac{1}{20}+\frac{1}{30}+\frac{1}{42}$을 계산해 보시오.

〈보기〉

$$\frac{1}{2}=\frac{1}{1\times2}=\frac{1}{1}-\frac{1}{2}$$

(　　　　　　　　)

빠른 정답 5쪽 —— 정답과 풀이 33쪽

4 비어 있는 욕조에 ㉮ 수도꼭지로만 물을 가득 채우는 데 15분이 걸리고, ㉯ 수도꼭지로만 물을 가득 채우는 데 10분이 걸립니다. 만약 비어 있는 욕조에 물이 나가는 배수구를 열고 ㉯ 수도꼭지로만 물을 가득 채운다면 15분이 걸립니다. ㉮와 ㉯ 수도꼭지를 동시에 틀어 배수구를 연 욕조를 1분 동안 채울 수 있는 물의 양은 욕조 전체의 몇 분의 몇인지 구해 보시오. (단, 두 수도꼭지에서 나오는 물의 양과 배수구로 나가는 물의 양은 각각 일정합니다.)

( )

5 통나무를 5도막으로 자르려고 합니다. 한 번 자르는 데 $3\frac{2}{5}$분이 걸리고 자른 다음 $1\frac{3}{4}$분 동안 쉽니다. 같은 빠르기로 통나무를 5도막으로 자르는 데 걸리는 시간은 모두 몇 분인지 구해 보시오.

( )

6 길이가 $5\frac{8}{9}$ m인 막대로 바닥이 평평한 호수의 깊이를 재려고 합니다. 막대를 호수 바닥에 끝까지 넣어 보고 다시 꺼내어 거꾸로 바닥 끝까지 넣었을 때 막대에서 젖지 않은 부분의 길이가 $1\frac{5}{6}$ m였습니다. 이 호수의 깊이는 몇 m인지 구해 보시오. (단, 막대는 수면과 서로 수직이 되도록 넣었습니다.)

( )

그림을 감상해 보세요.

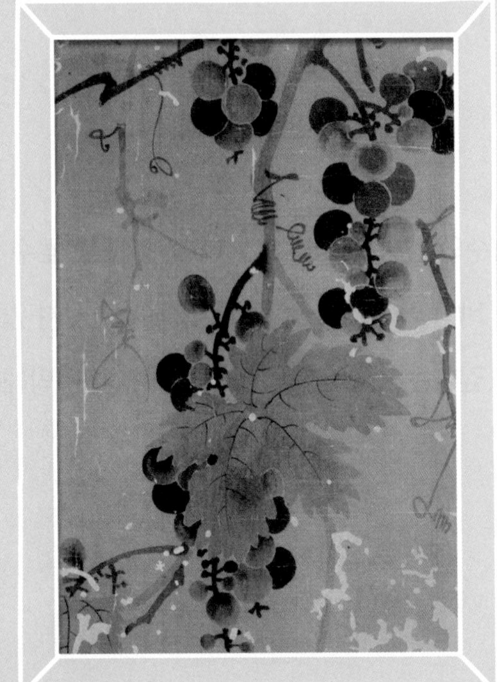

신사임당, 「포도」, 16세기

6

다각형의 둘레와 넓이

영역: 도형

STEP 1 핵심 개념과 문제

1 정다각형의 둘레

정다각형의 각 변의 길이는 모두 같으므로 정다각형의 한 변의 길이에 변의 수를 곱해 주면 됩니다.

(정다각형의 둘레)=(한 변의 길이)×(변의 수)

2 사각형의 둘레

- (직사각형의 둘레)=(가로×2)+(세로×2)
  =(가로+세로)×2
- (평행사변형의 둘레)=(한 변의 길이×2)+(다른 한 변의 길이×2)
  =(한 변의 길이+다른 한 변의 길이)×2

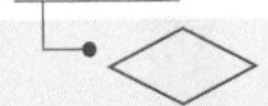

- (마름모의 둘레)=(한 변의 길이)×4

3 $1\ cm^2$, $1\ m^2$, $1\ km^2$

- **$1\ cm^2$(1 제곱센티미터)**: 한 변의 길이가 1 cm인 정사각형의 넓이
- **$1\ m^2$(1 제곱미터)**: 한 변의 길이가 1 m인 정사각형의 넓이
- **$1\ km^2$(1 제곱킬로미터)**: 한 변의 길이가 1 km인 정사각형의 넓이

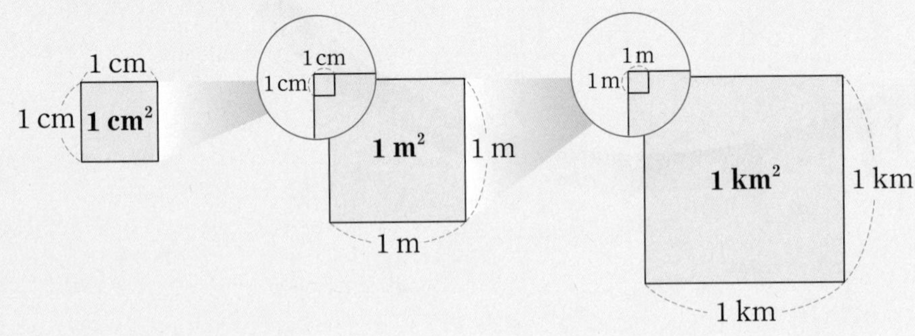

$1\ m^2=10000\ cm^2$ — $1\ m^2$에는 $1\ cm^2$가 한 줄에 100개씩 100줄 들어갑니다.

$1\ km^2=1000000\ m^2$ — $1\ km^2$에는 $1\ m^2$가 한 줄에 1000개씩 1000줄 들어갑니다.

4 직사각형의 넓이

- (직사각형의 넓이)=(가로)×(세로)
- (정사각형의 넓이)=(한 변의 길이)×(한 변의 길이)

초 6-1 연계

1 cm, $1\ cm^2$, $1\ cm^3$

- 길이의 단위 1 cm

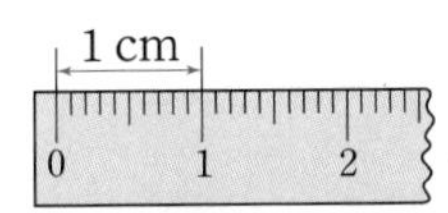

- 넓이의 단위 $1\ cm^2$
  한 변의 길이가 1 cm인 정사각형의 넓이

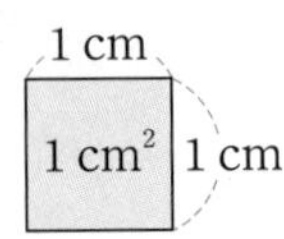

- 부피의 단위 $1\ cm^3$ (1 세제곱 센티미터)
  한 모서리의 길이가 1 cm인 정육면체의 부피

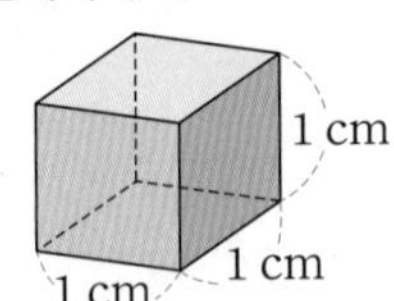

개념 PLUS

직사각형의 넓이를 이용하여 가로 또는 세로 구하기

- (가로)
  =(직사각형의 넓이)÷(세로)
- (세로)
  =(직사각형의 넓이)÷(가로)

1 직사각형의 넓이를 구해 보시오.

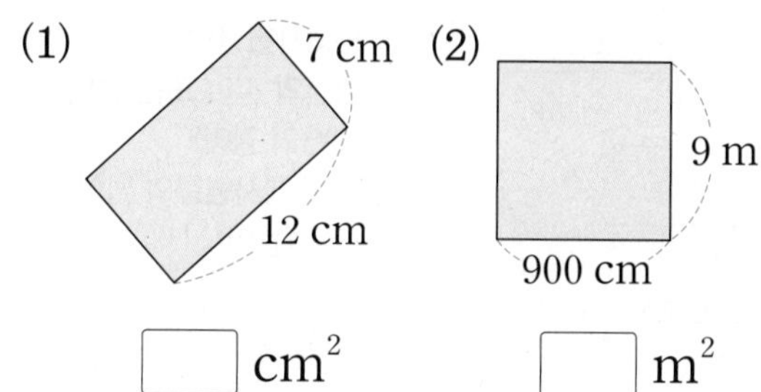

□ cm²　　□ m²

2 도형의 넓이를 $1\ \text{cm}^2$씩 늘리며 도형을 규칙에 따라 그리려고 합니다. 빈칸에 알맞은 도형을 그려 보시오.

1 cm²

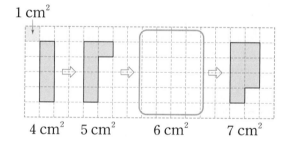

4 cm²　5 cm²　6 cm²　7 cm²

3 두 넓이의 크기를 비교하여 ○ 안에 >, =, <를 알맞게 써넣으시오.

(1) $70000\ \text{cm}^2$ ○ $7\ \text{m}^2$

(2) $500000\ \text{m}^2$ ○ $50\ \text{km}^2$

4 두 정다각형의 둘레가 각각 24 cm일 때 □ 안에 알맞은 수를 써넣으시오.

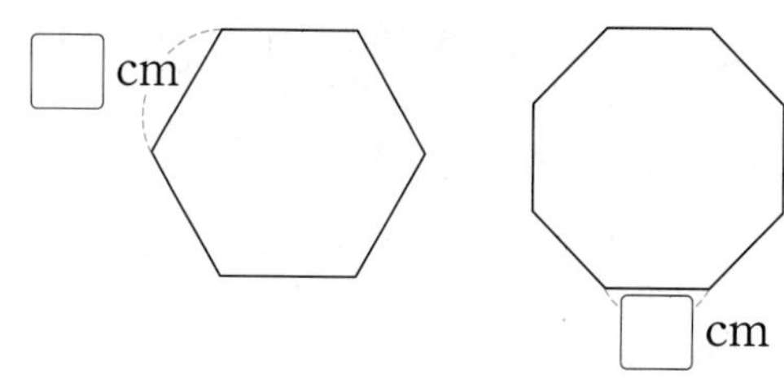

5 두 다각형의 둘레가 같을 때 □ 안에 알맞은 수를 써넣으시오.

마름모　　평행사변형

12 cm　　□ cm　10 cm

6 수영이는 둘레가 20 m인 넓이가 가장 큰 직사각형 모양의 울타리를 만들려고 합니다. 수영이가 만들 울타리의 넓이는 몇 m^2입니까? (단, 울타리의 각 변의 길이는 모두 자연수입니다.)

(　　　　　　　)

5 평행사변형의 넓이

- 밑변: 평행사변형에서 평행한 두 변
- 높이: 평행사변형에서 두 밑변 사이의 거리

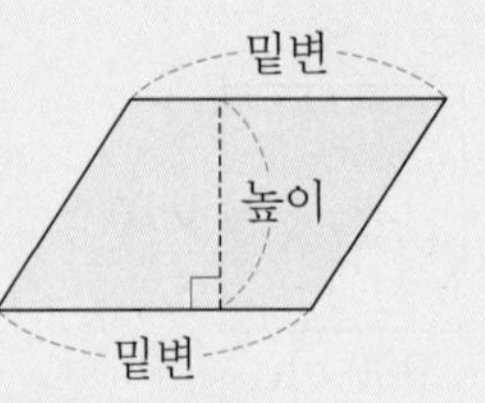

(평행사변형의 넓이)=(밑변의 길이)×(높이)

참고 밑변의 길이와 높이가 같으면 모양이 달라도 넓이가 모두 같습니다.

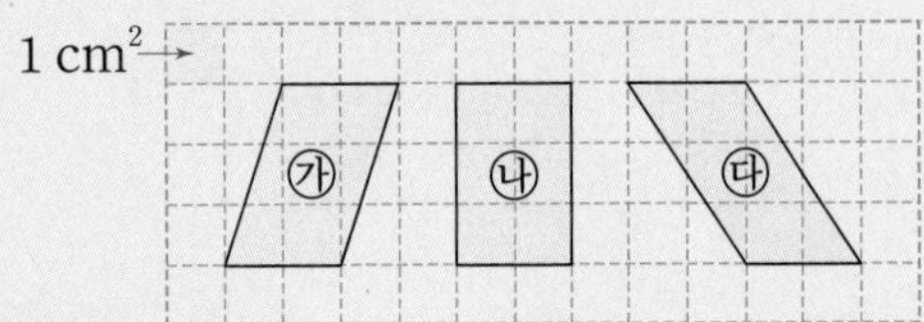

(㉮의 넓이)
=(㉯의 넓이)
=(㉰의 넓이)

6 삼각형의 넓이

- 밑변: 삼각형의 어느 한 변
- 높이: 삼각형의 밑변과 마주 보는 꼭짓점에서 밑변에 수직으로 그은 선분의 길이

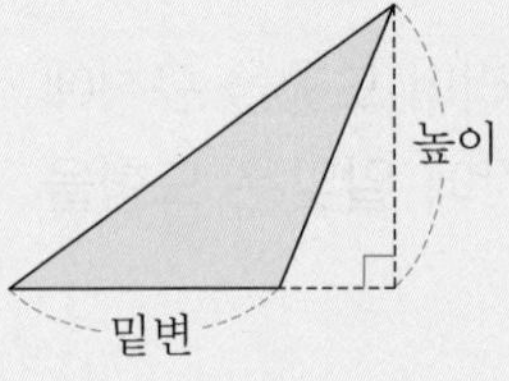

(삼각형의 넓이)=(밑변의 길이)×(높이)÷2

참고 밑변의 길이와 높이가 같으면 모양이 달라도 넓이가 모두 같습니다.

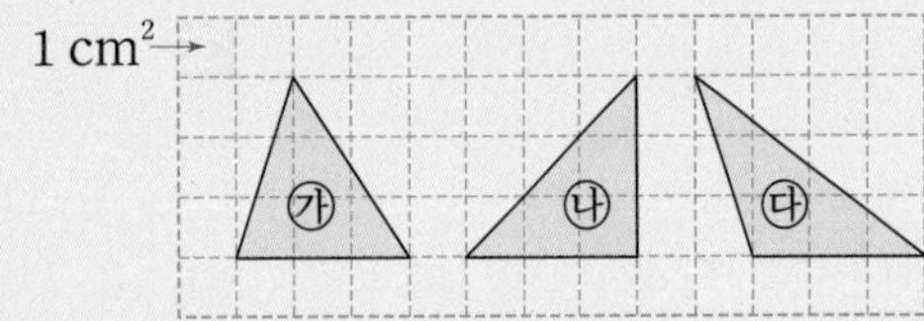

(㉮의 넓이)
=(㉯의 넓이)
=(㉰의 넓이)

7 마름모의 넓이

(마름모의 넓이)=(한 대각선의 길이)×(다른 대각선의 길이)÷2

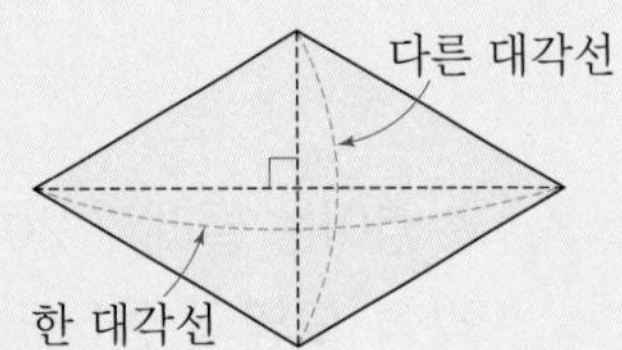

8 사다리꼴의 넓이

- 밑변: 사다리꼴에서 평행한 두 변
  ⇨ 밑변 중에서 한 밑변을 윗변, 다른 밑변을 아랫변이라고 합니다.
- 높이: 사다리꼴에서 두 밑변 사이의 거리

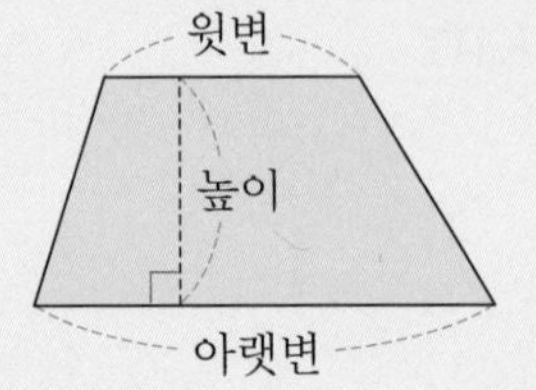

(사다리꼴의 넓이)=(윗변의 길이+아랫변의 길이)×(높이)÷2

개념 PLUS

평행사변형의 넓이를 이용하여 밑변의 길이 또는 높이 구하기

- (밑변의 길이)
  =(평행사변형의 넓이)÷(높이)
- (높이)
  =(평행사변형의 넓이)÷(밑변의 길이)

개념 PLUS

삼각형의 넓이를 이용하여 밑변의 길이 또는 높이 구하기

- (밑변의 길이)
  =(삼각형의 넓이)×2÷(높이)
- (높이)
  =(삼각형의 넓이)×2÷(밑변의 길이)

1 다각형의 넓이는 몇 cm^2입니까?

(1) 평행사변형 (2) 삼각형

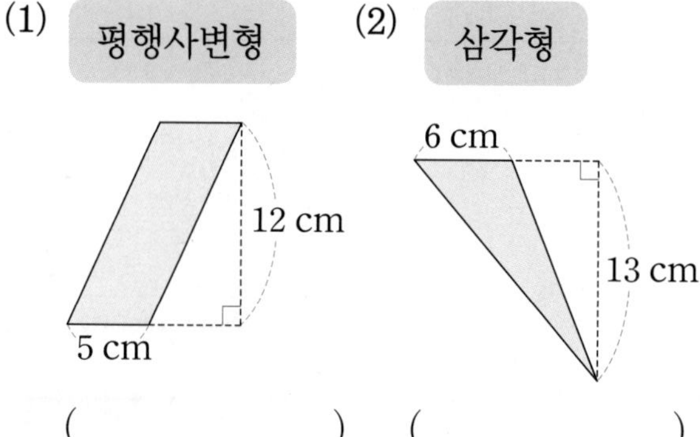

( ) ( )

2 윗변의 길이가 16 m이고, 아랫변의 길이가 24 m인 사다리꼴 모양의 꽃밭이 있습니다. 두 밑변 사이의 거리가 8 m라면 꽃밭의 넓이는 몇 m^2입니까?

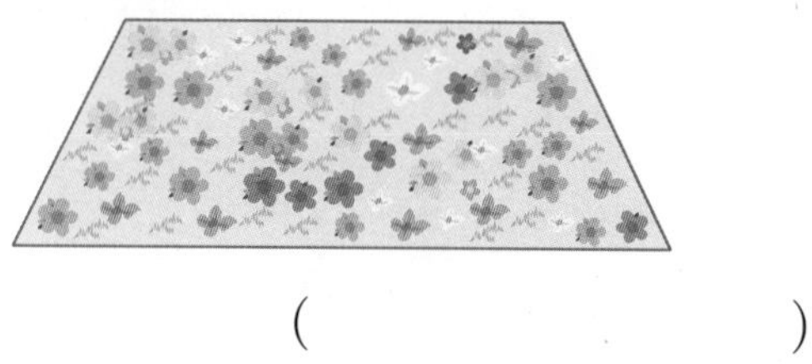

( )

3 □ 안에 알맞은 수를 써넣으시오.

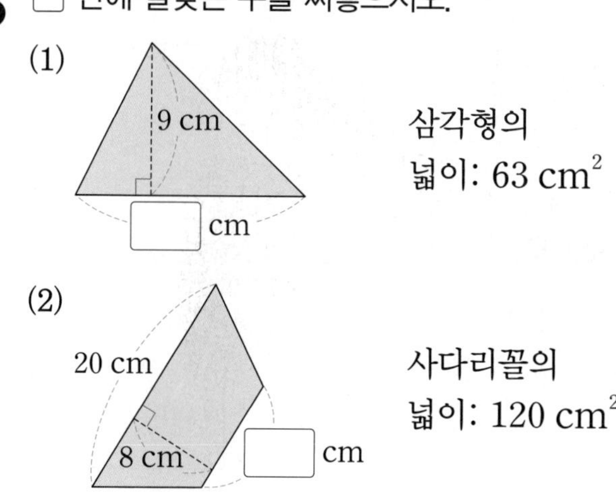

(1) 삼각형의 넓이: 63 cm^2

(2) 사다리꼴의 넓이: 120 cm^2

4 넓이가 120 m^2인 마름모가 있습니다. 이 마름모의 한 대각선의 길이가 15 m라면 다른 대각선의 길이는 몇 m입니까?

( )

5 주어진 마름모와 넓이가 같고 모양이 다른 마름모를 1개 더 그려 보시오.

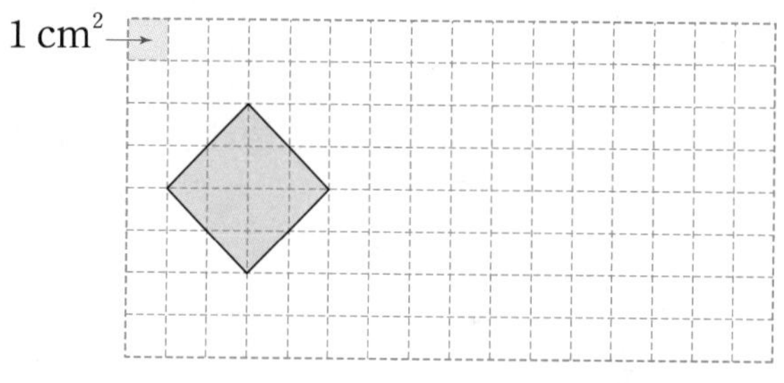

6 색칠한 부분의 넓이는 몇 cm^2입니까?

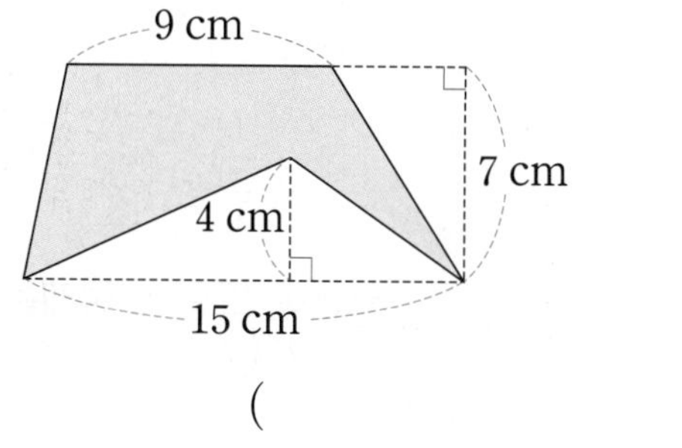

( )

상위권 문제

직각으로 이루어진 도형의 둘레 구하기

오른쪽 도형의 둘레는 몇 cm인지 구해 보시오.

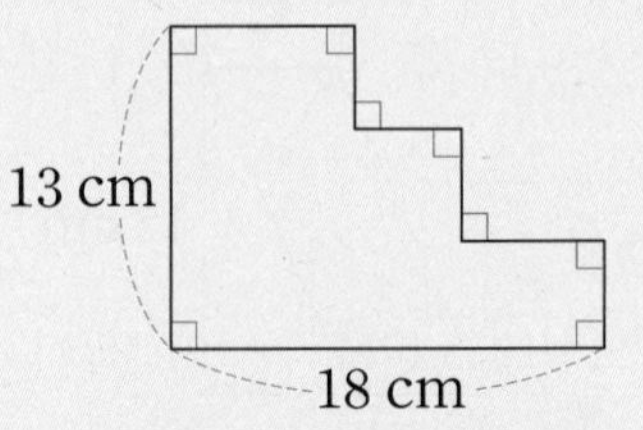

(1) □ 안에 알맞은 수를 써넣으시오.

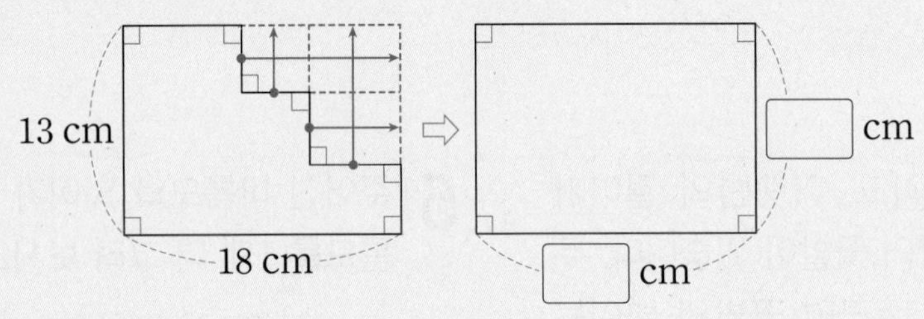

(2) 도형의 둘레는 몇 cm입니까?

( )

비법 PLUS

변의 위치를 평행하게 옮겨서 직사각형으로 바꾸어 둘레를 구합니다.

유제 1 오른쪽 도형의 둘레는 몇 cm인지 구해 보시오.

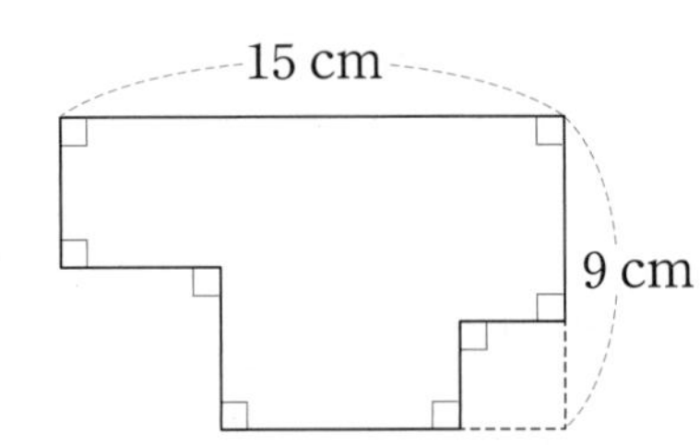

( )

유제 2 오른쪽 도형의 둘레는 몇 cm인지 구해 보시오.

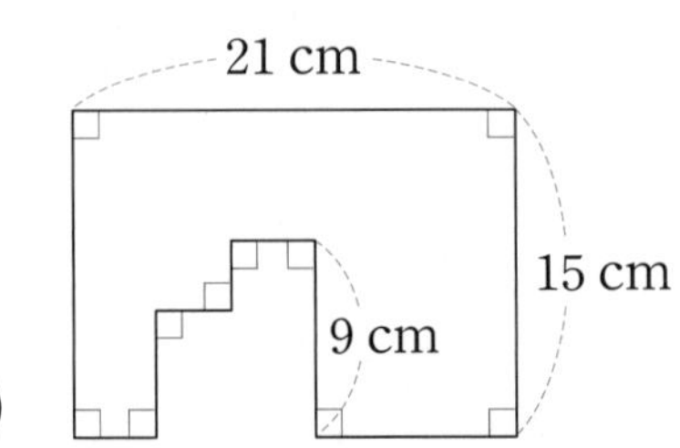

( )

대표유형 02

크기가 같은 정사각형으로 만든 도형의 둘레 또는 넓이 구하기

오른쪽 도형은 크기가 같은 정사각형을 겹치지 않게 이어 붙여서 만든 도형입니다. 도형의 전체 넓이가 176 cm^2일 때 도형의 둘레는 몇 cm인지 구해 보시오.

(1) 정사각형 한 개의 넓이는 몇 cm^2입니까?

(　　　　　　　　)

(2) 정사각형의 한 변의 길이는 몇 cm입니까?

(　　　　　　　　)

(3) 도형의 둘레는 몇 cm입니까?

(　　　　　　　　)

비법 PLUS

정사각형 한 개의 넓이를 알면 정사각형의 한 변의 길이를 구할 수 있습니다.

유제 **3** 오른쪽 도형은 크기가 같은 정사각형을 겹치지 않게 이어 붙여서 만든 도형입니다. 도형의 둘레가 108 cm일 때 도형의 넓이는 몇 cm^2인지 구해 보시오.

(　　　　　　　　)

유제 **4** 서술형 문제

오른쪽 도형은 크기가 같은 정사각형을 겹치지 않게 이어 붙여서 만든 도형입니다. 도형의 넓이가 126 cm^2일 때 도형의 둘레는 몇 cm인지 풀이 과정을 쓰고 답을 구해 보시오.

풀이 |

답 |

대표유형 03

폭을 일정하게 잘라 내고 남은 부분의 넓이 구하기

다음은 직사각형 모양의 종이를 폭이 일정하게 잘라 낸 것입니다. 잘라 내고 남은 부분의 넓이는 몇 cm^2인지 구해 보시오.

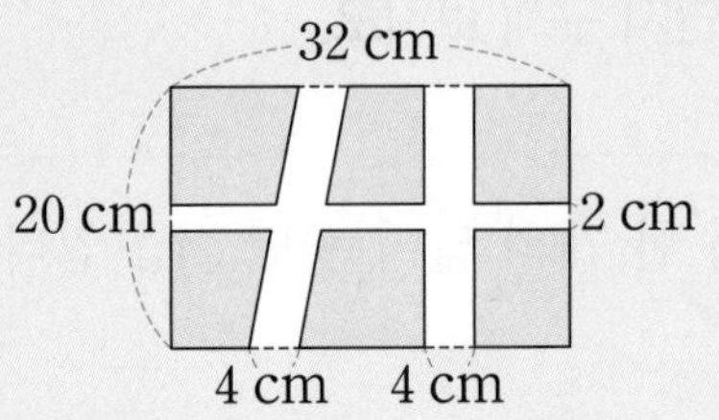

(1) □ 안에 알맞은 수를 써넣으시오.

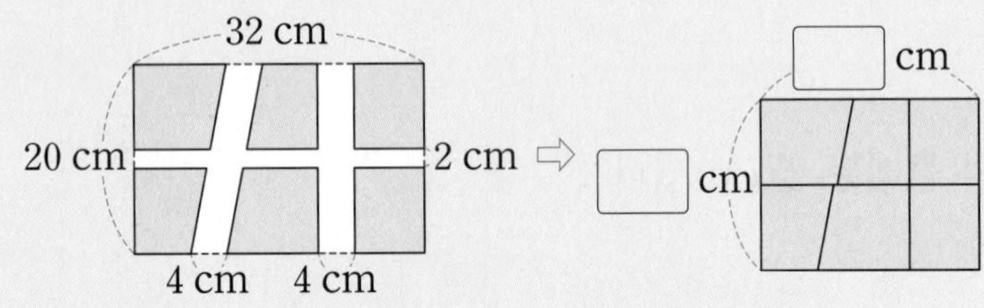

(2) 잘라 내고 남은 부분의 넓이는 몇 cm^2입니까?

(　　　　　)

비법 PLUS

잘라 내고 남은 부분을 모으면 직사각형이 됩니다.

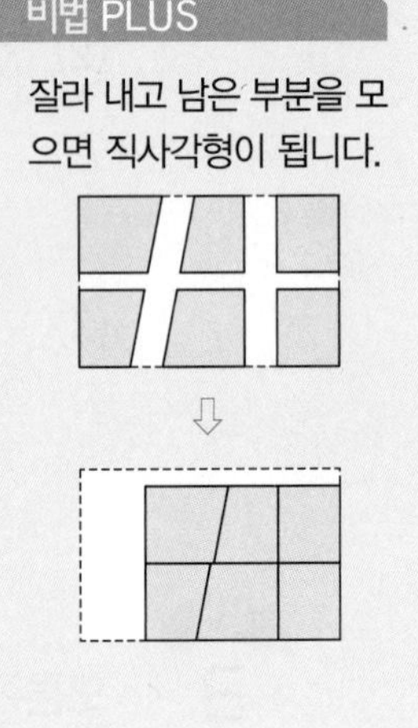

유제 5

오른쪽은 직사각형 모양의 종이를 폭이 일정하게 잘라 낸 것입니다. 잘라 내고 남은 부분의 넓이는 몇 cm^2인지 구해 보시오.

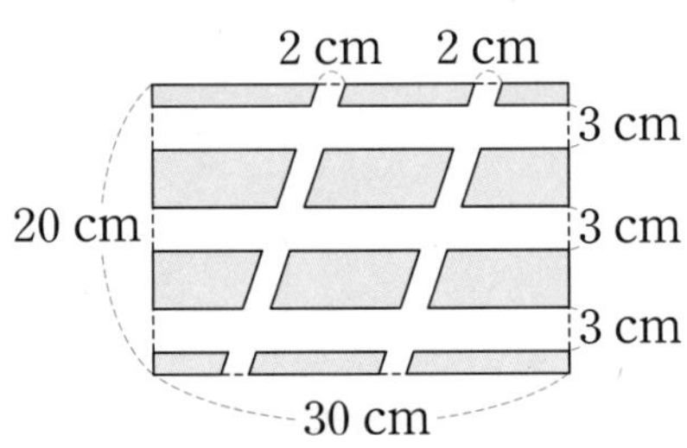

(　　　　　)

유제 6

오른쪽은 평행사변형 모양의 종이를 폭이 일정하게 잘라 낸 것입니다. 잘라 내고 남은 부분의 넓이는 몇 cm^2인지 구해 보시오.

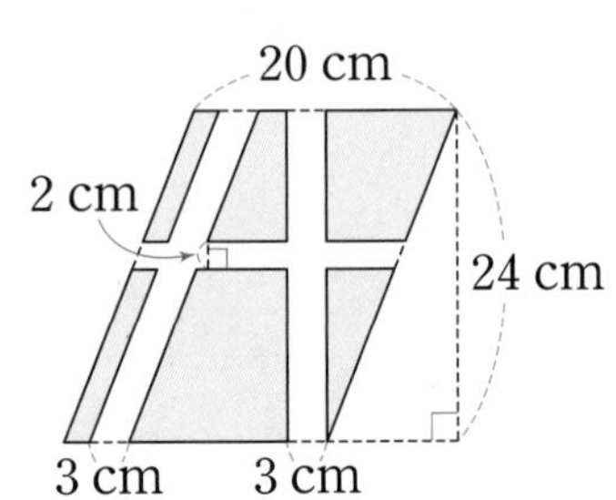

(　　　　　)

빠른 정답 5쪽 —— 정답과 풀이 34쪽

대표유형 04 마름모에서 색칠한 부분의 넓이 구하기

오른쪽은 큰 마름모 안에 작은 마름모를 그린 것입니다. 작은 마름모의 두 대각선의 길이는 각각 큰 마름모의 두 대각선의 길이의 반입니다. 색칠한 부분의 넓이는 몇 cm^2인지 구해 보시오.

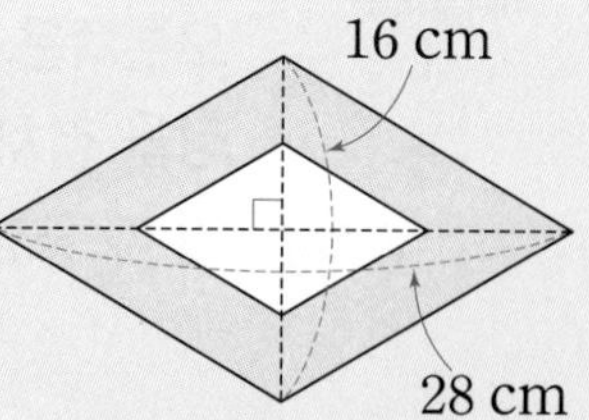

(1) 큰 마름모의 넓이는 몇 cm^2입니까?

( )

(2) 작은 마름모의 넓이는 몇 cm^2입니까?

( )

(3) 색칠한 부분의 넓이는 몇 cm^2입니까?

( )

비법 PLUS

(색칠한 부분의 넓이)
=(큰 마름모의 넓이)
−(작은 마름모의 넓이)

유제 7

오른쪽 마름모 ㄱㄴㄷㄹ에서 점 ㅁ과 점 ㅂ은 각각 선분 ㄱㅅ과 선분 ㄷㅅ을 이등분하는 점입니다. 색칠한 부분의 넓이는 몇 cm^2인지 구해 보시오.

( )

유제 8

오른쪽은 지름이 26 cm인 원 안에 가장 큰 마름모를 그리고, 그린 마름모의 각 변을 이등분하는 점을 이어 작은 마름모를 그린 것입니다. 색칠한 부분의 넓이는 몇 cm^2인지 구해 보시오.

( )

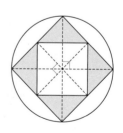

대표유형 05 도형을 겹쳐서 만든 도형의 넓이 구하기

오른쪽은 크기가 서로 다른 정사각형 모양의 종이 두 장을 겹쳐서 만든 도형입니다. 겹쳐진 부분이 정사각형일 때 도형의 넓이는 몇 cm^2인지 구해 보시오.

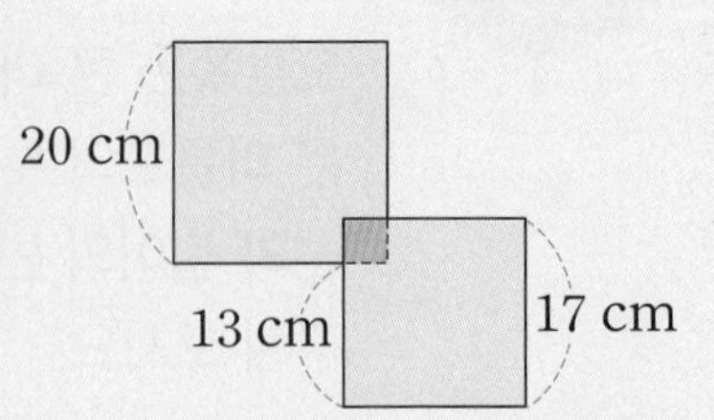

(1) 겹쳐진 정사각형의 한 변의 길이는 몇 cm입니까?

( )

(2) 겹쳐진 부분의 넓이는 몇 cm^2입니까?

( )

(3) 도형의 넓이는 몇 cm^2입니까?

( )

비법 PLUS

(도형의 넓이)
=(정사각형 2개의 넓이)
−(겹쳐진 부분의 넓이)

유제 9 오른쪽은 크기가 같은 정사각형 모양의 종이 두 장을 겹쳐서 만든 도형입니다. 겹쳐진 부분이 직사각형일 때 도형의 넓이는 몇 cm^2인지 구해 보시오.

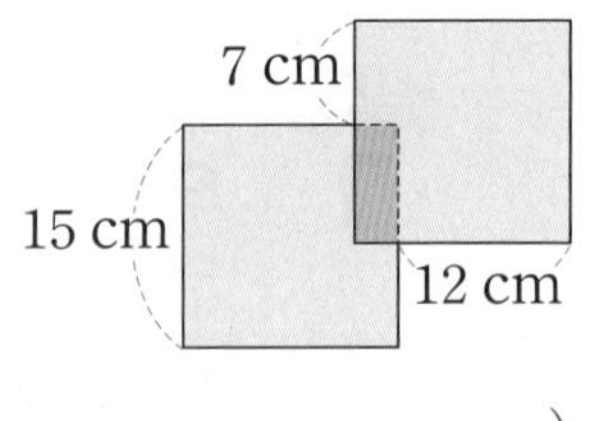

( )

유제 10 서술형 문제

가로가 26 cm, 세로가 5 cm인 직사각형 모양의 종이를 다음과 같이 접었습니다. 겹쳐진 부분의 넓이는 몇 cm^2인지 풀이 과정을 쓰고 답을 구해 보시오.

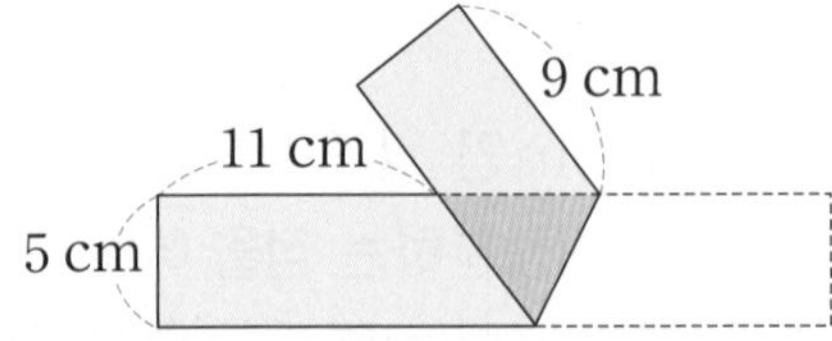

풀이 |

답 |

빠른 정답 5쪽 —— 정답과 풀이 34쪽

대표유형 06

사다리꼴의 넓이 구하기

사다리꼴 ㄱㄴㄷㄹ의 넓이는 몇 cm^2인지 구해 보시오.

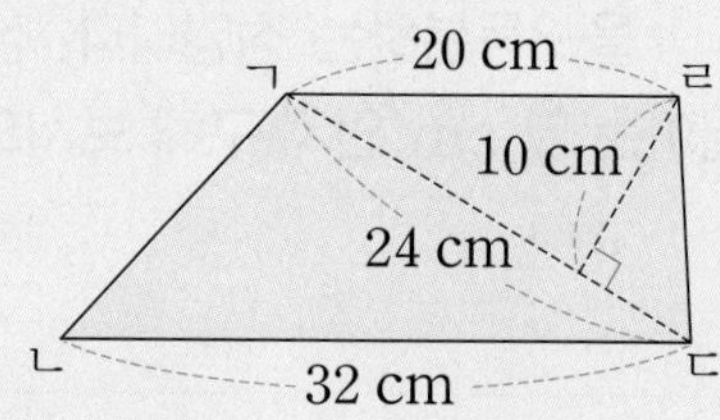

(1) 삼각형 ㄱㄷㄹ의 넓이는 몇 cm^2입니까?

( )

(2) 삼각형 ㄱㄷㄹ에서 변 ㄱㄹ을 밑변이라고 할 때 높이는 몇 cm입니까?

( )

(3) 사다리꼴 ㄱㄴㄷㄹ의 넓이는 몇 cm^2입니까?

( )

비법 PLUS

사다리꼴 ㄱㄴㄷㄹ의 높이는 삼각형 ㄱㄷㄹ에서 변 ㄱㄹ을 밑변이라고 할 때의 높이와 같습니다.

유제 **11** 오른쪽 사다리꼴 ㄱㄴㄷㄹ의 넓이는 몇 m^2인지 구해 보시오.

( )

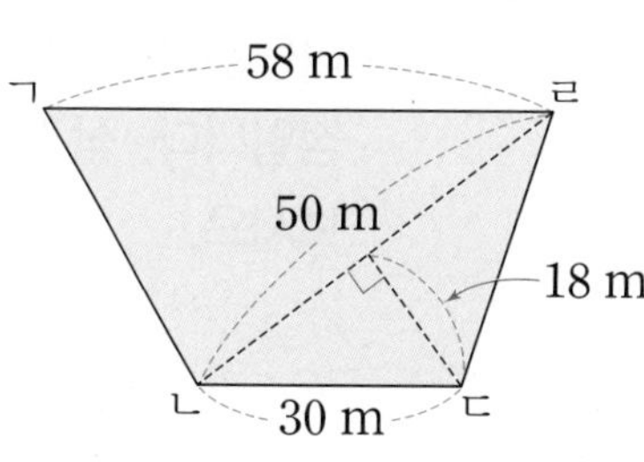

유제 **12** 오른쪽 도형에서 사각형 ㄱㄴㅂㅁ이 평행사변형일 때 사다리꼴 ㄱㄴㄷㄹ의 넓이는 몇 cm^2인지 구해 보시오.

( )

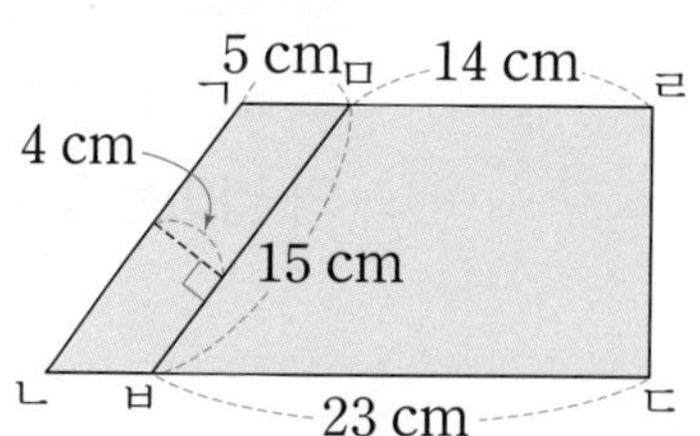

대표유형 07 넓이의 관계를 이용하여 삼각형의 넓이 구하기

오른쪽 직사각형 ㄱㄴㄷㄹ에서 점 ㅁ과 점 ㅂ은 대각선 ㄴㄹ을 3등분하는 점입니다. 삼각형 ㄱㅁㅂ의 넓이는 몇 cm^2인지 구해 보시오.

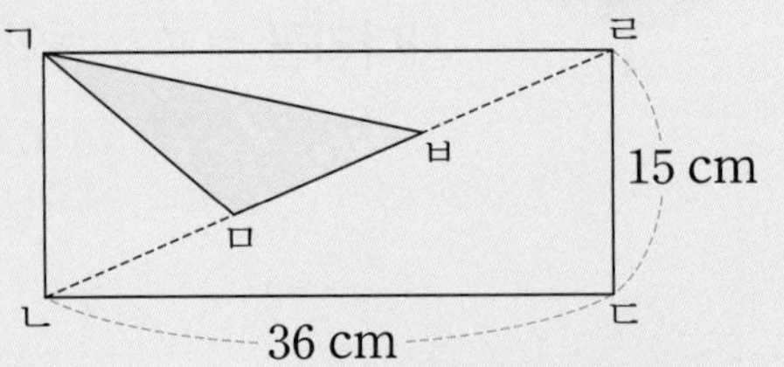

(1) 삼각형 ㄱㄴㄹ의 넓이는 몇 cm^2입니까?

( )

(2) 삼각형 ㄱㄴㄹ의 넓이는 삼각형 ㄱㅁㅂ의 넓이의 몇 배입니까?

( )

(3) 삼각형 ㄱㅁㅂ의 넓이는 몇 cm^2입니까?

( )

비법 PLUS

삼각형 ㉮와 삼각형 ㉯의 높이는 같고, 삼각형 ㉮의 밑변의 길이가 삼각형 ㉯의 밑변의 길이의 ●배이면 넓이도 ●배입니다.

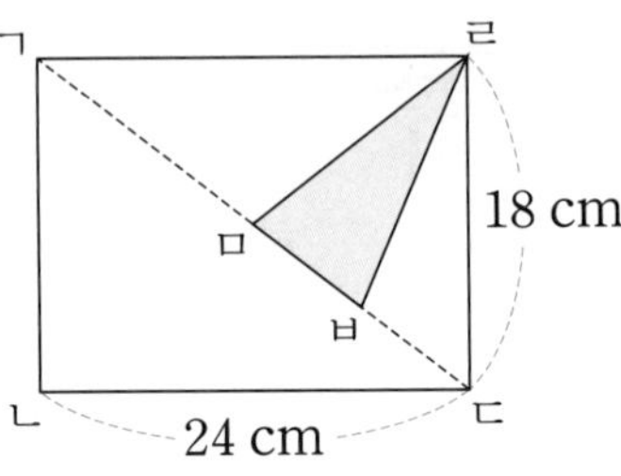

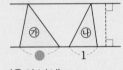

(㉮의 넓이)
=(㉯의 넓이)×●

유제 13 오른쪽 직사각형 ㄱㄴㄷㄹ에서 점 ㅁ은 대각선 ㄱㄷ을 이등분하는 점이고, 점 ㅂ은 선분 ㅁㄷ을 이등분하는 점입니다. 삼각형 ㄹㅁㅂ의 넓이는 몇 cm^2인지 구해 보시오.

( )

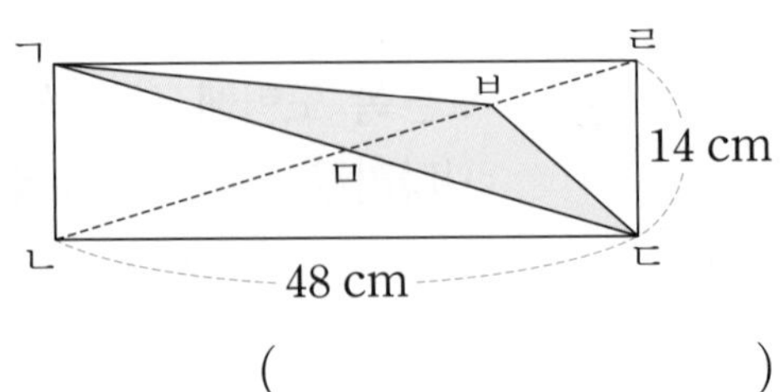

유제 14 오른쪽 직사각형 ㄱㄴㄷㄹ에서 점 ㅂ은 선분 ㄹㅁ을 이등분하는 점입니다. 삼각형 ㄱㄷㅂ의 넓이는 몇 cm^2인지 구해 보시오.

ㄱ ㄹ ㅂ ㅁ 14 cm ㄴ 48 cm ㄷ

( )

신유형 08

도형의 넓이 비교하기

경진이는 몬드리안의 '빨강, 파랑, 노랑의 구성'이라는 작품을 보고 감동하여 한 변의 길이가 24 cm인 정사각형 모양의 종이에 비슷한 그림을 그렸습니다. 경진이가 그린 그림에서 파란색 직사각형의 넓이는 빨간색 직사각형의 넓이보다 몇 cm^2만큼 더 넓은지 구해 보시오.

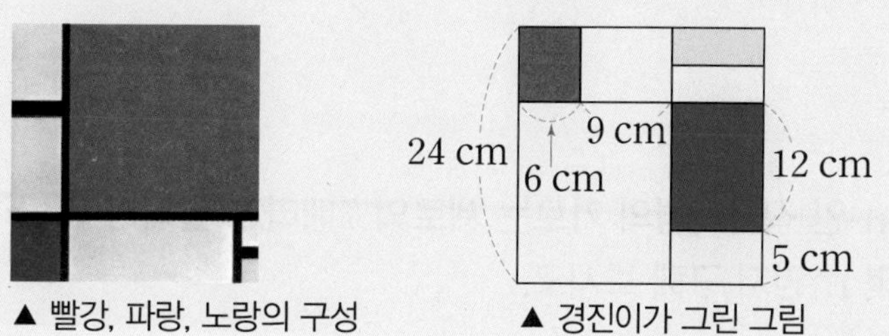

▲ 빨강, 파랑, 노랑의 구성 ▲ 경진이가 그린 그림

(1) 파란색 직사각형의 넓이는 몇 cm^2입니까?

( )

(2) 빨간색 직사각형의 넓이는 몇 cm^2입니까?

( )

(3) 파란색 직사각형의 넓이는 빨간색 직사각형의 넓이보다 몇 cm^2만큼 더 넓습니까?

( )

신유형 PLUS

그림에 주어진 길이를 이용하여 파란색 직사각형과 빨간색 직사각형의 가로와 세로를 각각 알아보고 넓이를 구합니다.

유제 **15** 선화는 몬드리안의 '브로드웨이 부기우기'라는 작품을 보고 감동하여 한 변의 길이가 30 cm인 정사각형 모양의 종이에 비슷한 그림을 그렸습니다. 선화가 그린 그림에서 직사각형 ㉮의 넓이는 직사각형 ㉯의 넓이보다 몇 cm^2만큼 더 넓은지 구해 보시오.

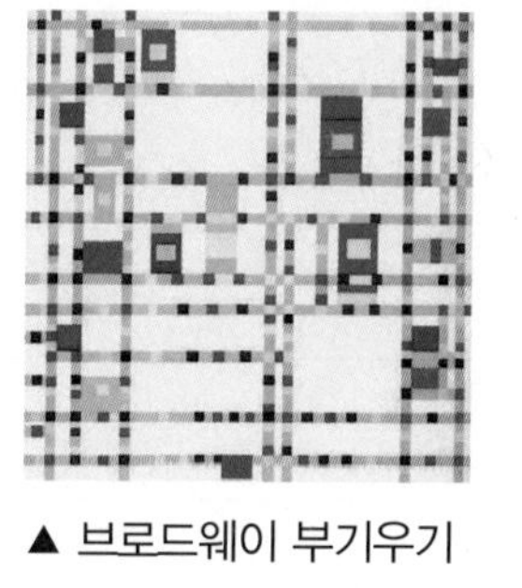

▲ 브로드웨이 부기우기

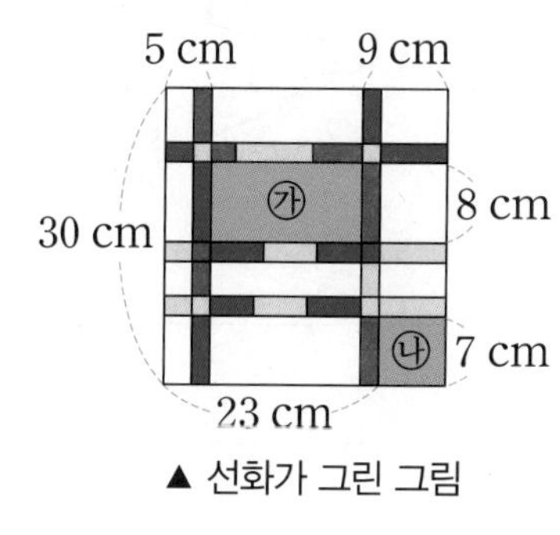

▲ 선화가 그린 그림

( )

STEP 3 상위권 문제 확인과 응용

1 오른쪽은 한 대각선의 길이가 14 m인 정사각형 모양의 논입니다. 논의 넓이는 몇 cm^2인지 구해 보시오.

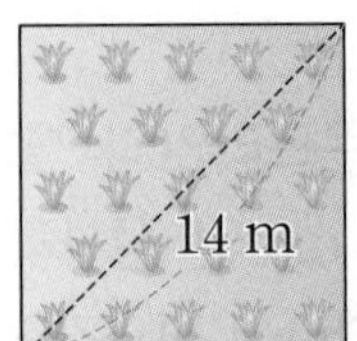

(　　　　　　　　　)

비법 PLUS

2 넓이가 112 m^2인 직사각형의 가로는 세로의 7배라고 합니다. 이 직사각형의 둘레는 몇 m인지 구해 보시오.

(　　　　　　　　　)

3 오른쪽은 한 변의 길이가 24 cm인 정사각형 모양의 칠교판입니다. 칠교판 안에 있는 평행사변형 ㉮의 넓이는 몇 cm^2인지 구해 보시오.

(　　　　　　　　　)

+ 정사각형 모양의 칠교판은 3가지 크기의 직각삼각형 5개, 정사각형 1개, 평행사변형 1개로 이루어져 있습니다.

서술형 문제

4 마름모 ㄱㄴㄷㄹ에서 점 ㅁ과 점 ㅂ은 각각 선분 ㄱㅅ과 선분 ㄷㅅ을 이등분하는 점입니다. 색칠한 부분의 넓이는 몇 cm^2인지 풀이 과정을 쓰고 답을 구해 보시오.

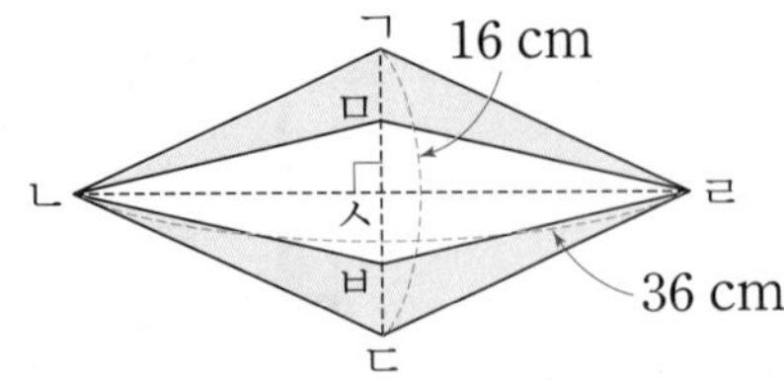

풀이 |

답 |

5 정사각형과 직사각형을 겹치지 않게 이어 붙여서 만든 도형입니다. 도형의 전체 넓이가 212 cm^2일 때 도형의 둘레는 몇 cm인지 구해 보시오.

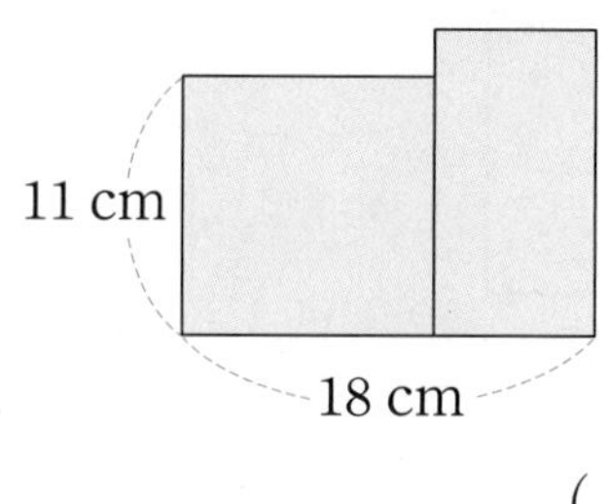

( )

비법 PLUS

6 마름모 3개를 겹치게 이어 붙여서 만든 도형입니다. 도형의 넓이는 몇 cm^2인지 구해 보시오.

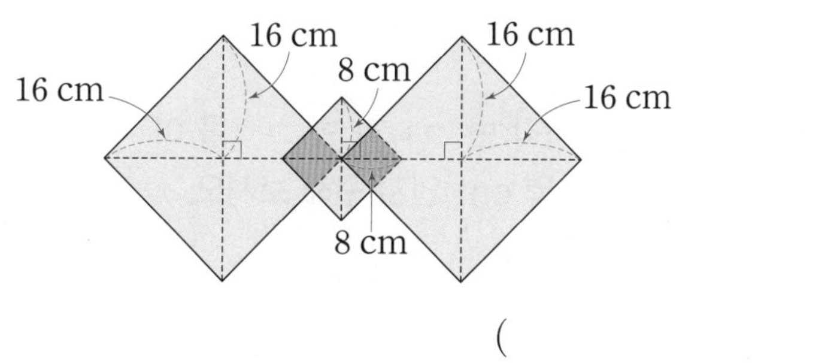

( )

✚ (도형의 넓이)
=(마름모 3개의 넓이)
−(겹쳐진 부분의 넓이)

7 주어진 도형에서 색칠한 부분의 넓이는 280 cm^2입니다. 선분 ㄹㅅ의 길이는 몇 cm인지 구해 보시오.

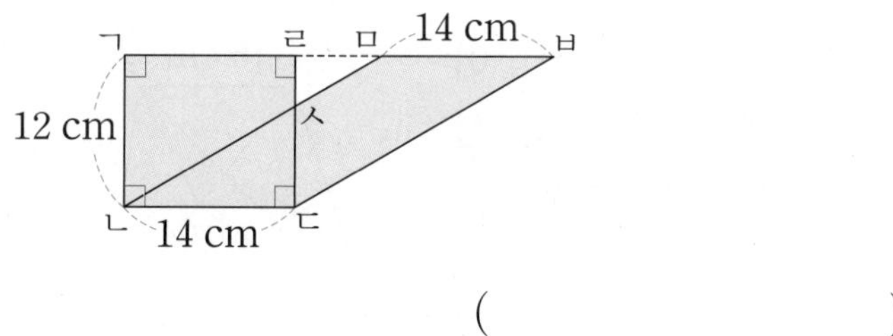

( )

✚
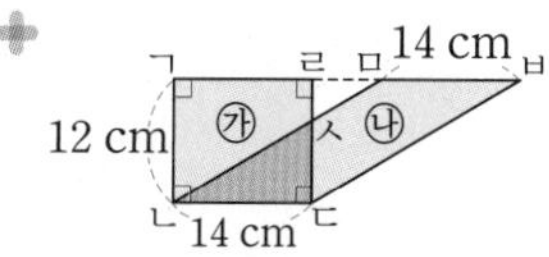

(겹쳐진 부분의 넓이)
=(직사각형 ㉮의 넓이)
+(평행사변형 ㉯의 넓이)
−(색칠한 부분의 넓이)

서술형 문제

8 직각삼각형 1개와 크기가 서로 다른 정사각형 3개를 겹치지 않게 이어 붙여서 만든 도형입니다. 색칠한 부분의 넓이는 몇 cm^2인지 풀이 과정을 쓰고 답을 구해 보시오.

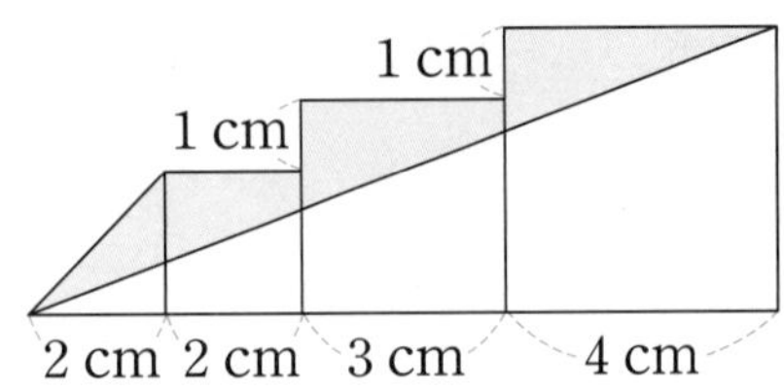

풀이 |

답 |

9 평행사변형 ㄱㄴㄷㄹ에서 점 ㅁ과 점 ㅂ은 각각 변 ㄱㄴ과 변 ㄱㄹ을 이등분하는 점입니다. 삼각형 ㅁㄴㅂ의 넓이는 몇 cm^2인지 구해 보시오.

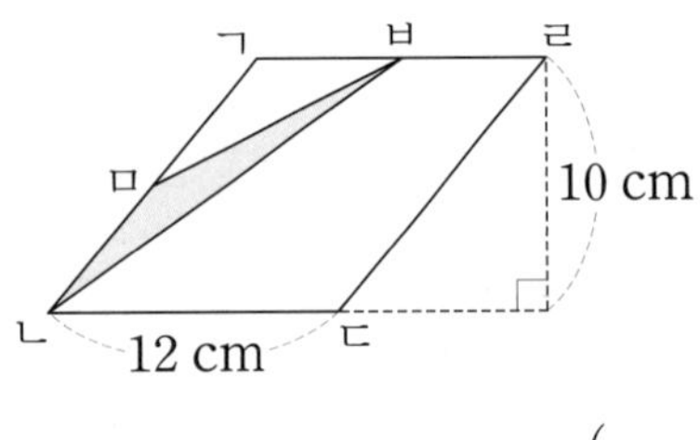

( )

10 오른쪽 사다리꼴 ㄱㄴㄷㄹ의 넓이는 528 cm^2이고 선분 ㄱㅁ과 선분 ㄷㅁ의 길이가 같습니다. 삼각형 ㄴㅁㄹ의 넓이는 몇 cm^2인지 구해 보시오.

( )

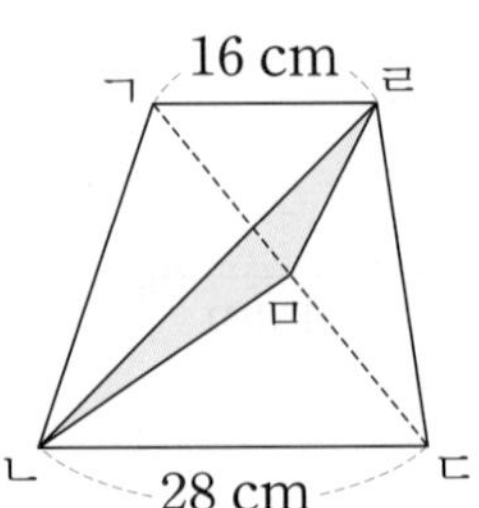

비법 PLUS

사다리꼴의 넓이를 이용하여 사다리꼴의 높이를 먼저 구합니다.

창의융합형 문제

11 진형이네 아파트의 평면도입니다. 평면도에서 침실 3개의 넓이의 합은 몇 m^2인지 구해 보시오. (단, 침실은 모두 직각으로 이루어져 있고 벽의 두께는 생각하지 않습니다.)

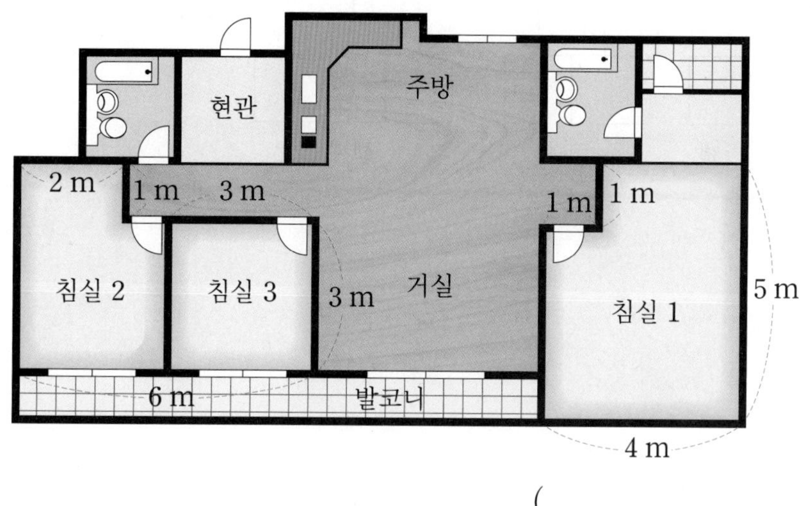

(　　　　　　　　　　　)

창의융합 PLUS

평면도
건물의 평면 상태를 나타낸 그림입니다. 건물의 방, 출입구 따위의 배치를 나타내기 위하여 위에서 내려다본 건물의 안쪽 모습을 그립니다.

12 2009년에 우리나라의 농구 경기장은 3점 슛 라인이 골대에서 멀어지고, 제한구역의 모양이 사다리꼴에서 직사각형으로 바뀌었습니다. 바뀐 제한구역의 넓이는 바뀌기 전의 제한구역의 넓이보다 몇 cm^2 더 넓어졌는지 구해 보시오.

제한구역
360 cm
600 cm
580 cm

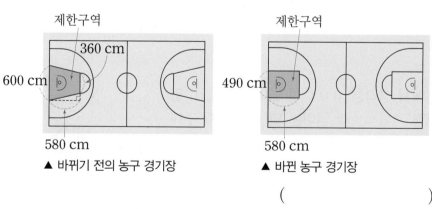

▲ 바뀌기 전의 농구 경기장

제한구역
490 cm
580 cm

▲ 바뀐 농구 경기장

(　　　　　　　　　　　)

제한구역(paint zone)
농구에서 공격 선수는 상대편 제한구역에서 3초보다 길게 머물 수 없습니다.

STEP 4

최상위권 문제

문제 풀이 동영상

1 한 변의 길이가 1 cm인 정사각형을 그림과 같이 일정한 규칙으로 겹치지 않게 이어 붙여서 도형을 만들고 있습니다. 오십째 도형의 둘레는 몇 cm인지 구해 보시오.

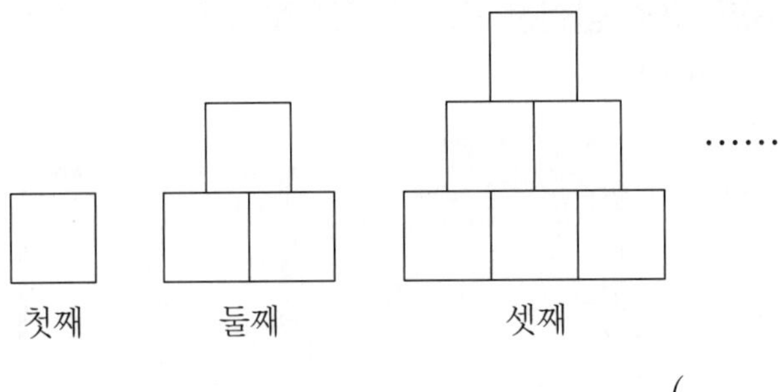

(　　　　　　　　)

2 오른쪽은 한 변의 길이가 20 cm인 정사각형 모양의 종이의 일부분을 색칠한 것입니다. 색칠한 부분의 넓이는 몇 cm^2인지 구해 보시오.

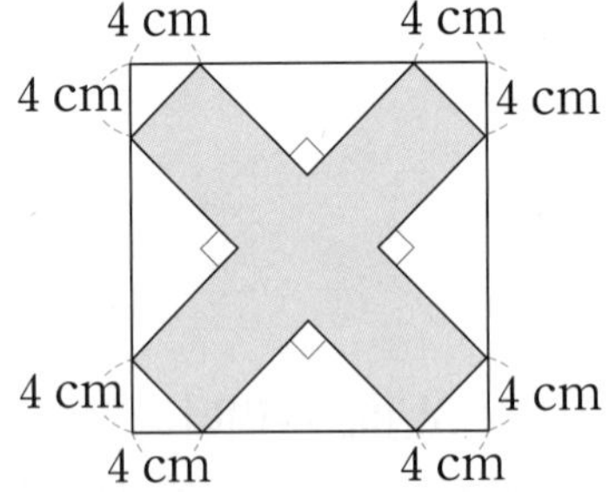

(　　　　　　　　)

3 오른쪽 도형에서 삼각형 ㅂㅁㄷ의 넓이가 10 cm^2일 때 평행사변형 ㄱㄴㄷㄹ의 넓이는 몇 cm^2인지 구해 보시오.

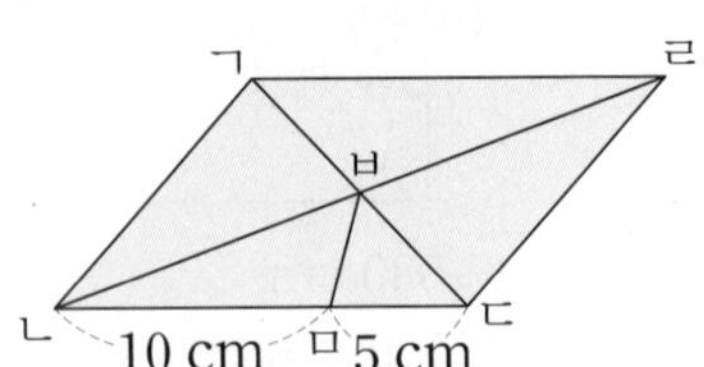

(　　　　　　　　)

4 오른쪽 정육각형 ㄱㄴㄷㄹㅁㅂ의 넓이는 84 cm^2입니다. 점 ㅅ과 점 ㅇ이 각각 변 ㄴㄷ과 변 ㅂㅁ을 이등분하는 점일 때 색칠한 부분의 넓이는 몇 cm^2인지 구해 보시오.

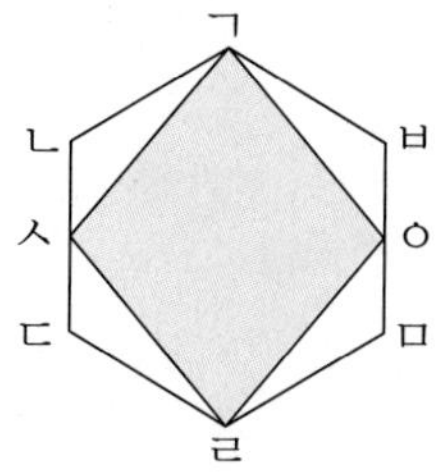

(　　　　　　　)

5 넓이가 각각 28 cm^2인 평행사변형, 마름모, 사다리꼴을 오른쪽 그림과 같이 겹쳐 놓았을 때 다른 도형과 겹쳐지지 않은 평행사변형, 마름모, 사다리꼴의 일부분의 넓이가 각각 20 cm^2, 21 cm^2, 22 cm^2입니다. 세 도형이 겹쳐진 ㉮ 부분의 넓이가 3 cm^2일 때 색칠한 부분의 넓이는 몇 cm^2인지 구해 보시오.

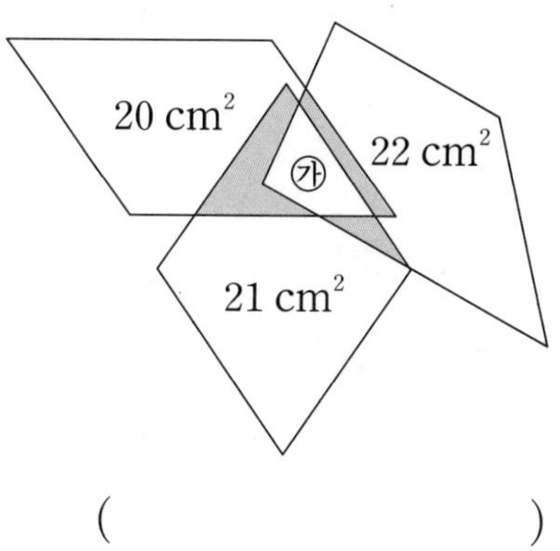

(　　　　　　　)

6 다음과 같이 직선 위에 직사각형과 이등변삼각형이 놓여 있습니다. 이등변삼각형은 움직이지 않고, 직사각형은 1초에 4 cm를 가는 빠르기로 화살표 방향으로 움직인다고 합니다. 겹쳐지는 부분의 넓이가 가장 넓게 될 때의 넓이는 몇 cm^2이고, 직사각형이 움직이기 시작한 지 몇 초 후인지 구해 보시오.

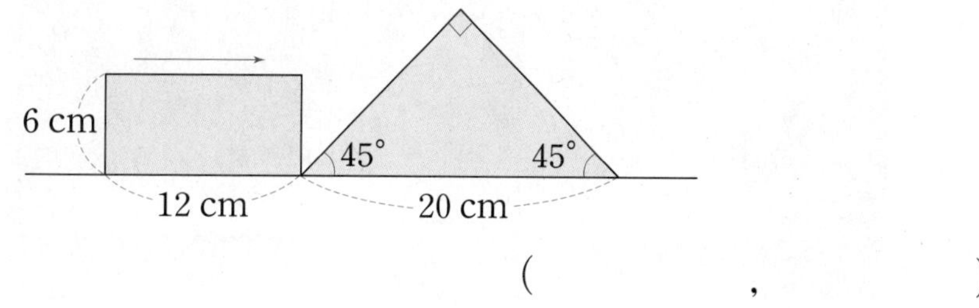

(　　　　,　　　　)

레오나르도 다빈치, 「최후의 만찬」, 1495~1497년

개념+유형
최상위 탑

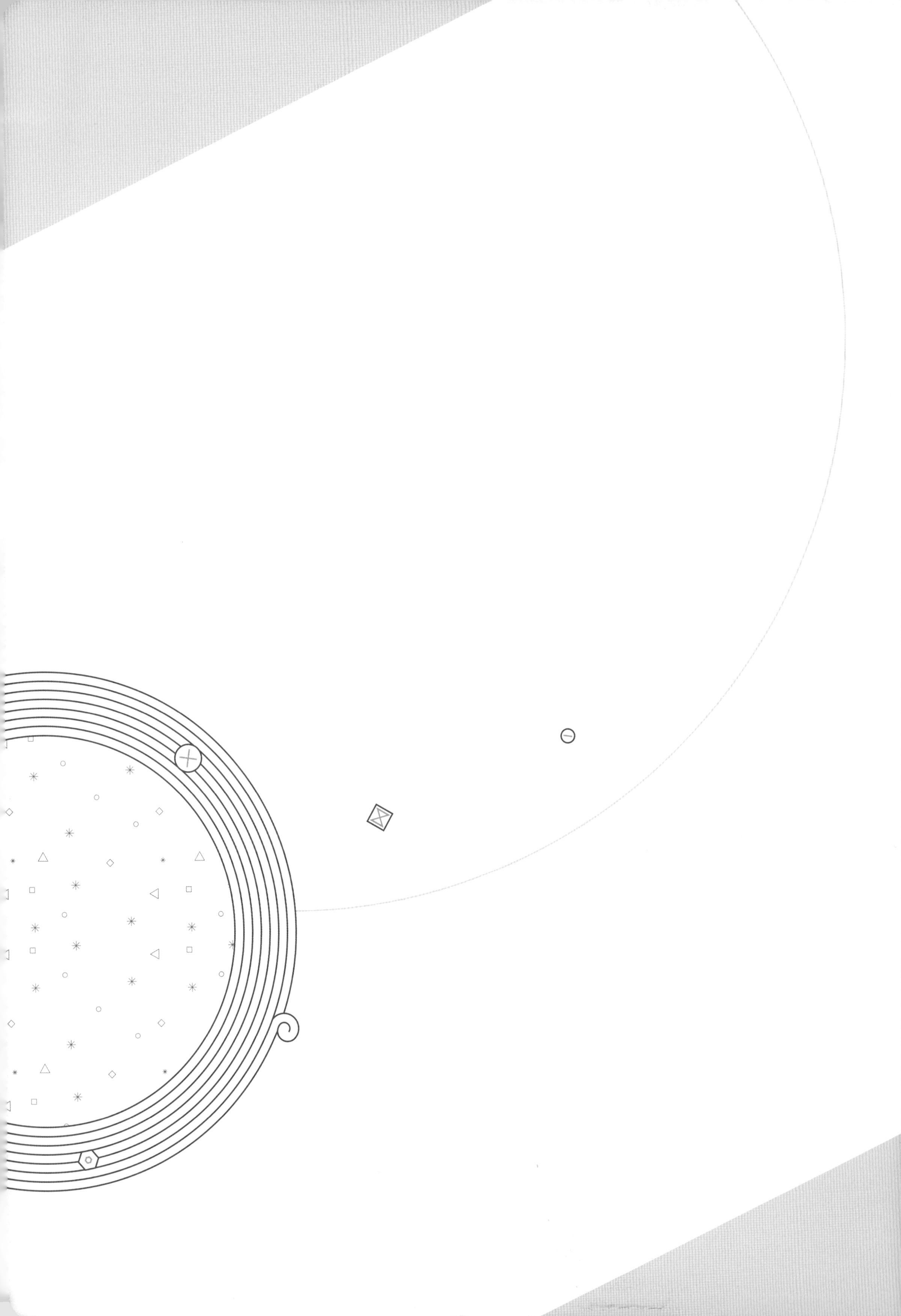

15개정 교육과정

개념+유형 최상위 탑

정답과 풀이

초등 수학

5·1

visang

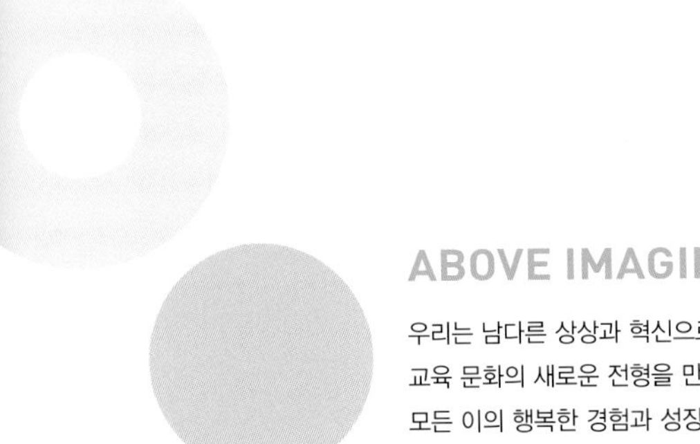

ABOVE IMAGINATION

우리는 남다른 상상과 혁신으로
교육 문화의 새로운 전형을 만들어
모든 이의 행복한 경험과 성장에 기여한다

개념+유형 최상위 탑

정답과 풀이

5·1

Top Book

Review Book

빠른 정답

Top Book

❶ 자연수의 혼합 계산

7쪽 핵심 개념과 문제

1 영주
2 (1) > (2) =
3 (풀이 생략)
4 $18+14-11=21$ / 21명
5 $10000-(1100\times2+6000\div12)=7300$ / 7300원
6 $19+3\times(20-16)=31$

8~13쪽 상위권 문제

유형 ❶ (1) 27, 27, 61, 39, 59 (2) ×, +, −, ÷
유제 1 ÷, +, ×, − 　 유제 2 +, ×, −, ÷
유형 ❷ (1) 73 (2) 487
유제 3 120 　 유제 4 18
유형 ❸ (1) 14 (2) 13
유제 5 3 　 유제 6 8개
유형 ❹ (1) 예 $(\square+121\div11)\times3=12\times5$ (2) 9
유제 7 319 　 유제 8 544
유형 ❺ (1) 60, 4, 2, 3 (2) 1개
유제 9 $3500\div5\times3+12000\div8\times4-7000=1100$ / 1100원
유제 10 $(20-5)\times50+(20-2)\times40=1470$ / 1470분
유형 ❻ (1) 4, 1, 3, 3, 84 (2) 6
유제 11 9

14~17쪽 상위권 문제 확인과 응용

1 $40-(4\times5+1)\div(120-13\times9)=33$
2 4개 　 **3** 13배
4 64 cm 　 **5** 240
6 3 　 **7** 4500원
8 82 g 　 **9** 112명
10 14병 　 **11** 9799 m
12 612바트

18~19쪽 최상위권 문제

1 60분 　 **2** 4
3 680 cm 　 **4** 13000원
5 21명
6 예 $9\times(7+5)-2\div1=106$ / 106

❷ 약수와 배수

23쪽 핵심 개념과 문제

1 재윤 　 **2** ㉠, ㉣
3 84 　 **4** 18, 51, 25
5 ④ 　 **6** 156

25쪽 핵심 개념과 문제

1 ㉢ 　 **2** ㉠
3 39 　 **4** 8번
5 30일 뒤 　 **6** 5개 / 7개

26~33쪽 상위권 문제

유형 ❶ (1) 1, 2, 5, 10, 25, 50 (2) 25
유제 1 32 　 유제 2 28
유형 ❷ (1) 10개 (2) 3개 (3) 7개
유제 3 7개 　 유제 4 6개
유형 ❸ (1) 9, 3 (2) 0, 3, 6, 9
유제 5 1, 3, 5, 7, 9 　 유제 6 5
유형 ❹ (1) 4, 36, 4, 30 (2) 6
유제 7 9 　 유제 8 9, 18
유형 ❺ (1) 5 (2) 95
유제 9 84 　 유제 10 98
유형 ❻ (1) 18 cm (2) 20장
유제 11 132장 　 유제 12 30장
유형 ❼ (1) 18 (2) 5 (3) 90
유제 13 70 　 유제 14 81
유형 ❽ (1) 12 (2) 36살
유제 15 50살

34~37쪽 상위권 문제 확인과 응용

1 5가지
2 10개
3 5번
4 18개
5 10개
6 8명
7 30그루
8 140개
9 99
10 10바퀴
11 28
12 1440초

38~39쪽 최상위권 문제

1 24
2 40395
3 18
4 24그루
5 122명
6 목요일

❸ 규칙과 대응

43쪽 핵심 개념과 문제

1 4, 6, 8
2 예 삼각형의 수는 사각형의 수의 2배입니다.
3 예 ◇, △, ◇×11=△
4 3, 4, 5 / 예 □+1=△
5 예 오각형의 수를 ○, 꼭짓점의 수를 □라고 할 때, 꼭짓점의 수는 오각형의 수의 5배입니다.
6 54개

44~49쪽 상위권 문제

유형 1 (1) 예 (지환이의 나이)+37=(고모의 나이)
(2) 57살

유제 1 32살
유제 2 48살

유형 2 (1) (위에서부터) 13, 11, 15
(2) 예 (수지가 말한 수)×2−7=(청아가 답한 수)
(3) 23

유제 3 61
유제 4 8

유형 3 (1) 5, 7, 9
/ 예 (정삼각형의 수)×2+1=(성냥개비의 수)
(2) 27개

유제 5 67개
유제 6 15개

유형 4 (1) 1 / 5 / 14 / 4, 4, 30 (2) 55개

유제 7 91개

유형 5 (1) 3, 4, 5 / 예 (자른 횟수)+1=(도막의 수)
(2) 20번 (3) 120분

유제 8 2시간 25분
유제 9 1시간 35분

유형 6 (1) 오후 2시, 오후 3시, 오후 4시
/ 예 (런던의 시각)+9=(서울의 시각)
(2) 오후 6시

유제 10 오전 11시

50~53쪽 상위권 문제 확인과 응용

1 예 □+△=18
2 21살
3 22명
4 78 cm
5 예 △÷250=□ / 24개
6 12월 4일 오전 11시
7 56
8 62째
9 30개, 15봉지
10 6분
11 54개
12 TIME IS GOLD

54~55쪽 최상위권 문제

1 (위에서부터) 6, 4, 10, 6 / 예 □÷3+5=△
2 36 L
3 46도막
4 91개
5 404개
6 6 cm

❹ 약분과 통분

59쪽 핵심 개념과 문제

1 $\frac{48}{72}$, $\frac{8}{12}$
2 $\frac{3}{7}$, $\frac{6}{14}$
3 $\frac{13}{48}$
4 2조각
5 $\frac{14}{63}$, $\frac{16}{72}$
6 1, 3, 5, 7

61쪽 핵심 개념과 문제

1 ㉡

2 $1\frac{1}{2}$, 1.4, $\frac{3}{4}$, 0.7

3 현석

4 72, 96

5 $\frac{13}{16}$, $\frac{11}{12}$

6 수영장

62~67쪽 상위권 문제

유형 1 (1) 23, 2, 23 (2) 23개

유제 1 14개

유제 2 48개

유형 2 (1) $\frac{12}{36}$, $\frac{16}{36}$ (2) 3개

유제 3 12개

유제 4 2개

유형 3 (1) 8배 (2) $\frac{16}{56}$

유제 5 $\frac{18}{60}$

유제 6 $\frac{15}{20}$

유형 4 (1) 28, 3 (2) 9

유제 7 5

유제 8 4개

유형 5 (1) 25 (2) $\frac{25}{45}$ (3) 36

유제 9 16

유제 10 135

유형 6 (1) $\frac{3}{5}$, $\frac{8}{9}$, $\frac{2}{3}$ (2) ㉠, ㉢

유제 11 ㉡

68~71쪽 상위권 문제 확인과 응용

1 11개

2 $\frac{3}{7}$, $\frac{5}{7}$, $\frac{3}{8}$, $\frac{5}{8}$, $\frac{7}{8}$

3 $\frac{11}{20}$, $\frac{13}{20}$

4 지혜

5 $\frac{3}{5}$

6 5개

7 $\frac{15}{55}$

8 $\frac{7}{12}$

9 5

10 5, 3

11 4

12 한국, 일본, 이란, 중국

72~73쪽 최상위권 문제

1 $\frac{5}{9}$

2 $\frac{32}{48}$

3 $\frac{17}{23}$

4 17째 번

5 8

6 98, 14

5 분수의 덧셈과 뺄셈

77쪽 핵심 개념과 문제

1 (선 잇기)

2 $\frac{7}{8}$

3 $6\frac{23}{30}$ km

4 $1\frac{11}{15}$

5 수호

6 $7\frac{1}{20}$

79쪽 핵심 개념과 문제

1 $\frac{1}{3\times4}$

/ $\frac{7}{12}-\frac{1}{3}=\frac{7}{12}-\frac{1\times4}{3\times4}=\frac{7}{12}-\frac{4}{12}=\frac{3}{12}=\frac{1}{4}$

2 (1) $>$ (2) $<$

3 $2\frac{19}{30}$

4 $\frac{17}{60}$ kg

5 $\frac{17}{40}$

6 $\frac{23}{24}$ km

80~85쪽 상위권 문제

유형 1 (1) $\frac{7}{12}$ (2) $\frac{5}{12}$

유제 1 $2\frac{13}{15}$

유제 2 $4\frac{5}{36}$

유형 2 (1) $4\frac{1}{8}$ m (2) $\frac{5}{6}$ m (3) $3\frac{7}{24}$ m

유제 3 $7\frac{5}{12}$ m

유제 4 $\frac{1}{10}$ m

유형 3 (1) $1\frac{1}{4}$ (2) 7

유제 5 50

유제 6 3개

유형 4 (1) $2\frac{1}{42}$ kg (2) $1\frac{17}{21}$ kg

유제 7 $1\frac{19}{24}$ kg

유제 8 $1\frac{2}{15}$ kg

유형 5 (1) $8\frac{4}{5}$, $7\frac{2}{3}$ 또는 $8\frac{2}{3}$, $7\frac{4}{5}$ (2) $16\frac{7}{15}$

유제 9 $18\frac{1}{3}$

유제 10 $8\frac{7}{24}$

유형 6 (1) $\frac{1}{2}$, $\frac{1}{8}$, $\frac{1}{16}$ (2) 예 2, 8, 16

유제 11 예 $\frac{1}{2}$, $\frac{1}{4}$, $\frac{1}{16}$, $\frac{1}{32}$

86~89쪽 상위권 문제 확인과 응용

1 3시간 50분
2 $\frac{11}{12}$
3 13개
4 $\frac{29}{36}$ kg
5 $\frac{7}{12}$ L
6 60개
7 $1\frac{3}{35}$ m
8 $8\frac{4}{805}$
9 6일
10 $\frac{13}{24}$, $\frac{3}{8}$
11 $\frac{1}{20}$
12 $\frac{1}{64}$

90~91쪽 최상위권 문제

1 9일
2 $\frac{37}{70}$
3 $\frac{5}{14}$
4 $\frac{2}{15}$
5 $18\frac{17}{20}$분
6 $2\frac{1}{36}$ m

6 다각형의 둘레와 넓이

95쪽 핵심 개념과 문제

1 (1) 84 (2) 81
2 1 cm²

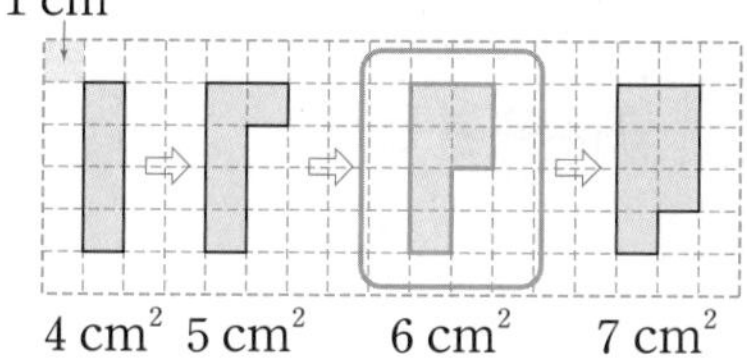

3 (1) = (2) <
4 4, 3
5 14
6 25 m²

97쪽 핵심 개념과 문제

1 (1) 60 cm² (2) 39 cm²
2 160 m²
3 (1) 14 (2) 10
4 16 m
5 예 1 cm²

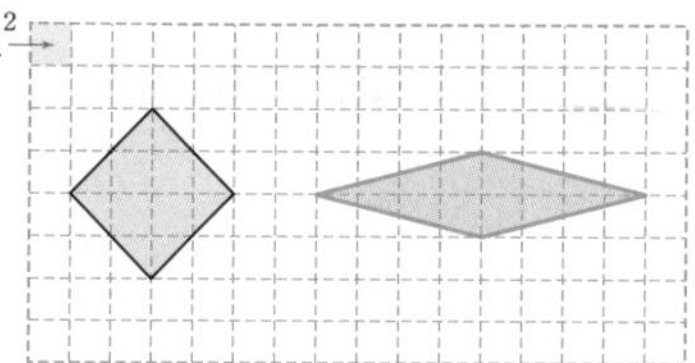

6 54 cm²

98~105쪽 상위권 문제

유형 1 (1) (위에서부터) 13, 18 (2) 62 cm
유제 1 48 cm
유제 2 90 cm
유형 2 (1) 16 cm² (2) 4 cm (3) 96 cm
유제 3 432 cm²
유제 4 54 cm
유형 3 (1) (위에서부터) 24, 18 (2) 432 cm²
유제 5 286 cm²
유제 6 308 cm²
유형 4 (1) 224 cm² (2) 56 cm² (3) 168 cm²
유제 7 255 cm²
유제 8 169 cm²
유형 5 (1) 4 cm (2) 16 cm² (3) 673 cm²
유제 9 426 cm²
유제 10 15 cm²
유형 6 (1) 120 cm² (2) 12 cm (3) 312 cm²
유제 11 1320 m²
유제 12 282 cm²
유형 7 (1) 270 cm² (2) 3배 (3) 90 cm²
유제 13 54 cm²
유제 14 168 cm²
유형 8 (1) 108 cm² (2) 42 cm² (3) 66 cm²
유제 15 79 cm²

106~109쪽 상위권 문제 확인과 응용

1 980000 cm²
2 64 m
3 72 cm²
4 144 cm²
5 62 cm
6 1088 cm²
7 4 cm
8 9 cm²
9 15 cm²
10 72 cm²
11 39 m²
12 5800 cm²

110~111쪽 최상위권 문제

1 200 cm
2 224 cm²
3 120 cm²
4 56 cm²
5 6 cm²
6 68 cm², 4초

Review Book

1 자연수의 혼합 계산

2~3쪽 복습 상위권 문제

1 ÷, +, ×, −
2 960
3 11
4 261
5 55−(5+3)×3×2−2=5 / 5개
6 9

4~7쪽 복습 상위권 문제 확인과 응용

1 7×(10−52÷13)+(95÷5+11)=72
2 6개
3 5배
4 100 cm
5 5
6 9
7 10000원
8 80 g
9 151명
10 12팩
11 14612 m
12 15000동

8~9쪽 복습 최상위권 문제

1 50분
2 58
3 926 cm
4 4000원
5 23명
6 예 8×(6+3)−4÷2=70 / 70

2 약수와 배수

10~11쪽 복습 상위권 문제

1 27
2 12개
3 6
4 8
5 50
6 35장
7 48
8 41살

12~15쪽 복습 상위권 문제 확인과 응용

1 3가지
2 8개
3 3번
4 22개
5 22개
6 6명
7 20개
8 200개
9 104
10 6바퀴
11 15, 16, 17, 19
12 1500초

16~17쪽 복습 최상위권 문제

1 18
2 32724
3 56
4 21그루
5 121명
6 금요일

3 규칙과 대응

18~19쪽 복습 상위권 문제

1 50살
2 20
3 76개
4 140개
5 1시간 52분
6 오후 5시

20~23쪽 복습 상위권 문제 확인과 응용

1 예 ○+◇=24
2 29살
3 32명
4 88 cm
5 예 □×120=△ / 60자루
6 12월 8일 오후 2시
7 33
8 49째
9 64개, 16봉지
10 5분
11 147개
12 놀이터

24~25쪽 복습 최상위권 문제

1 (위에서부터) 6, 16, 23, 31 / 예 ○×4+3=☆
2 24 L
3 27도막
4 82개
5 144개
6 4 cm

4 약분과 통분

26~27쪽 복습 상위권 문제

1 18개
2 18개
3 $\frac{25}{90}$
4 6
5 84
6 

28~31쪽 복습 상위권 문제 확인과 응용

1 13개

2 $\frac{4}{5}$, $\frac{4}{9}$, $\frac{5}{9}$, $\frac{7}{9}$

3 $\frac{23}{50}$, $\frac{27}{50}$

4 혜수

5 $\frac{7}{10}$

6 5개

7 $\frac{20}{48}$

8 $\frac{11}{18}$

9 11

10 15, 4

11 22

12 O형, A형, B형, AB형

32~33쪽 복습 최상위권 문제

1 $\frac{4}{7}$

2 $\frac{23}{30}$

3 $\frac{28}{52}$

4 8째 번

5 48

6 225, 30

5 분수의 덧셈과 뺄셈

34~35쪽 복습 상위권 문제

1 $1\frac{37}{60}$

2 $5\frac{29}{40}$ m

3 8

4 $\frac{11}{15}$ kg

5 $17\frac{2}{15}$

6  $\frac{1}{2}$, $\frac{1}{16}$, $\frac{1}{32}$

36~39쪽 복습 상위권 문제 확인과 응용

1 3시간 40분

2 $2\frac{3}{40}$

3 41개

4 $\frac{5}{6}$ kg

5 $\frac{19}{40}$ L

6 48개

7 $2\frac{1}{9}$ m

8 $2\frac{1}{160}$

9 4일

10 $\frac{7}{15}$, $\frac{1}{6}$

11 $\frac{3}{40}$

12 $\frac{9}{100}$

40~41쪽 복습 최상위권 문제

1 7일

2 $\frac{19}{40}$

3 $\frac{1}{10}$

4 $\frac{4}{75}$

5 $23\frac{7}{12}$분

6 $1\frac{23}{48}$ m

6 다각형의 둘레와 넓이

42~43쪽 복습 상위권 문제

1 108 cm

2 90 cm

3 840 cm^2

4 216 cm^2

5 402 cm^2

6 390 m^2

7 85 cm^2

8 84 cm^2

44~47쪽 복습 상위권 문제 확인과 응용

1 1620000 cm^2

2 70 m

3 18 cm^2

4 180 cm^2

5 88 cm

6 396 cm^2

7 5 cm

8 29 cm^2

9 20 cm^2

10 105 cm^2

11 35 m^2

12 5645200 cm^2

48~49쪽 복습 최상위권 문제

1 180 cm

2 504 cm^2

3 48 cm^2

4 68 cm^2

5 17 cm^2

6 153 cm^2, 4초

1 자연수의 혼합 계산

핵심 개념과 문제 7쪽

1 영주 2 (1) $>$ (2) $=$

3

4 $18+14-11=21$ / 21명

5 $10000-(1100\times2+6000\div12)=7300$ / 7300원

6 $19+3\times(20-16)=31$

1 • 재호: $70\div14\times5=5\times5=25$
• 영주: $41-(23+9)=41-32=9$

2 (1) $54\div2+84\div7=27+12=39$,
$8+2\times(20-9)=8+2\times11=8+22=30$
⇨ $39>30$
(2) $2\times23-9\times4=46-36=10$,
$4+(41-5)\div6=4+36\div6=4+6=10$
⇨ $10=10$

4 (수영을 못하는 학생 수)
=(전체 학생 수)−(수영을 할 수 있는 학생 수)
$=18+14-11$
$=32-11=21$(명)

5 (거스름돈)
=(낸 돈)−(원영이가 산 물건의 가격)
$=10000-(1100\times2+6000\div12)$
$=10000-(2200+500)$
$=10000-2700=7300$(원)

6 • $(19+3)\times20-16=22\times20-16$
$=440-16$
$=424$ (×)
• $(19+3\times20)-16=(19+60)-16$
$=79-16$
$=63$ (×)
• $19+(3\times20-16)=19+(60-16)$
$=19+44$
$=63$ (×)
• $19+3\times(20-16)=19+3\times4$
$=19+12$
$=31$ (◯)

상위권 문제 8~13쪽

유형 1 (1) 27, 27, 61, 39, 59 (2) ×, +, −, ÷

유제 1 ÷, +, ×, − 유제 2 +, ×, −, ÷

유형 2 (1) 73 (2) 487

유제 3 120 유제 4 풀이 참조, 18

유형 3 (1) 14 (2) 13

유제 5 3 유제 6 8개

유형 4 (1) 예 $(\square+121\div11)\times3=12\times5$ (2) 9

유제 7 319 유제 8 풀이 참조, 544

유형 5 (1) 60, 4, 2, 3 (2) 1개

유제 9 $3500\div5\times3+12000\div8\times4-7000$ $=1100$ / 1100원

유제 10 $(20-5)\times50+(20-2)\times40=1470$ / 1470분

유형 6 (1) 4, 1, 3, 3, 84 (2) 6

유제 11 9

유형 1 (1) • $12+5\times4-30\div6=12+20-5=27$
• $12-5+4\times30\div6=12-5+20=27$
• $12\times5-4+30\div6=60-4+5=61$
• $12\times5\div4+30-6=15+30-6=39$
• $12\times5+4-30\div6=60+4-5=59$
(2) 위 (1)에서 계산 결과가 59가 되는 식의 기호를 ◯ 안에 써넣습니다.

유제 1 $10\div2+8\times3-2=5+24-2=27$

유제 2 $(6+2)\times4-9\div3=8\times4-9\div3$
$=32-3=29$

유형 2 (1) $12★5=(12+5)\times5-12$
$=17\times5-12$
$=85-12=73$
(2) $(12★5)★7=73★7$
$=(73+7)\times7-73$
$=80\times7-73$
$=560-73=487$

유제 3 $24■12=24\div(24-12)\times12$
$=24\div12\times12$
$=2\times12=24$
⇨ $30■(24■12)=30■24$
$=30\div(30-24)\times24$
$=30\div6\times24$
$=5\times24=120$

유제 4 예 12◆3의 값을 하나의 식으로 나타내어 구하면
12◆3=12+(12−3)÷3
=12+9÷3
=12+3=15입니다.」 ❶
따라서 (12◆3)♥5=15♥5
=15÷5+15
=3+15=18입니다.」 ❷

채점 기준
❶ 12◆3의 값 구하기
❷ (12◆3)♥5의 값 구하기

유형 3 (1) 14×(15−8)÷7=14×7÷7
=98÷7=14
(2) 14×(15−8)÷7<28−□를 간단히 나타내면 14<28−□입니다.
14=28−□이면 □=14이므로 □ 안에는 14보다 작은 수가 들어가야 합니다.
따라서 □ 안에 들어갈 수 있는 자연수는 1, 2, 3 …… 11, 12, 13이므로 가장 큰 자연수는 13입니다.

유제 5 16÷(64÷8)×2=16÷8×2=2×2=4이므로 식을 간단히 나타내면 4<□+2입니다.
4=□+2이면 □=2이므로 □ 안에는 2보다 큰 수가 들어가야 합니다.
따라서 □ 안에 들어갈 수 있는 자연수는 3, 4, 5……이므로 가장 작은 자연수는 3입니다.

유제 6 • 126÷14×2=9×2=18이므로 식을 간단히 나타내면 □+3<18입니다.
□+3=18이면 □=15이므로 □ 안에는 15보다 작은 수가 들어가야 합니다.
⇨ □ 안에 들어갈 수 있는 자연수는 1, 2, 3 …… 13, 14입니다.
• (13×6−24)÷9=(78−24)÷9
=54÷9=6이므로 6<□ 입니다.
⇨ □ 안에 들어갈 수 있는 자연수는 7, 8, 9, 10……입니다.
따라서 □ 안에 공통으로 들어갈 수 있는 자연수는 7, 8, 9, 10, 11, 12, 13, 14로 모두 8개입니다.

유형 4 (2) (□+121÷11)×3=12×5,
(□+121÷11)×3=60,
□+121÷11=20, □+11=20, □=9입니다. 따라서 어떤 수는 9입니다.

유제 7 어떤 수를 □라 하면
(□−4)÷(3×7)=165÷11,
(□−4)÷(3×7)=15, (□−4)÷21=15,
□−4=315, □=319입니다.
따라서 어떤 수는 319입니다.

유제 8 예 어떤 수를 □라 하면 잘못 계산한 식은
(□−8)×29=899이므로 □−8=31,
□=39입니다.」 ❶
따라서 바르게 계산하면
(39+29)×8=68×8=544입니다.」 ❷

채점 기준
❶ 어떤 수 구하기
❷ 바르게 계산하기

유형 5 (2) 60−(3+4)×4×2−3
=60−7×4×2−3
=60−56−3=1(개)

유제 9 (부족한 돈)
=(사려는 물건의 값)−(연정이가 가지고 있는 돈)
=3500÷5×3+12000÷8×4−7000
=2100+6000−7000
=8100−7000=1100(원)

유제 10 (민규가 달리기를 한 시간)
+(지영이가 달리기를 한 시간)
=(20−5)×50+(20−2)×40
=15×50+18×40
=750+720=1470(분)

유형 6 (2) (8+0+1+4+4+1)
+(8+1+3+5+3+2)×3+■
=84+■
⇨ 84+■는 10×★로 나타낼 수 있어야 하고 ■는 한 자리 수이므로 ■=6입니다.

유제 11 (8+0+3+6+4+7)
+(8+1+4+2+5+1)×3+■
=28+21×3+■=91+■
⇨ 91+■가 10×★로 나타낼 수 있어야 하고 ■는 한 자리 수이므로 ■=9입니다.
따라서 체크 숫자는 9입니다.

상위권 문제 확인과 응용 14~17쪽

1 $40-(4\times5+1)\div(120-13\times9)=33$
2 4개
3 13배
4 64 cm
5 240
6 3
7 풀이 참조, 4500원
8 82 g
9 풀이 참조, 112명
10 14병
11 9799 m
12 612바트

1 $40-21\div3=33$ (ⓒ $120-13\times9=3$, ⓛ $4\times5+1=21$)
⇨ $40-(4\times5+1)\div(120-13\times9)=33$

2 $6\times5-49\div7=30-7=23$이므로 식을 간단히 나타내면 $23>\square+18$입니다.
$23=\square+18$이면 $\square=5$이므로 □ 안에는 5보다 작은 수가 들어가야 합니다.
따라서 □ 안에 들어갈 수 있는 자연수는 1, 2, 3, 4로 모두 4개입니다.

3 (딸기 수)$=(28\times26)$개, (키위 수)$=(8\times7)$개
(딸기 수)$\div$(키위 수)$=(28\times26)\div(8\times7)$
$=728\div56=13$
따라서 딸기 수는 키위 수의 13배입니다.

4 정사각형은 네 변의 길이가 모두 같으므로
(직사각형의 긴 변의 길이)
$=$(정사각형의 한 변의 길이)$=24$ cm,
(직사각형의 짧은 변의 길이)$=(24\div3)$cm입니다.
⇨ (나눈 직사각형 한 개의 네 변의 길이의 합)
$=24+(24\div3)+24+(24\div3)$
$=24+8+24+8=64$(cm)

다른 풀이 (나눈 직사각형 한 개의 네 변의 길이의 합)
$=$(직사각형의 긴 변의 길이)$\times2$
$+$(직사각형의 짧은 변의 길이)$\times2$
$=24\times2+(24\div3)\times2=24\times2+8\times2$
$=48+16=64$(cm)

5 어떤 수를 □라 하면 잘못 계산한 식은
$(70-\square)\div3=20$이므로 $70-\square=60$, $\square=10$입니다.
따라서 바르게 계산하면
$(70+10)\times3=80\times3=240$입니다.

6 $\begin{vmatrix}8 & ★\\5 & 7\end{vmatrix}=8\times7-★\times5=41$이므로
$56-★\times5=41$, $★\times5=15$, $★=3$

7 예 보트 3대를 1시간 30분 동안 빌려 타는 데 필요한 돈을 사람 수로 나누면 되므로
$5000\times3\times(90\div30)\div10$을 계산합니다.」❶
따라서 한 사람이 내야 하는 돈은
$5000\times3\times(90\div30)\div10$
$=5000\times3\times3\div10$
$=45000\div10=4500$(원)입니다.」❷

채점 기준
❶ 문제에 알맞은 식으로 나타내기
❷ 한 사람이 내야 하는 돈 구하기

8 접시 1개의 무게를 식으로 나타내면
$(1330-850)\div5$이고, 접시 8개의 무게를 식으로 나타내면 $(1330-850)\div5\times8$입니다.
따라서 접시 8개가 들어 있는 상자의 무게에서 접시 8개의 무게를 빼면 되므로 빈 상자는
$850-(1330-850)\div5\times8$
$=850-480\div5\times8$
$=850-96\times8$
$=850-768=82$(g)입니다.

9 예 수학 학원만 다니는 학생은 $284-148=136$(명)이고,」❶ 영어 학원만 다니는 학생은
$202-148=54$(명)입니다.」❷
따라서 수학 학원도 영어 학원도 다니지 않는 학생은
$450-(136+54+148)=450-338=112$(명)입니다.」❸

채점 기준
❶ 수학 학원만 다니는 학생 수 구하기
❷ 영어 학원만 다니는 학생 수 구하기
❸ 수학 학원도 영어 학원도 다니지 않는 학생 수 구하기

10 11월은 30일까지 있으므로 주스 값이 오르지 않았을 경우 11월 한 달 동안의 주스 값을 식으로 나타내면 830×30이고, 11월 한 달 동안에 값이 올라서 더 낸 주스 값을 식으로 나타내면 $25880-830\times30$입니다.
따라서 11월에 오른 주스 값으로 마신 주스는
$(25880-830\times30)\div(900-830)$
$=(25880-24900)\div(900-830)$
$=980\div70=14$(병)입니다.

11 SRT는 한 시간에 300 km를 가므로 1분에
$300 \div 60 = 5$(km), 즉 5000 m를 갑니다.
(SRT가 2분 동안 간 거리)
$=$(터널의 길이)$+$(SRT의 길이)
⇨ (터널의 길이)
$=$(SRT가 2분 동안 간 거리)$-$(SRT의 길이)
$= 5000 \times 2 - 201$
$= 10000 - 201 = 9799$(m)

12 (지현이가 가지고 있는 한국 돈)
$= 5000 \times 2 + 1000 \times 7 + 500 \times 6 + 100 \times 4$
$= 10000 + 7000 + 3000 + 400 = 20400$(원)
한국 돈 100원을 태국 돈 3바트로 바꿀 수 있으므로 지현이가 가진 돈을 모두 태국 돈으로 바꾸면
$20400 \div 100 \times 3 = 204 \times 3 = 612$(바트)가 됩니다.

최상위권 문제 18~19쪽

1 60분　**2** 4
3 680 cm　**4** 13000원
5 21명
6 예 $9 \times (7+5) - 2 \div 1 = 106$ / 106

1 1시간 20분$=$80분이므로 10분의 8배입니다.
⇨ (철우가 걸어간 거리)
$=$(기차역에서 삼촌 댁까지의 거리)
$-$(80분 동안 기차가 간 거리)
$= 203 - 25 \times 8$
$= 203 - 200 = 3$(km)
따라서 3 km$=$3000 m이고 철우는 1분에 50 m씩 걸으므로 걸어간 시간은 $3000 \div 50 = 60$(분)입니다.

2 (□★3)★5$=$138에서 □★3을 ○라고 하면
○★5$=$○$\times 9 - 5 \times 8 + 7 = 138$,
○$\times 9 - 5 \times 8 = 131$, ○$\times 9 - 40 = 131$,
○$\times 9 = 171$, ○$=$19입니다.
⇨ □★3$=$19이므로 □$\times 9 - 3 \times 8 + 7 = 19$,
□$\times 9 - 3 \times 8 = 12$, □$\times 9 - 24 = 12$
□$\times 9 = 36$, □$=$4입니다.

3 색 테이프 15장을 겹치게 이어 붙이면 2 cm씩 14번 겹쳐집니다.
(이어 붙인 색 테이프의 긴 변의 길이)
$= (24 \times 15 - 2 \times 14)$ cm
(이어 붙인 색 테이프의 짧은 변의 길이)$=$8 cm
⇨ (이어 붙인 색 테이프 전체의 네 변의 길이의 합)
$= (24 \times 15 - 2 \times 14) + 8 + (24 \times 15 - 2 \times 14)$
$+ 8$
$= 332 + 8 + 332 + 8 = 680$(cm)

4 비법 PLUS 수진이와 청아가 각각 가지고 있는 돈의 관계를 이용하여 먼저 정훈이가 가지고 있는 돈이 얼마인지 구합니다.

정훈이가 가지고 있는 돈을 □원이라고 하여 수진이가 가지고 있는 돈을 식으로 나타내면
□$+$2000이고, 청아가 가지고 있는 돈을 식으로 나타내면 □$\times 2 - 3000$입니다.
청아가 수진이보다 3000원 더 많이 가지고 있으므로 □$\times 2 - 3000 =$□$+ 2000 + 3000$이고,
□$\times 2 - 3000 =$□$+ 5000$, □$\times 2 =$□$+ 8000$,
□$=$8000입니다.
따라서 정훈이가 가지고 있는 돈이 8000원이므로 청아가 가지고 있는 돈은
$8000 \times 2 - 3000 = 13000$(원)입니다.

5 비법 PLUS 10명을 넘는 학생을 □명이라 하여 각 학생들이 낸 입장료의 합을 식으로 나타냅니다.

5000원을 낸 학생 입장료의 합을 식으로 나타내면 5000×5이고, 4500원을 낸 학생 입장료의 합을 식으로 나타내면 4500×5입니다.
4200원을 낸 학생을 □명이라 하면
$5000 \times 5 + 4500 \times 5 + 4200 \times$□$= 93700$,
$25000 + 22500 + 4200 \times$□$= 93700$,
$4200 \times$□$= 46200$, □$=$11입니다.
따라서 태우네 반 학생은 $5 + 5 + 11 = 21$(명)입니다.

6 비법 PLUS 덧셈과 곱셈은 계산 결과를 크게 만들고, 뺄셈과 나눗셈은 계산 결과를 작게 만든다는 사실을 이용하여 식을 만듭니다.

계산 결과를 크게 만들려면 더하거나 곱하는 수에는 큰 수를, 빼거나 나누는 수에는 작은 수를 사용합니다.
$9 \times (7+5) \div 1 - 2 = 106$,
$(7+5) \times 9 \div 1 - 2 = 106$,
$(5+7) \times 9 - 2 \div 1 = 106$…… 등 여러 가지 방법으로 식을 만들 수 있습니다.

❷ 약수와 배수

핵심 개념과 문제 23쪽

1 재윤	**2** ㉠, ㉣
3 84	**4** 18, 51, 25
5 ④	**6** 156

2 ㉠ $42\div3=14$ ㉡ $81\div7=11\cdots4$
㉢ $76\div8=9\cdots4$ ㉣ $45\div15=3$

3 7, 14, 21, 28, 35…… ⇨ 7의 배수
따라서 열두째 수는 $7\times12=84$입니다.

4 • 18의 약수: 1, 2, 3, 6, 9, 18 ⇨ 6개
• 25의 약수: 1, 5, 25 ⇨ 3개
• 51의 약수: 1, 3, 17, 51 ⇨ 4개
따라서 약수의 수가 많은 수부터 차례대로 쓰면 18, 51, 25입니다.

5 ④ $12=2\times2\times3$이므로 2와 3은 12의 약수이고 12는 2와 3의 배수입니다.
따라서 □ 안에 공통으로 들어갈 수 있는 수는 ④입니다.

6 $150\div13=11\cdots7$
• $13\times11=143$ ⇨ $150-143=7$
• $13\times12=156$ ⇨ $156-150=6$
따라서 13의 배수 중에서 150에 가장 가까운 수는 156입니다.

핵심 개념과 문제 25쪽

1 ㉢	**2** ㉠
3 39	**4** 8번
5 30일 뒤	**6** 5개 / 7개

2 ㉠
```
2 ) 36  48
2 ) 18  24
3 )  9  12
     3   4
```
⇨ $2\times2\times3=12$

㉡
```
2 ) 40  16
2 ) 20   8
2 ) 10   4
     5   2
```
⇨ $2\times2\times2=8$

㉢
```
3 ) 18  27
3 )  6   9
     2   3
```
⇨ $3\times3=9$

3 두 수의 공약수는 두 수의 최대공약수인 18의 약수와 같으므로 1, 2, 3, 6, 9, 18입니다.
⇨ $1+2+3+6+9+18=39$

4 흰 바둑돌을 효진이는 3의 배수 자리마다 놓고, 채원이는 4의 배수 자리마다 놓으므로 같은 자리에 흰 바둑돌을 놓는 경우는 3과 4의 최소공배수인 12의 배수 자리입니다.
따라서 100까지의 수 중에서 12의 배수는 8개이므로 같은 자리에 흰 바둑돌을 놓는 경우는 모두 8번입니다.

5
```
2 ) 6  10
    3   5
```
⇨ 최소공배수: $2\times3\times5=30$
따라서 다음번에 처음으로 두 가지를 모두 할 때는 30일 뒤입니다.

6
```
2 ) 30  42
3 ) 15  21
     5   7
```
⇨ 최대공약수: $2\times3=6$
따라서 6명에게 나누어 줄 수 있으므로 한 명이 받을 수 있는 가위는 $30\div6=5$(개), 풀은 $42\div6=7$(개)입니다.

상위권 문제 26~33쪽

유형 ❶ (1) 1, 2, 5, 10, 25, 50 (2) 25
유제 1 32 유제 2 28
유형 ❷ (1) 10개 (2) 3개 (3) 7개
유제 3 7개 유제 4 풀이 참조, 6개
유형 ❸ (1) 9, 3 (2) 0, 3, 6, 9
유제 5 1, 3, 5, 7, 9 유제 6 5
유형 ❹ (1) 4, 36, 4, 30 (2) 6
유제 7 9 유제 8 9, 18
유형 ❺ (1) 5 (2) 95
유제 9 84 유제 10 98
유형 ❻ (1) 18 cm (2) 20장
유제 11 132장 유제 12 풀이 참조, 30장
유형 ❼ (1) 18 (2) 5 (3) 90
유제 13 70 유제 14 81
유형 ❽ (1) 12 (2) 36살
유제 15 50살

유형 1 (2) 50의 약수 중에서 31보다 작은 수의 약수의 합을 구합니다.
(2의 약수의 합)=1+2=3
(5의 약수의 합)=1+5=6
(10의 약수의 합)=1+2+5+10=18
(25의 약수의 합)=1+5+25=31
따라서 조건을 모두 만족하는 어떤 수는 25입니다.

유제 1 64의 약수인 1, 2, 4, 8, 16, 32, 64 중에서 63보다 작은 수의 약수의 합을 구합니다.
(2의 약수의 합)=1+2=3
(4의 약수의 합)=1+2+4=7
(8의 약수의 합)=1+2+4+8=15
(16의 약수의 합)=1+2+4+8+16=31
(32의 약수의 합)=1+2+4+8+16+32
=63
따라서 조건을 모두 만족하는 어떤 수는 32입니다.

유제 2 7의 배수인 7, 14, 21, 28, 35…… 중에서 56보다 작은 수의 약수의 합을 구합니다.
(7의 약수의 합)=1+7=8
(14의 약수의 합)=1+2+7+14=24
(21의 약수의 합)=1+3+7+21=32
(28의 약수의 합)=1+2+4+7+14+28
=56
따라서 조건을 모두 만족하는 어떤 수는 28입니다.

유형 2 (1) 4와 7의 공배수는 4와 7의 최소공배수인 28의 배수와 같습니다.
1부터 300까지의 수 중에서 28의 배수의 개수:
300÷28=10…20 ⇨ 10개
(2) 1부터 99까지의 수 중에서 28의 배수의 개수:
99÷28=3…15 ⇨ 3개
(3) 100부터 300까지의 수 중에서 4의 배수이면서 7의 배수인 수는 모두 10−3=7(개)입니다.

유제 3 6과 5의 공배수는 6과 5의 최소공배수인 30의 배수와 같습니다.
• 1부터 400까지의 수 중에서 30의 배수의 개수:
400÷30=13…10 ⇨ 13개
• 1부터 199까지의 수 중에서 30의 배수의 개수:
199÷30=6…19 ⇨ 6개
따라서 200부터 400까지의 수 중에서 6의 배수이면서 5의 배수인 수는 모두
13−6=7(개)입니다.

유제 4 예 9와 12의 공배수는 9와 12의 최소공배수인 36의 배수와 같습니다.
1부터 380까지의 수 중에서 36의 배수의 개수는 380÷36=10…20이므로 10개입니다.」❶
1부터 179까지의 수 중에서 36의 배수의 개수는 179÷36=4…35이므로 4개입니다.」❷
따라서 180부터 380까지의 수 중에서 9의 배수이면서 12의 배수인 수는 모두
10−4=6(개)입니다.」❸

채점 기준
❶ 1부터 380까지의 수 중에서 9의 배수이면서 12의 배수인 수의 개수 구하기
❷ 1부터 179까지의 수 중에서 9의 배수이면서 12의 배수인 수의 개수 구하기
❸ 180부터 380까지의 수 중에서 9의 배수이면서 12의 배수인 수의 개수 구하기

유형 3 (2) 9+■가 3의 배수인 경우는 9, 12, 15, 18일 때입니다.
따라서 ■에 들어갈 수 있는 숫자는
9+■=9 ⇨ ■=0, 9+■=12 ⇨ ■=3,
9+■=15 ⇨ ■=6,
9+■=18 ⇨ ■=9에서 0, 3, 6, 9입니다.

유제 5 4의 배수는 끝의 두 자리 수가 00 또는 4의 배수인 수입니다.
51□2가 4의 배수이려면 끝의 두 자리 수인 □2가 4의 배수이어야 합니다.
□2가 4의 배수인 경우는 12, 32, 52, 72, 92일 때입니다.
따라서 □ 안에 들어갈 수 있는 숫자는 1, 3, 5, 7, 9입니다.

유제 6 9의 배수는 각 자리 수의 합이 9의 배수인 수입니다.
1624□가 9의 배수이려면
1+6+2+4+□=13+□가 9의 배수이어야 합니다.
13+□가 9의 배수인 경우는 18일 때입니다.
따라서 □ 안에 들어갈 수 있는 숫자는 5입니다.

유형 4 (1) 40과 34를 어떤 수로 나누면 나머지가 모두 4이므로 $40-4=36$과 $34-4=30$을 어떤 수로 나누면 모두 나누어떨어집니다.
따라서 어떤 수는 36과 30의 공약수입니다.
(2) 36과 30의 공약수는 두 수의 최대공약수의 약수와 같습니다.

2) 36 30
3) 18 15
6 5 ⇨ 최대공약수: $2\times3=6$

따라서 36과 30의 공약수인 1, 2, 3, 6 중에서 어떤 수는 나머지인 4보다 커야 하므로 6입니다.

유제 7 어떤 수는 $48-3=45$와 $30-3=27$의 공약수입니다.

3) 45 27
3) 15 9
5 3 ⇨ 최대공약수: $3\times3=9$

따라서 45와 27의 공약수인 1, 3, 9 중에서 어떤 수는 나머지인 3보다 커야 하므로 9입니다.

유제 8 어떤 수는 $79-7=72$와 $59-5=54$의 공약수입니다.

2) 72 54
3) 36 27
3) 12 9
4 3 ⇨ 최대공약수: $2\times3\times3=18$

따라서 72와 54의 공약수인 1, 2, 3, 6, 9, 18 중에서 어떤 수가 될 수 있는 수는 나머지인 7보다 커야 하므로 9, 18입니다.

유형 5 (1) 15로 나누어도 5가 남고 18로 나누어도 5가 남으므로 '(어떤 수)-5'를 15와 18로 나누면 나누어떨어집니다.
따라서 '(어떤 수)-5'는 15와 18의 공배수입니다.
(2) '(어떤 수)-5'는 15와 18의 공배수이므로 15와 18의 최소공배수를 구합니다.

3) 15 18
5 6
⇨ 최소공배수: $3\times5\times6=90$

15와 18의 최소공배수가 90이므로 '(어떤 수)-5'가 될 수 있는 가장 작은 수는 90입니다.
따라서 어떤 수가 될 수 있는 수 중에서 가장 작은 수는 $90+5=95$입니다.

유제 9 '(어떤 수)-4'는 16과 20의 공배수이므로 16과 20의 최소공배수를 구합니다.

2) 16 20
2) 8 10
4 5
⇨ 최소공배수: $2\times2\times4\times5=80$

16과 20의 최소공배수가 80이므로
'(어떤 수)-4'가 될 수 있는 가장 작은 수는 80입니다.
따라서 어떤 수가 될 수 있는 수 중에서 가장 작은 수는 $80+4=84$입니다.

유제 10 '(어떤 수)-2'는 24와 32의 공배수이므로 24와 32의 최소공배수를 구합니다.

2) 24 32
2) 12 16
2) 6 8
3 4
⇨ 최소공배수: $2\times2\times2\times3\times4=96$

24와 32의 최소공배수가 96이므로
'(어떤 수)-2'가 될 수 있는 가장 작은 수는 96입니다.
따라서 어떤 수가 될 수 있는 수 중에서 가장 작은 수는 $96+2=98$입니다.

유형 6 (1)
2) 90 72
3) 45 36
3) 15 12
5 4
⇨ 최대공약수: $2\times3\times3=18$

따라서 가장 큰 정사각형 모양으로 자른 종이의 한 변은 18 cm입니다.
(2) 가장 큰 정사각형 모양의 종이는 가로로 $90\div18=5$(장)씩, 세로로 $72\div18=4$(장)씩 생기므로 모두 $5\times4=20$(장)이 됩니다.

유제 11
2) 88 96
2) 44 48
2) 22 24
11 12
⇨ 최대공약수: $2\times2\times2=8$

가장 큰 정사각형 모양 색종이의 한 변은 8 cm입니다.
따라서 가장 큰 정사각형 모양의 색종이는 가로로 $88\div8=11$(장)씩, 세로로 $96\div8=12$(장)씩 붙여야 하므로 모두 $11\times12=132$(장)이 필요합니다.

유제 12 예
$$\begin{array}{r|rr} 2 & 20 & 24 \\ \hline 2 & 10 & 12 \\ \hline & 5 & 6 \end{array}$$

20과 24의 최소공배수가 $2\times2\times5\times6=120$이므로 가장 작은 정사각형 모양의 한 변은 120 cm입니다.」 ❶

따라서 직사각형 모양의 타일은 가로로 $120\div20=6$(장)씩, 세로로 $120\div24=5$(장)씩 늘어놓으면 되므로 모두 $6\times5=30$(장)이 필요합니다.」 ❷

채점 기준
- ❶ 가장 작은 정사각형 모양의 한 변의 길이 구하기
- ❷ 직사각형 모양의 타일은 모두 몇 장이 필요한지 구하기

유형 7 (2) $18\times2\times㉠=180$이므로 $36\times㉠=180$, ㉠$=5$입니다.

(3) (어떤 수)$=18\times㉠=18\times5=90$

유제 13
$$\begin{array}{r|rr} 14 & 42 & (\text{어떤 수}) \\ \hline & 3 & ㉠ \end{array}$$

42와 어떤 수의 최소공배수는 210이므로 $210=14\times3\times㉠$입니다.

$14\times3\times㉠=210$, $42\times㉠=210$, ㉠$=5$입니다.

따라서 (어떤 수)$=14\times㉠=14\times5=70$입니다.

유제 14
$$\begin{array}{r|rr} 27 & (\text{어떤 수}) & 54 \\ \hline & ㉠ & 2 \end{array}$$

어떤 수와 54의 최소공배수는 162이므로 $162=27\times㉠\times2$입니다.

$27\times㉠\times2=162$, $54\times㉠=162$, ㉠$=3$입니다.

따라서 (어떤 수)$=27\times㉠=27\times3=81$입니다.

유형 8 (1) 띠는 12가지이므로 띠가 서로 같으면 나이의 차가 12의 배수인 12, 24, 36……만큼 납니다.

(2) 12살인 선영이와 띠가 서로 같은 나이는 $12+12=24$(살), $12+24=36$(살), $12+36=48$(살)……입니다.
따라서 이모의 나이는 34살보다 많고 40살보다 적으므로 36살입니다.

유제 15 띠는 12가지이므로 띠가 서로 같으면 나이의 차가 12의 배수인 12, 24, 36, 48……만큼 납니다.
14살인 형과 띠가 서로 같은 나이는 $14+12=26$(살), $14+24=38$(살), $14+36=50$(살), $14+48=62$(살)……입니다.
따라서 큰아버지의 나이는 45살보다 많고 52살보다 적으므로 50살입니다.

상위권 문제 확인과 응용 34~37쪽

1 5가지	**2** 10개
3 풀이 참조, 5번	**4** 18개
5 10개	**6** 풀이 참조, 8명
7 30그루	**8** 140개
9 99	**10** 10바퀴
11 28	**12** 1440초

1 36의 약수: 1, 2, 3, 4, 6, 9, 12, 18, 36
5명보다 많은 학생에게 나누어 주어야 하므로 6명, 9명, 12명, 18명, 36명에게 똑같이 나누어 줄 수 있습니다.
따라서 나누어 줄 수 있는 방법은 모두 5가지입니다.

2 4의 배수는 끝의 두 자리 수가 00 또는 4의 배수인 수이므로 주어진 수 카드로 끝의 두 자리 수를 4의 배수로 만들면 36, 48, 64, 68, 84입니다.
따라서 만들 수 있는 네 자리 수 중에서 4의 배수는 4836, 8436, 3648, 6348, 3864, 8364, 3468, 4368, 3684, 6384로 모두 10개입니다.

3 예
$$\begin{array}{r|rr} 2 & 30 & 18 \\ \hline 3 & 15 & 9 \\ \hline & 5 & 3 \end{array}$$

30과 18의 최소공배수가 $2\times3\times5\times3=90$이므로 두 버스는 90분마다 동시에 출발합니다.」 ❶
따라서 오전 6시부터 낮 12시까지 동시에 출발하는 시각은 오전 6시, 오전 7시 30분, 오전 9시, 오전 10시 30분, 낮 12시로 모두 5번입니다.」 ❷

채점 기준
- ❶ 몇 분마다 동시에 출발하는지 구하기
- ❷ 오전 6시부터 낮 12시까지 동시에 출발하는 시각은 모두 몇 번인지 구하기

4
$$\begin{array}{r|rr} 3 & 36 & 45 \\ \hline 3 & 12 & 15 \\ \hline & 4 & 5 \end{array}$$
⇨ 최대공약수: $3\times3=9$

36과 45의 최대공약수가 9이므로 말뚝 사이의 간격을 9 m로 해야 합니다.
네 모퉁이에 반드시 말뚝을 박아야 하므로 가로에 설치해야 하는 말뚝은 $36\div9+1=5$(개), 세로에 설치해야 하는 말뚝은 $45\div9+1=6$(개)입니다. 따라서 필요한 말뚝은 $5+6+5+6-4=18$(개)입니다.

5 432는 9의 배수이므로 □도 9의 배수이어야 합니다.
- 1부터 99까지의 수 중에서 9의 배수의 개수: $99 \div 9 = 11$ ⇨ 11개
- 1부터 9까지의 수 중에서 9의 배수의 개수: $9 \div 9 = 1$ ⇨ 1개

따라서 □ 안에 들어갈 수 있는 두 자리 수는 모두 $11-1=10$(개)입니다.

6 예 나누어 준 학생 수는 $58-2=56$과 $77-5=72$의 최대공약수입니다.

$$\begin{array}{r|rr} 2 & 56 & 72 \\ 2 & 28 & 36 \\ 2 & 14 & 18 \\ \hline & 7 & 9 \end{array}$$

56과 72의 최대공약수는 $2\times2\times2=8$입니다.」❶
따라서 귤과 자두를 8명에게 나누어 주었습니다.」❷

채점 기준
❶ 58−2와 77−5의 최대공약수 구하기
❷ 귤과 자두를 모두 몇 명에게 나누어 준 것인지 구하기

7
$$\begin{array}{r|rr} 5 & 15 & 20 \\ \hline & 3 & 4 \end{array}$$
⇨ 최소공배수: $5\times3\times4=60$

가로수와 가로등은 60 m 간격으로 겹칩니다.
도로의 처음과 끝에는 가로등만 세우므로 가로수는 $600\div15-1=40-1=39$(그루) 심어야 하는데 이 중에서 가로등과 겹치는 부분은 $600\div60-1=9$(군데)입니다. 따라서 필요한 가로수는 모두 $39-9=30$(그루)입니다.

8 전체 자연수의 개수에서 5의 배수이거나 8의 배수인 수의 개수를 빼면 됩니다.
- 1부터 200까지의 수 중에서 5의 배수의 개수: $200\div5=40$ ⇨ 40개
- 1부터 200까지의 수 중에서 8의 배수의 개수: $200\div8=25$ ⇨ 25개
- 1부터 200까지의 수 중에서 5와 8의 최소공배수인 40의 배수의 개수: $200\div40=5$ ⇨ 5개

따라서 1부터 200까지의 자연수 중에서 5의 배수도 8의 배수도 아닌 수는 모두 $200-(40+25-5)=200-60=140$(개)입니다.

9 '(어떤 수)+1'을 4와 5로 나누면 나누어떨어지므로 '(어떤 수)+1'은 4와 5의 공배수입니다.
4와 5의 최소공배수는 20이므로 '(어떤 수)+1'이 될 수 있는 수는 20, 40, 60, 80, 100……입니다.
따라서 $80-1=79$, $100-1=99$이므로 90에 가장 가까운 수는 99입니다.

10
- 18과 45의 최소공배수

$$\begin{array}{r|rr} 3 & 18 & 45 \\ 3 & 6 & 15 \\ \hline & 2 & 5 \end{array}$$
⇨ $3\times3\times2\times5=90$

- 90과 20의 최소공배수

$$\begin{array}{r|rr} 2 & 90 & 20 \\ 5 & 45 & 10 \\ \hline & 9 & 2 \end{array}$$
⇨ $2\times5\times9\times2=180$

18, 45, 20의 최소공배수는 180이므로 톱니의 수가 180의 배수만큼 맞물려야 처음 맞물렸던 자리에서 다시 만납니다.
따라서 ㉮ 톱니바퀴는 적어도 $180\div18=10$(바퀴)를 돌아야 합니다.

11
- 25의 약수: 1, 5, 25 ⇨ $1+5=6$
- 26의 약수: 1, 2, 13, 26 ⇨ $1+2+13=16$
- 27의 약수: 1, 3, 9, 27 ⇨ $1+3+9=13$
- 28의 약수: 1, 2, 4, 7, 14, 28 ⇨ $1+2+4+7+14=28$
- 29의 약수: 1, 29 ⇨ 1
- 30의 약수: 1, 2, 3, 5, 6, 10, 15, 30 ⇨ $1+2+3+5+6+10+15=42$

따라서 25부터 30까지의 자연수 중에서 완전수는 28입니다.

12 첨탑의 항공 장애등은 2초 동안 켜져 있다가 1초 동안 꺼져 있으므로 3초마다 새로 켜지고, 옥상의 항공 장애등은 3초 동안 켜져 있다가 2초 동안 꺼져 있으므로 5초마다 새로 켜집니다.
따라서 두 항공 장애등은 동시에 켜진 뒤 3과 5의 최소공배수인 15초마다 다시 동시에 켜집니다.

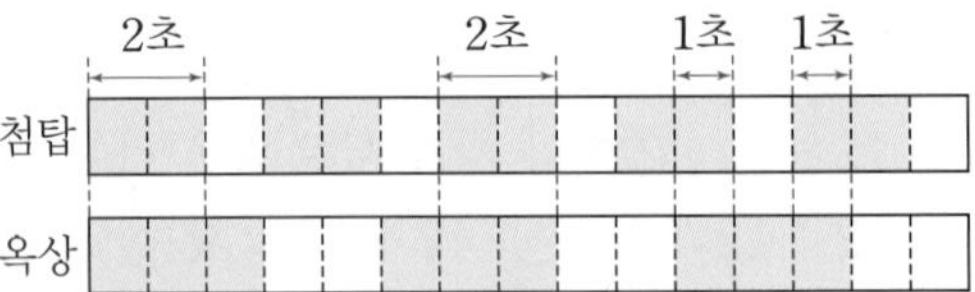

15초 동안 함께 켜져 있는 시간은 $2+2+1+1=6$(초)입니다.
오후 9시부터 오후 10시까지는 1시간이고 1시간은 $60\times60=3600$(초)입니다.
15초마다 두 항공 장애등이 동시에 켜지므로 1시간 동안 동시에 켜지는 횟수는 $3600\div15=240$(번)입니다.
따라서 오후 9시에 동시에 켜진 뒤 오후 10시까지 함께 켜져 있는 시간은 모두 $6\times240=1440$(초)입니다.

최상위권 문제 38~39쪽

1 24	**2** 40395
3 18	**4** 24그루
5 122명	**6** 목요일

1 어떤 수의 배수 중에서 100보다 작은 수가 6개이므로 99를 어떤 수로 나누면 몫이 6이어야 합니다.
99÷14=7···1, 99÷15=6···9, 99÷16=6···3, 99÷17=5···14이므로 어떤 수가 될 수 있는 수는 15, 16이고, 이 중 작은 수는 15입니다.
따라서 15의 약수는 1, 3, 5, 15이므로 약수의 합은 1+3+5+15=24입니다.

2 5의 배수는 일의 자리 숫자가 0 또는 5인 수이므로 다섯 자리 수는 4㉠390 또는 4㉠395입니다.
3의 배수는 각 자리 수의 합이 3의 배수인 수입니다.
- 4㉠390이 3의 배수가 되는 경우:
  4+㉠+3+9+0=16+㉠에서 ㉠에 알맞은 숫자는 2, 5, 8입니다.
- 4㉠395가 3의 배수가 되는 경우:
  4+㉠+3+9+5=21+㉠에서 ㉠에 알맞은 숫자는 0, 3, 6, 9입니다.

따라서 4㉠39㉡이 가장 작은 수가 되려면 ㉠=0이고 ㉡=5이어야 합니다.
⇨ 40395

3 6) ㉮ ㉯
　　■ ▲

㉮=6×■, ㉯=6×▲이고 최소공배수는 6×■×▲입니다.
6×■×▲=90, ■×▲=15이므로
■=1, ▲=15 또는 ■=3, ▲=5입니다.
- ■=1, ▲=15인 경우: ㉮=6×1=6, ㉯=6×15=90에서 두 수의 차는 90−6=84입니다. (×)
- ■=3, ▲=5인 경우: ㉮=6×3=18, ㉯=6×5=30에서 두 수의 차는 30−18=12입니다. (○)

따라서 ㉮=18입니다.

4 비법 PLUS 같은 간격으로 나무를 가장 적게 심으려면 나무 사이의 간격은 땅의 세 변의 길이의 최대공약수를 이용하여 구합니다.

- 105와 135의 최대공약수
  3) 105 135
  5) 35 45
  　 7 9
  ⇨ 3×5=15
- 15와 120의 최대공약수
  3) 15 120
  5) 5 40
  　 1 8
  ⇨ 3×5=15

105, 135, 120의 최대공약수는 15이므로 나무 사이의 간격은 15 m로 해야 합니다. 땅의 한 변이 105 m일 때 심는 나무는 105÷15+1=8(그루), 135 m일 때 심는 나무는 135÷15+1=10(그루), 120 m일 때 심는 나무는 120÷15+1=9(그루)입니다.
따라서 필요한 나무는 모두 8+10+9−3=24(그루)입니다.

5 비법 PLUS 학생 수를 4, 5, 6으로 나누어도 항상 2가 남으므로 '(학생 수)−2'는 4, 5, 6의 공배수입니다.

'(학생 수)−2'는 4, 5, 6의 공배수입니다.
4와 5의 최소공배수는 20이고 20과 6의 최소공배수는 60이므로 4, 5, 6의 최소공배수는 60입니다.
60의 배수는 60, 120, 180……이므로 학생 수가 될 수 있는 수는 62, 122, 182……입니다.
따라서 야외 활동에 참여한 학생은 110명보다 많고 130명보다 적으므로 모두 122명입니다.

6 비법 PLUS 각 요일이 7일마다 다시 돌아오는 것을 이용하여 ㉠과 ㉡에 알맞은 수를 구합니다.

일주일마다 요일이 반복되므로
㉠에 알맞은 수는 2, 9, 16, 23……이고,
㉡에 알맞은 수는 5, 12, 19, 26……입니다.
9×12=108(일), 16×19=304(일), 23×26=598(일)…… 후의 요일은 2×5=10(일)과 7의 배수만큼 차이 나므로 요일이 모두 같습니다.
따라서 ㉠×㉡=2×5=10(일) 후는 10−7=3(일) 후와 같은 목요일입니다.

❸ 규칙과 대응

핵심 개념과 문제 43쪽

1 4, 6, 8
2 예 삼각형의 수는 사각형의 수의 2배입니다.
3 예 ◇, △, ◇×11=△
4 3, 4, 5 / 예 □+1=△
5 예 오각형의 수를 ○, 꼭짓점의 수를 □라고 할 때, 꼭짓점의 수는 오각형의 수의 5배입니다.
6 54개

4 색 테이프의 수는 겹쳐진 부분의 수보다 1만큼 더 큽니다. ⇨ □+1=△
또는 겹쳐진 부분의 수는 색 테이프의 수보다 1만큼 더 작습니다. ⇨ △−1=□

6

배열 순서	1	2	3	4	……
삼각형 조각의 수(개)	3	6	9	12	……

⇨ (배열 순서)×3=(삼각형 조각의 수)
따라서 열여덟째에 필요한 삼각형 조각은 18×3=54(개)입니다.

상위권 문제 44~49쪽

유형 1 (1) 예 (지환이의 나이)+37=(고모의 나이)
(2) 57살
유제 1 32살 유제 2 풀이 참조, 48살
유형 2 (1) (위에서부터) 13, 11, 15
(2) 예 (수지가 말한 수)×2−7=(청아가 답한 수)
(3) 23
유제 3 61 유제 4 8
유형 3 (1) 5, 7, 9 / 예 (정삼각형의 수)×2+1=(성냥개비의 수)
(2) 27개
유제 5 67개 유제 6 풀이 참조, 15개
유형 4 (1) 1 / 5 / 14 / 4, 4, 30 (2) 55개
유제 7 91개
유형 5 (1) 3, 4, 5 / 예 (자른 횟수)+1=(도막의 수)
(2) 20번 (3) 120분
유제 8 2시간 25분 유제 9 1시간 35분
유형 6 (1) 오후 2시, 오후 3시, 오후 4시
/ 예 (런던의 시각)+9=(서울의 시각)
(2) 오후 6시
유제 10 오전 11시

유형 1 (1) 고모의 나이는 지환이의 나이보다 37살 많습니다.
⇨ (지환이의 나이)+37=(고모의 나이)
또는 지환이의 나이는 고모의 나이보다 37살 적습니다.
⇨ (고모의 나이)−37=(지환이의 나이)
(2) (지환이의 나이)+37=(고모의 나이)이므로 지환이가 20살이 될 때 고모는 20+37=57(살)이 됩니다.

유제 1 지현이의 나이는 동생의 나이보다 3살 많습니다.
⇨ (동생의 나이)+3=(지현이의 나이)
또는 동생의 나이는 지현이의 나이보다 3살 적습니다. ⇨ (지현이의 나이)−3=(동생의 나이)
따라서 지현이가 35살이 될 때 동생은 35−3=32(살)이 됩니다.

유제 2 예 병진이는 2000년에 2살이었으므로 2000년에서 8년 뒤인 2008년에는 2+8=10(살)입니다.」❶
병진이의 나이와 덕규의 나이 사이의 대응 관계를 식으로 나타내면
(병진이의 나이)+6=(덕규의 나이) 또는
(덕규의 나이)−6=(병진이의 나이)입니다.」❷
따라서 병진이가 42살이 될 때 덕규는 42+6=48(살)이 됩니다.」❸

채점 기준
❶ 2008년에 병진이의 나이 구하기
❷ 병진이의 나이와 덕규의 나이 사이에 대응 관계를 식으로 나타내기
❸ 병진이가 42살이 될 때 덕규의 나이 구하기

유형 2 (2) 9×2−7=11, 11×2−7=15, 13×2−7=19……이므로
수지가 말한 수와 청아가 답한 수 사이의 대응 관계를 식으로 나타내면
(수지가 말한 수)×2−7=(청아가 답한 수)
입니다.
(3) 수지가 15라고 말할 때 청아가 답할 수는 15×2−7=23입니다.

유제 3

대휘가 말한 수	2	3	4	……
동욱이가 답한 수	7	10	13	……

$2\times3+1=7$, $3\times3+1=10$, $4\times3+1=13$ ……이므로 대휘가 말한 수와 동욱이가 답한 수 사이의 대응 관계를 식으로 나타내면
(대휘가 말한 수)$\times3+1=$(동욱이가 답한 수)입니다.
따라서 대휘가 20이라고 말할 때 동욱이가 답할 수는 $20\times3+1=61$입니다.

유제 4 $2\times(2+1)=6$, $3\times(3+1)=12$, $5\times(5+1)=30$……이므로 왼쪽 수를 □, 오른쪽 수를 △라고 할 때, 두 양 사이의 대응 관계를 식으로 나타내면 □×(□+1)=△입니다.
따라서 $8\times9=72$이므로 빈칸에 알맞은 수는 8입니다.

유형 3 (1) $1\times2+1=3$, $2\times2+1=5$, $3\times2+1=7$, $4\times2+1=9$……이므로
정삼각형의 수와 성냥개비의 수 사이의 대응 관계를 식으로 나타내면
(정삼각형의 수)$\times2+1=$(성냥개비의 수)입니다.
(2) 정삼각형을 13개 만들 때 필요한 성냥개비는 모두 $13\times2+1=27$(개)입니다.

유제 5

정사각형의 수(개)	1	2	3	4	……
성냥개비의 수(개)	4	7	10	13	……

⇨ (정사각형의 수)$\times3+1=$(성냥개비의 수)
따라서 정사각형을 22개 만들 때 필요한 성냥개비는 모두 $22\times3+1=67$(개)입니다.

유제 6 예

정오각형의 수(개)	1	2	3	4	……
성냥개비의 수(개)	5	9	13	17	……

정오각형의 수와 성냥개비의 수 사이의 대응 관계를 식으로 나타내면
(정오각형의 수)$\times4+1=$(성냥개비의 수)입니다.」❶
따라서 $15\times4+1=61$이므로 성냥개비 61개로 만들 수 있는 정오각형은 15개입니다.」❷

채점 기준
❶ 정오각형의 수와 성냥개비의 수 사이의 대응 관계 알아보기
❷ 성냥개비 61개로 만들 수 있는 정오각형의 수 구하기

유형 4 (2) 배열 순서를 □, 찾을 수 있는 크고 작은 정사각형의 수를 △라고 할 때, 두 양 사이의 대응 관계를 식으로 나타내면
$1\times1+2\times2+3\times3+\cdots\cdots+$□×□=△
입니다.
따라서 다섯째 모양에서 찾을 수 있는 크고 작은 정사각형은
$1\times1+2\times2+3\times3+4\times4+5\times5$
$=1+4+9+16+25=55$(개)입니다.

유제 7 배열 순서를 ○, 찾을 수 있는 크고 작은 마름모의 수를 ◇라고 할 때, 두 양 사이의 대응 관계를 식으로 나타내면
$1\times1+2\times2+3\times3+\cdots\cdots+$○×○=◇입니다.
따라서 여섯째 모양에서 찾을 수 있는 크고 작은 마름모는
$1\times1+2\times2+3\times3+4\times4+5\times5+6\times6$
$=1+4+9+16+25+36=91$(개)입니다.

유형 5 (1) 도막의 수는 자른 횟수보다 1만큼 더 큽니다.
⇨ (자른 횟수)$+1=$(도막의 수)
또는 자른 횟수는 도막의 수보다 1만큼 더 작습니다. ⇨ (도막의 수)$-1=$(자른 횟수)
(2) (도막의 수)$-1=$(자른 횟수)이므로 나무 막대 한 개를 21도막으로 자르려면
$21-1=20$(번) 잘라야 합니다.
(3) 나무 막대 한 개를 쉬지 않고 21도막으로 자르는 데 걸리는 시간은 모두
$6\times20=120$(분)입니다.

유제 8 (도막의 수)$-1=$(자른 횟수)이므로 통나무 한 개를 30도막으로 자르려면 $30-1=29$(번) 잘라야 합니다.
따라서 통나무 한 개를 쉬지 않고 30도막으로 자르는 데 걸리는 시간은 모두
$5\times29=145$(분)이므로 2시간 25분입니다.

유제 9 (도막의 수)$-1=$(자른 횟수)이므로 철근 한 개를 25도막으로 자르려면 $25-1=24$(번) 잘라야 합니다. 철근을 25도막으로 자르는 데 걸리는 시간은 $3\times24=72$(분)입니다.
철근을 24번 자르는 동안 $24-1=23$(번) 쉬게 되므로 쉬는 시간은 $1\times23=23$(분)입니다.
따라서 철근 한 개를 25도막으로 자르는 데 걸리는 시간은 모두 $72+23=95$(분)이므로
1시간 35분입니다.

유형 6 (1) 서울의 시각은 런던의 시각보다 9시간 빠릅니다.
⇨ (런던의 시각)+9=(서울의 시각)
또는 런던의 시각은 서울의 시각보다 9시간 느립니다.
⇨ (서울의 시각)−9=(런던의 시각)
(2) 런던이 오전 9시일 때 서울은
오전 9시+9시간=오후 6시입니다.

유제 10 서울이 오후 4시일 때 마드리드는 오전 8시이므로 서울의 시각은 마드리드의 시각보다 8시간 빠릅니다.
⇨ (마드리드의 시각)+8=(서울의 시각)
또는 마드리드의 시각은 서울의 시각보다 8시간 느립니다.
⇨ (서울의 시각)−8=(마드리드의 시각)
따라서 서울에서 축구 경기가 시작하는 시각인 오후 7시일 때 마드리드는
오후 7시−8시간=오전 11시입니다.

상위권 문제 확인과 응용 50~53쪽

1 예 □+△=18	**2** 21살
3 22명	**4** 78 cm
5 예 △÷250=□ / 24개	
6 풀이 참조, 12월 4일 오전 11시	
7 56	**8** 풀이 참조, 62째
9 30개, 15봉지	**10** 6분
11 54개	**12** TIME IS GOLD

1 만든 직사각형의 가로와 세로의 길이의 합은
36÷2=18(cm)입니다.
따라서 가로와 세로 사이의 대응 관계를 식으로 나타내면 □+△=18입니다.

2 2013년에 연정이는 6살이었으므로 2013년에서 2년 뒤인 2015년에는 6+2=8(살)입니다.
연정이의 나이와 어머니의 나이 사이의 대응 관계를 식으로 나타내면
(연정이의 나이)+29=(어머니의 나이) 또는
(어머니의 나이)−29=(연정이의 나이)입니다.
따라서 어머니가 50살이 될 때 연정이는
50−29=21(살)이 됩니다.

3

탁자의 수(개)	1	2	3	4	……
사람의 수(명)	6	8	10	12	……

1×2+4=6, 2×2+4=8, 3×2+4=10,
4×2+4=12……이므로 탁자의 수와 사람의 수 사이의 대응 관계를 식으로 나타내면
(탁자의 수)×2+4=(사람의 수)입니다.
따라서 탁자를 9개 이어 붙였을 때 앉을 수 있는 사람은 모두 9×2+4=22(명)입니다.

4

정사각형 조각의 수(개)	1	2	3	4	……
둘레(cm)	12	18	24	30	……

정사각형 조각의 수가 1개씩 늘어날 때마다 둘레는 6 cm씩 늘어납니다.
1×6+6=12, 2×6+6=18, 3×6+6=24,
4×6+6=30……이므로 정사각형 조각의 수와 둘레 사이의 대응 관계를 식으로 나타내면
(정사각형 조각의 수)×6+6=(둘레)입니다.
따라서 정사각형 조각을 12개 이어 붙인 도형의 둘레는 12×6+6=78(cm)입니다.

5 아이스크림 한 개를 팔 때 남는 이익은
1500÷6=250(원)입니다.

팔린 아이스크림의 수(개)	1	2	3	4	……
남는 이익(원)	250	500	750	1000	……

(팔린 아이스크림의 수)×250=(남는 이익)
⇨ □×250=△
또는 (남는 이익)÷250=(팔린 아이스크림의 수)
⇨ △÷250=□
따라서 남는 이익이 6000원일 때 팔린 아이스크림은 6000÷250=24(개)입니다.

6 예 서울의 시각이 오전 10시일 때 프라하의 시각은 오전 2시이므로
서울의 시각은 프라하의 시각보다 8시간 빠릅니다.
⇨ (프라하의 시각)+8=(서울의 시각)
또는 프라하의 시각은 서울의 시각보다 8시간 느립니다. ⇨ (서울의 시각)−8=(프라하의 시각)」❶
따라서 서울이 12월 4일 오후 6시일 때 프라하는 12월 4일 오전 10시이므로 이때부터 한 시간 동안 통화를 하고 마쳤을 때 프라하는 12월 4일 오전 11시입니다.」❷

채점 기준
❶ 서울의 시각과 프라하의 시각 사이의 대응 관계 알아보기
❷ 민서가 언니와 통화를 마쳤을 때 프라하의 시각 구하기

7

상자에 넣은 수	2	5	6	……
상자에서 나온 수	4	13	16	……

2×3−2=4, 5×3−2=13, 6×3−2=16……
이므로 상자에 넣은 수와 상자에서 나온 수 사이의 대응 관계를 식으로 나타내면
(넣은 수)×3−2=(나온 수)입니다.
이 상자에 8을 넣으면 8×3−2=22가 나오므로 ★=22이고 이 상자에 12를 넣으면
12×3−2=34가 나오므로 ♥=34입니다.
⇨ ★+♥=22+34=56

8 예

순서	1	2	3	4	5	6	……
수	7	11	15	19	23	27	……

순서가 1씩 커질 때마다 수는 4씩 커집니다.」❶
1×4+3=7, 2×4+3=11, 3×4+3=15,
4×4+3=19, 5×4+3=23,
6×4+3=27……이므로 순서를 □, 수를 ◇라고 할 때, 두 양 사이의 대응 관계를 식으로 나타내면
□×4+3=◇입니다.」❷
따라서 61째 수가 61×4+3=247,
62째 수가 62×4+3=251이므로 처음으로 250보다 큰 수가 놓이는 것은 62째입니다.」❸

채점 기준

❶ 순서가 1씩 커질 때마다 수는 몇씩 커지는지 구하기
❷ 순서와 늘어놓은 수 사이의 대응 관계를 식으로 나타내기
❸ 처음으로 250보다 큰 수가 놓이는 것은 몇째인지 구하기

9

식빵의 수(개)	6	12	18	24	……
밀가루의 양(g)	900	1800	2700	3600	……
봉지의 수(봉지)	3	6	9	12	……

식빵의 수가 6개씩 늘어날 때마다 필요한 밀가루의 양은 900 g씩 늘어나고, 식빵을 담는 봉지의 수는 3봉지씩 늘어납니다.
식빵의 수와 밀가루의 양 사이의 대응 관계를 식으로 나타내면 (식빵의 수)×150=(밀가루의 양)
또는 (밀가루의 양)÷150=(식빵의 수)입니다.
식빵의 수와 봉지의 수 사이의 대응 관계를 식으로 나타내면 (식빵의 수)÷2=(봉지의 수)
또는 (봉지의 수)×2=(식빵의 수)입니다.
5 kg=5000 g이고 5000 g은 4500 g과 5400 g 사이이므로 밀가루를 4500 g까지 사용하여 만들 수 있습니다.
따라서 식빵은 4500÷150=30(개)까지 만들 수 있고, 30÷2=15(봉지)까지 팔 수 있습니다.

10 (효림이가 걸은 시간)×40=(효림이가 걸은 거리)이므로 효림이가 도서관을 떠나 6분 동안 걸은 거리는 6×40=240(m)입니다.

영선이가 걸은 시간(분)	1	2	3	4	……
효림이가 걸은 거리(m)	240 +40	240 +80	240 + 120	240 + 160	……
영선이가 걸은 거리(m)	80	160	240	320	……

⇨ 240−(영선이가 걸은 시간)×(80−40)
=(효림이와 영선이 사이의 거리)
효림이와 영선이가 만나려면 효림이와 영선이 사이의 거리가 0이어야 하므로
240−(영선이가 걸은 시간)×40=0입니다.
따라서 240−6×40=0이므로 영선이는 출발한 지 6분 만에 효림이를 만날 수 있습니다.

11

엽서의 수(장)	1	2	3	4	……
누름 못의 수(개)	4	6	8	10	……

⇨ (엽서의 수)×2+2=(누름 못의 수)
엽서를 가로로 10장 붙일 때 필요한 누름 못은
10×2+2=22(개)입니다.
엽서를 한 줄에 10장씩 세로로 2줄을 붙이면 셋째 줄에 붙이는 엽서는 24−10×2=4(장)이고
셋째 줄에 엽서를 붙일 때 필요한 누름 못은
4×2+2=10(개)입니다.
따라서 24장의 엽서를 모두 붙일 때 필요한 누름 못은 22×2+10=54(개)입니다.

12

알파벳	A	B	C	D	E	F	G	H	I	J	K	L	M
암호	X	Y	Z	A	B	C	D	E	F	G	H	I	J
알파벳	N	O	P	Q	R	S	T	U	V	W	X	Y	Z
암호	K	L	M	N	O	P	Q	R	S	T	U	V	W

⇨ 암호문 'QFJB FP DLIA'의 암호를 풀어 알파벳으로 쓰면 'TIME IS GOLD'입니다.

최상위권 문제 54~55쪽

1 (위에서부터) 6, 4, 10, 6 / 예 □÷3+5=△
2 36 L
3 46도막
4 91개
5 404개
6 6 cm

1 • 18÷3=6, 15÷3=5, 9÷3=3, 3÷3=1 ……이므로 □와 ○ 사이의 대응 관계를 식으로 나타내면 □÷3=○ 또는 ○×3=□입니다.

⇨ □=12일 때 ○=12÷3=4
○=2일 때 □=2×3=6

• 6+5=11, 4+5=9, 3+5=8, 2+5=7…… 이므로 ○와 △ 사이의 대응 관계를 식으로 나타내면 ○+5=△ 또는 △−5=○입니다.
⇨ ○=5일 때 △=5+5=10
○=1일 때 △=1+5=6

따라서 18÷3+5=11, 15÷3+5=10, 12÷3+5=9, 9÷3+5=8, 6÷3+5=7, 3÷3+5=6……이므로 □와 △ 사이의 대응 관계를 식으로 나타내면 □÷3+5=△입니다.

2 비법 PLUS 먼저 1분에 따뜻한 물과 차가운 물이 각각 몇 L씩 나오는지 알아봅니다.

따뜻한 물은 1분에 10÷5=2(L)씩 나오고, 차가운 물은 1분에 18÷6=3(L)씩 나옵니다.

물을 받은 시간(분)	1	2	3	4	……
따뜻한 물의 양(L)	2	4	6	8	……
차가운 물의 양(L)	3	6	9	12	……

물을 받은 시간과 따뜻한 물의 양 사이의 대응 관계를 식으로 나타내면 (시간)×2=(따뜻한 물의 양) 또는 (따뜻한 물의 양)÷2=(시간)입니다.
물을 받은 시간과 차가운 물의 양 사이의 대응 관계를 식으로 나타내면 (시간)×3=(차가운 물의 양) 또는 (차가운 물의 양)÷3=(시간)입니다.
따라서 따뜻한 물의 양이 24 L일 때 물을 받은 시간은 24÷2=12(분)이고 12분 동안 받은 차가운 물의 양은 12×3=36(L)입니다.

3

자른 횟수(번)	1	2	3	4	……
도막의 수(도막)	4	7	10	13	……

1×3+1=4, 2×3+1=7, 3×3+1=10, 4×3+1=13……이므로 자른 횟수와 도막의 수 사이의 대응 관계를 식으로 나타내면
(자른 횟수)×3+1=(도막의 수)입니다.
따라서 끈을 15번 자르면 15×3+1=46(도막)이 됩니다.

4 비법 PLUS 직선의 수가 1개씩 늘어날 때마다 생기는 점의 수는 몇 개씩 늘어나는지 알아봅니다.

직선의 수(개)	2	3	4	5	……
생기는 점의 수(개)	1	3	6	10	……

직선의 수가 1개씩 늘어날 때마다 생기는 점의 수는 2개, 3개, 4개……씩 늘어납니다.
직선의 수를 □, 생기는 점의 수를 △라고 할 때, 두 양 사이의 대응 관계를 식으로 나타내면
1+2+3+……+(□−1)=△입니다.
따라서 직선을 14개 그었을 때 생기는 점은 모두 1+2+3+……+13=91(개)입니다.

5 비법 PLUS 배열 순서와 파란색 정사각형 조각의 수 사이의 대응 관계를 찾아 파란색 정사각형 조각이 80개일 때 배열 순서는 몇째인지 알아봅니다.

배열 순서	1	2	3	4	……
파란색 정사각형 조각의 수(개)	4	8	12	16	……
빨간색 정사각형 조각의 수(개)	1×1 +4	2×2 +4	3×3 +4	4×4 +4	……

배열 순서와 파란색 정사각형 조각의 수 사이의 대응 관계를 식으로 나타내면
(배열 순서)×4=(파란색 정사각형 조각의 수) 또는 (파란색 정사각형 조각의 수)÷4=(배열 순서)입니다.
파란색 정사각형 조각이 80개일 때 배열 순서는 80÷4=20이므로 스물째입니다.
배열 순서와 빨간색 정사각형 조각의 수 사이의 대응 관계를 식으로 나타내면
(배열 순서)×(배열 순서)+4
=(빨간색 정사각형 조각의 수)입니다.
따라서 스물째에 사용한 빨간색 정사각형 조각은 20×20+4=400+4=404(개)입니다.

6 정사각형 조각의 한 변의 길이를 □ cm라고 하면

배열 순서	1	2	3	4	……
정사각형 조각의 수(개)	1	3	5	7	……
둘레(cm)	□×1 ×4	□×2 ×4	□×3 ×4	□×4 ×4	……

배열 순서와 정사각형 조각의 수 사이의 대응 관계를 식으로 나타내면
(배열 순서)×2−1=(정사각형 조각의 수)입니다.
9×2−1=17이므로 정사각형 조각 17개를 사용하여 만든 모양은 아홉째입니다.
배열 순서와 둘레 사이의 대응 관계를 식으로 나타내면 □×(배열 순서)×4=(둘레)입니다.
아홉째에 만든 모양의 둘레는 □×9×4=□×36 입니다.
따라서 6×36=216이므로 정사각형 조각의 한 변은 6 cm입니다.

4 약분과 통분

핵심 개념과 문제 59쪽

1 $\frac{48}{72}$, $\frac{8}{12}$　　2 $\frac{3}{7}$, $\frac{6}{14}$
3 $\frac{13}{48}$　　4 2조각
5 $\frac{14}{63}$, $\frac{16}{72}$　　6 1, 3, 5, 7

1 $\frac{16}{24}=\frac{16\times3}{24\times3}=\frac{48}{72}$, $\frac{16}{24}=\frac{16\div2}{24\div2}=\frac{8}{12}$

2 28과 12의 공약수: 1, 2, 4
⇨ $\frac{12}{28}=\frac{12\div2}{28\div2}=\frac{6}{14}$, $\frac{12}{28}=\frac{12\div4}{28\div4}=\frac{3}{7}$

3 $\frac{117}{432}=\frac{117\div9}{432\div9}=\frac{13}{48}$

4 지수는 케이크 전체의 $\frac{1}{5}$을 먹었으므로 민규는 $\frac{1}{5}$과 같은 크기인 $\frac{2}{10}$를 먹어야 합니다.
따라서 지수와 같은 양을 먹으려면 민규는 2조각을 먹어야 합니다.

5 $\frac{2}{9}$와 크기가 같은 분수는 $\frac{4}{18}$, $\frac{6}{27}$, $\frac{8}{36}$, $\frac{10}{45}$, $\frac{12}{54}$, $\frac{14}{63}$, $\frac{16}{72}$, $\frac{18}{81}$……입니다.
이 중에서 분모가 60보다 크고 80보다 작은 분수는 $\frac{14}{63}$, $\frac{16}{72}$입니다.

6 $\frac{\square}{8}$가 진분수가 되려면 □ 안에는 1부터 7까지의 수가 들어갈 수 있습니다.
따라서 기약분수가 되려면 8과 □의 공약수가 1뿐이어야 하므로 □ 안에 들어갈 수 있는 수는 1, 3, 5, 7입니다.

핵심 개념과 문제 61쪽

1 ㉡　　2 $1\frac{1}{2}$, 1.4, $\frac{3}{4}$, 0.7
3 현석　　4 72, 96
5 $\frac{13}{16}$, $\frac{11}{12}$　　6 수영장

2 분수를 소수로 나타내어 크기를 비교해 봅니다.
$\frac{3}{4}=\frac{75}{100}=0.75$, $1\frac{1}{2}=1\frac{5}{10}=1.5$
⇨ $1\frac{1}{2}>1.4>\frac{3}{4}>0.7$

3 $\left(\frac{7}{8}, \frac{13}{18}\right)$ ⇨ $\left(\frac{63}{72}, \frac{52}{72}\right)$ ⇨ $\frac{7}{8}>\frac{13}{18}$
따라서 현석이가 수영을 더 오래 했습니다.

4 두 분수 $\frac{3}{8}$과 $\frac{1}{6}$을 통분할 때 공통분모가 될 수 있는 수는 분모 8과 6의 공배수인 24, 48, 72, 96, 120……이고, 이 중에서 50보다 크고 100보다 작은 수는 72, 96입니다.

5 $\frac{39}{48}$와 $\frac{44}{48}$를 각각 약분하여 기약분수로 나타냅니다.
$\frac{39}{48}=\frac{39\div3}{48\div3}=\frac{13}{16}$, $\frac{44}{48}=\frac{44\div4}{48\div4}=\frac{11}{12}$

6 (집~우체국~학교)$=\frac{5}{7}+\frac{4}{7}=1\frac{2}{7}$(km)
(집~수영장~학교)$=\frac{8}{11}+\frac{6}{11}=1\frac{3}{11}$(km)
$\left(1\frac{2}{7}, 1\frac{3}{11}\right)$ ⇨ $\left(1\frac{22}{77}, 1\frac{21}{77}\right)$ ⇨ $1\frac{2}{7}>1\frac{3}{11}$
따라서 수영장을 지나가는 것이 더 가깝습니다.

상위권 문제 62~67쪽

유형 1 (1) 23, 2, 23 (2) 23개
유제 1 14개　　유제 2 48개
유형 2 (1) $\frac{12}{36}$, $\frac{16}{36}$ (2) 3개
유제 3 12개　　유제 4 풀이 참조, 2개
유형 3 (1) 8배 (2) $\frac{16}{56}$
유제 5 $\frac{18}{60}$　　유제 6 풀이 참조, $\frac{15}{20}$
유형 4 (1) 28, 3 (2) 9
유제 7 5　　유제 8 4개
유형 5 (1) 25 (2) $\frac{25}{45}$ (3) 36
유제 9 16　　유제 10 135
유형 6 (1) $\frac{3}{5}$, $\frac{8}{9}$, $\frac{2}{3}$ (2) ㉠, ㉢
유제 11 ㉡

유형 1 (2) • $45 \div 2 = 22 \cdots 1$ ⇨ 2의 배수: 22개
• $45 \div 23 = 1 \cdots 22$ ⇨ 23의 배수: 1개
따라서 약분하여 나타낼 수 있는 분수는 모두 $22+1=23$(개)입니다.

유제 1 39의 약수는 1, 3, 13, 39이므로 분자가 3의 배수 또는 13의 배수일 때 약분할 수 있습니다.
• $38 \div 3 = 12 \cdots 2$ ⇨ 3의 배수: 12개
• $38 \div 13 = 2 \cdots 12$ ⇨ 13의 배수: 2개
따라서 약분하여 나타낼 수 있는 분수는 모두 $12+2=14$(개)입니다.

유제 2 65의 약수는 1, 5, 13, 65이므로 분자가 5의 배수 또는 13의 배수이면 기약분수가 아닙니다.
• $64 \div 5 = 12 \cdots 4$ ⇨ 5의 배수: 12개
• $64 \div 13 = 4 \cdots 12$ ⇨ 13의 배수: 4개
따라서 기약분수는 모두 $64-(12+4)=48$(개)입니다.

유형 2 (1) $\frac{1}{3}=\frac{1\times12}{3\times12}=\frac{12}{36}$, $\frac{4}{9}=\frac{4\times4}{9\times4}=\frac{16}{36}$
(2) $\frac{12}{36}$보다 크고 $\frac{16}{36}$보다 작은 분수 중에서 분모가 36인 분수는 $\frac{13}{36}$, $\frac{14}{36}$, $\frac{15}{36}$로 모두 3개입니다.

유제 3 84를 공통분모로 하여 $\frac{17}{28}$과 $\frac{16}{21}$을 통분하면 $\frac{17}{28}=\frac{51}{84}$, $\frac{16}{21}=\frac{64}{84}$입니다.
따라서 $\frac{51}{84}$보다 크고 $\frac{64}{84}$보다 작은 분수 중에서 분모가 84인 분수는
$\frac{52}{84}$, $\frac{53}{84}$, $\frac{54}{84}$ …… $\frac{61}{84}$, $\frac{62}{84}$, $\frac{63}{84}$으로 모두 12개입니다.

유제 4 예 60을 공통분모로 하여 $\frac{2}{5}$와 $\frac{7}{12}$을 통분하면 $\frac{2}{5}=\frac{24}{60}$, $\frac{7}{12}=\frac{35}{60}$입니다.」 ❶
$\frac{24}{60}$보다 크고 $\frac{35}{60}$보다 작은 분수 중에서 분모가 60인 분수는 $\frac{25}{60}$, $\frac{26}{60}$, $\frac{27}{60}$, $\frac{28}{60}$, $\frac{29}{60}$, $\frac{30}{60}$, $\frac{31}{60}$, $\frac{32}{60}$, $\frac{33}{60}$, $\frac{34}{60}$입니다.」 ❷
이 중에서 기약분수는 $\frac{29}{60}$, $\frac{31}{60}$로 모두 2개입니다.」 ❸

채점 기준
❶ 60을 공통분모로 하여 $\frac{2}{5}$와 $\frac{7}{12}$을 통분하기
❷ $\frac{2}{5}$보다 크고 $\frac{7}{12}$보다 작은 분수 중에서 분모가 60인 분수 구하기
❸ 분모가 60인 기약분수의 개수 구하기

유형 3 (1) $\frac{2}{7}$의 분모와 분자의 합: $7+2=9$
⇨ $72 \div 9 = 8$(배)
(2) 72는 $\frac{2}{7}$의 분모와 분자의 합인 9의 8배이므로 조건을 모두 만족하는 분수는 $\frac{2\times8}{7\times8}=\frac{16}{56}$입니다.

유제 5 $\frac{3}{10}$의 분모와 분자의 차는 $10-3=7$입니다.
42는 $\frac{3}{10}$의 분모와 분자의 차인 7의 $42 \div 7 = 6$(배)이므로 조건을 모두 만족하는 분수는 $\frac{3\times6}{10\times6}=\frac{18}{60}$입니다.

유제 6 예 구하려는 분수를 $\frac{3\times\square}{4\times\square}$라 하면 □가 분모와 분자의 최대공약수이고 분모와 분자의 최소공배수는 60이므로 $\square\times3\times4=60$, $\square\times12=60$, $\square=60\div12=5$입니다.」 ❶
따라서 조건을 모두 만족하는 분수는 $\frac{3\times5}{4\times5}=\frac{15}{20}$입니다.」 ❷

채점 기준
❶ $\frac{3}{4}$의 분모와 분자에 얼마를 곱해야 하는지 알아보기
❷ 조건을 모두 만족하는 분수 구하기

유형 4 (2) $\frac{3}{7}<\frac{4}{■}$ ⇨ $\frac{12}{28}<\frac{12}{■\times3}$에서 $28>■\times3$입니다.
따라서 ■에 알맞은 자연수 중에서 가장 큰 수는 9입니다.

유제 7 $\frac{3}{\square}<\frac{7}{11}$에서 분자를 21로 같게 하면

$\frac{21}{\square\times7}<\frac{21}{33}$이므로 $\square\times7>33$입니다.

따라서 □ 안에 들어갈 수 있는 자연수 중에서 가장 작은 수는 5입니다.

유제 8 $0.8=\frac{8}{10}=\frac{4}{5}$

$\frac{6}{13}<\frac{5}{\square}<\frac{4}{5}$에서 분자를 60으로 같게 하면

$\frac{60}{130}<\frac{60}{\square\times12}<\frac{60}{75}$이므로

$130>\square\times12>75$입니다.

따라서 □ 안에 들어갈 수 있는 자연수는 7, 8, 9, 10으로 모두 4개입니다.

유형 5 (1) 분자인 5에 20을 더하면 $5+20=25$가 됩니다.

(2) $\frac{5}{9}$와 크기가 같은 분수 중에서 분자가 25인 분수는 $\frac{5}{9}=\frac{5\times5}{9\times5}=\frac{25}{45}$입니다.

(3) 분모에 $45-9=36$을 더해야 합니다.

유제 9 $11+22=33$이므로 $\frac{8}{11}$과 크기가 같은 분수 중에서 분모가 33인 분수를 찾습니다.

$\frac{8}{11}=\frac{8\times3}{11\times3}=\frac{24}{33}$

따라서 분자에 $24-8=16$을 더해야 합니다.

유제 10 $72-60=12$이므로 $\frac{72}{162}$와 크기가 같은 분수 중에서 분자가 12인 분수를 찾습니다.

$\frac{72}{162}=\frac{72\div6}{162\div6}=\frac{12}{27}$

따라서 분모에서 $162-27=135$를 빼야 합니다.

유형 6 (1) ㉠ (도, 라) ⇨ $\frac{264}{440}=\frac{3}{5}$

㉡ (파, 솔) ⇨ $\frac{352}{396}=\frac{8}{9}$

㉢ (미, 시) ⇨ $\frac{330}{495}=\frac{2}{3}$

(2) 분모와 분자가 모두 7보다 작은 것은 ㉠ $\frac{3}{5}$과 ㉢ $\frac{2}{3}$이므로 (도, 라)와 (미, 시)가 잘 어울리는 음입니다.

유제 11 ㉠ (도, 파) ⇨ $\frac{264}{352}=\frac{3}{4}$

㉡ (레, 미) ⇨ $\frac{297}{330}=\frac{9}{10}$

㉢ (미, 솔) ⇨ $\frac{330}{396}=\frac{5}{6}$

따라서 분모와 분자가 모두 7보다 작지 않은 것은 ㉡ $\frac{9}{10}$이므로 잘 어울리지 않는 음끼리 모은 부분은 ㉡입니다.

상위권 문제 확인과 응용

68~71쪽

1	11개	**2**	$\frac{3}{7}, \frac{5}{7}, \frac{3}{8}, \frac{5}{8}, \frac{7}{8}$
3	$\frac{11}{20}, \frac{13}{20}$	**4**	풀이 참조, 지혜
5	$\frac{3}{5}$	**6**	풀이 참조, 5개
7	$\frac{15}{55}$	**8**	$\frac{7}{12}$
9	5	**10**	5, 3
11	4	**12**	한국, 일본, 이란, 중국

1 $\frac{7}{8}$과 크기가 같은 분수 중에서 분모가 두 자리 수인 분수는 $\frac{14}{16}, \frac{21}{24}$ …… $\frac{77}{88}, \frac{84}{96}$로 모두 11개입니다.

2 56을 공통분모로 하여 통분할 수 있으려면 분모는 7 또는 8이어야 합니다. 따라서 만들 수 있는 진분수는 $\frac{3}{7}, \frac{5}{7}, \frac{3}{8}, \frac{5}{8}, \frac{7}{8}$입니다.

3 ㉠ 0.01이 54개인 수 → 0.54

㉡ 0.01이 76개인 수 → 0.76

분모가 20인 기약분수를 $\frac{\square}{20}$라 하면

$\frac{\square}{20}=\frac{\square\times5}{20\times5}=\frac{\square\times5}{100}$이므로

$0.54<\frac{\square}{20}<0.76$

$\rightarrow \frac{54}{100}<\frac{\square\times5}{100}<\frac{76}{100}$

$\rightarrow 54<\square\times5<76$입니다.

따라서 □ 안에 들어갈 수 있는 수는 11, 12, 13, 14, 15이고 이 중에서 기약분수는 $\frac{11}{20}, \frac{13}{20}$입니다.

4 예 $0.4=\frac{4}{10}=\frac{2}{5}$입니다. $\frac{2}{5}=\frac{16}{40}$, $\frac{3}{8}=\frac{15}{40}$이므로 지혜와 승하가 마실 우유의 양은 전체의 $\frac{16}{40}+\frac{15}{40}=\frac{31}{40}$이고 정호가 마실 우유의 양은 전체의 $1-\frac{31}{40}=\frac{9}{40}$입니다.」 ❶

따라서 $\frac{16}{40}>\frac{15}{40}>\frac{9}{40}$이므로 우유를 가장 많이 마시는 사람은 지혜입니다.」 ❷

채점 기준
❶ 지혜, 승하, 정호가 마실 우유의 양을 각각 구하기
❷ 우유를 가장 많이 마시는 사람 구하기

5 분모가 5인 분수를 $\frac{\square}{5}$라 하고 $\frac{\square}{5}$와 $\frac{9}{16}$를 통분하면

$\frac{\square}{5}=\frac{\square\times16}{5\times16}=\frac{\square\times16}{80}$,

$\frac{9}{16}=\frac{9\times5}{16\times5}=\frac{45}{80}$입니다.

$\frac{\square\times16}{80}$에서 $\square=2$이면 $\frac{32}{80}$이고,

$\square=3$이면 $\frac{48}{80}$입니다.

따라서 $\frac{32}{80}$와 $\frac{48}{80}$ 중에서 $\frac{45}{80}$에 더 가까운 분수는 $\frac{48}{80}$이므로 분모가 5인 분수 중에서 $\frac{9}{16}$에 가장 가까운 분수는 $\frac{48}{80}=\frac{3}{5}$입니다.

6 예 분모가 45이므로 기약분수로 나타내었을 때 단위분수가 되는 분수는 분자가 45의 약수일 때입니다.」 ❶

45의 약수는 1, 3, 5, 9, 15, 45이므로 기약분수로 나타내었을 때 단위분수가 되는 분수는

$\frac{1}{45}$, $\frac{3}{45}$, $\frac{5}{45}$, $\frac{9}{45}$, $\frac{15}{45}$로 모두 5개입니다.」 ❷

채점 기준
❶ 기약분수로 나타내었을 때 단위분수가 되는 분자의 조건 알아보기
❷ 조건을 모두 만족하는 분수의 개수 구하기

7 분모와 분자의 최대공약수를 $\square$라 하면 약분하기 전의 분수는 $\frac{3\times\square}{11\times\square}$입니다.

분모와 분자의 최소공배수는 165이므로

$\square\times3\times11=165$, $\square=165\div33=5$입니다.

따라서 조건을 모두 만족하는 분수는

$\frac{3\times5}{11\times5}=\frac{15}{55}$입니다.

8 두 분수 $\frac{5}{9}$와 $\frac{11}{18}$을 통분하면 $\frac{10}{18}$, $\frac{11}{18}$입니다.

$\frac{10}{18}$과 $\frac{11}{18}$의 분자는 1만큼 차이가 나고 수직선에서 $\frac{10}{18}$과 $\frac{11}{18}$ 사이는 8칸으로 나누어져 있으므로 분모와 분자에 각각 8을 곱하여 크기가 같은 분수를 만듭니다.

⇨ $\frac{10}{18}=\frac{10\times8}{18\times8}=\frac{80}{144}$,

$\frac{11}{18}=\frac{11\times8}{18\times8}=\frac{88}{144}$

$\frac{80}{144}$ $\frac{81}{144}$ $\frac{82}{144}$ $\frac{83}{144}$ $\frac{84}{144}$ $\frac{85}{144}$ $\frac{86}{144}$ $\frac{87}{144}$ $\frac{88}{144}$

(㉠: $\frac{84}{144}$)

따라서 ㉠이 나타내는 분수는 $\frac{84}{144}$이고, 기약분수로 나타내면 $\frac{7}{12}$입니다.

9 $\frac{17}{21}$의 분모와 분자에서 각각 뺀 수를 $\square$라 하면

$\frac{17-\square}{21-\square}$입니다.

$\frac{17-\square}{21-\square}$의 분모와 분자의 차는

$(21-\square)-(17-\square)=4$이므로 $\frac{3}{4}$과 크기가 같은 분수 중에서 분모와 분자의 차가 4인 분수를 찾습니다. $\frac{3}{4}$의 분모와 분자의 차는 $4-3=1$이고, 4는 분모와 분자의 차인 1의 $4\div1=4$(배)이므로

$\frac{17-\square}{21-\square}=\frac{3\times4}{4\times4}=\frac{12}{16}$입니다.

따라서 $\frac{17-\square}{21-\square}=\frac{12}{16}$에서 $\square=5$입니다.

10 $\frac{▲}{■+1}$와 $\frac{▲}{■+4}$의 분자는 ▲로 같고 분모의 차는

$(■+4)-(■+1)=3$입니다.

$\frac{1}{2}$, $\frac{1}{3}$과 각각 크기가 같은 분수 중에서 두 분수의 분자는 같고 분모의 차가 3인 분수를 찾습니다.

$\frac{▲}{■+1}=\frac{1}{2}=\frac{2}{4}=\frac{3}{6}=\frac{4}{8}=\cdots\cdots$,

$\frac{▲}{■+4}=\frac{1}{3}=\frac{2}{6}=\frac{3}{9}=\frac{4}{12}=\cdots\cdots$

⇨ $\frac{▲}{■+1}=\frac{3}{6}$, $\frac{▲}{■+4}=\frac{3}{9}$에서 ■$=5$, ▲$=3$입니다.

11 ㉮ 조가 1점을 얻었으므로 ㉯ 조의 돌 중에서 원의 중심에 가장 가까운 돌보다 ㉮ 조의 돌이 원의 중심에 더 가까이 있어야 합니다.

원의 중심과 노란 돌 사이의 거리인 $\frac{12}{25}$ m와,

0.46 m를 비교하면 $0.46=\frac{46}{100}=\frac{23}{50}$이므로

$\frac{12}{25}\left(=\frac{24}{50}\right)>0.46\left(=\frac{23}{50}\right)$입니다.

따라서 $\frac{\square}{10}<0.46$이어야 ㉮ 조가 1점을 얻을 수 있습니다.

$\frac{\square}{10}<0.46$ ⇨ $\frac{\square}{10}<\frac{23}{50}$ ⇨ $\frac{\square\times5}{50}<\frac{23}{50}$에서 $\square\times5<23$이므로 □ 안에 들어갈 수 있는 가장 큰 자연수는 4입니다.

12 $0.23=\frac{23}{100}$입니다.

$\frac{2}{25}$, $\frac{23}{100}$, $\frac{7}{50}$, $\frac{1}{5}$을 통분하면

$\frac{8}{100}$, $\frac{23}{100}$, $\frac{14}{100}$, $\frac{20}{100}$이므로

$\frac{23}{100}>\frac{20}{100}>\frac{14}{100}>\frac{8}{100}$입니다.

따라서 많은 사람이 축구 종목의 우승국이라고 예상한 나라부터 차례대로 쓰면 한국, 일본, 이란, 중국입니다.

최상위권 문제 72~73쪽

1 $\frac{5}{9}$	**2** $\frac{32}{48}$
3 $\frac{17}{23}$	**4** 17째 번
5 8	**6** 98, 14

1 비법 PLUS
(분자)×2>(분모)이면 $0.5\left(=\frac{1}{2}\right)$보다 큰 분수입니다.

$0.5=\frac{5}{10}=\frac{1}{2}$

만들 수 있는 진분수 중에서 $\frac{1}{2}$보다 큰 수는

$\frac{3}{5}$, $\frac{5}{7}$, $\frac{5}{8}$, $\frac{7}{8}$, $\frac{5}{9}$, $\frac{7}{9}$, $\frac{8}{9}$입니다.

이 중 가장 작은 수를 구하기 위해 $\frac{3}{5}$, $\frac{5}{7}$, $\frac{5}{8}$, $\frac{5}{9}$의 크기를 비교하면 분자가 같을 때 분모가 작을수록 큰 수이므로 $\frac{5}{7}>\frac{5}{8}>\frac{5}{9}$이고

$\frac{3}{5}\left(=\frac{27}{45}\right)>\frac{5}{9}\left(=\frac{25}{45}\right)$입니다.

따라서 만들 수 있는 진분수 중에서 가장 작은 수는 $\frac{5}{9}$입니다.

2 비법 PLUS
48을 공통분모로 하여 $\frac{7}{12}$과 $\frac{11}{16}$을 통분한 후 두 분수 사이에 있는 분수를 찾아봅니다.

$\frac{7}{12}$과 $\frac{11}{16}$을 통분하면 $\frac{28}{48}$, $\frac{33}{48}$이므로 $\frac{28}{48}$보다 크고 $\frac{33}{48}$보다 작은 분수 중에서 분모가 48인 진분수는 $\frac{29}{48}$, $\frac{30}{48}$, $\frac{31}{48}$, $\frac{32}{48}$입니다.

$\frac{21}{32}$, $\frac{29}{48}$, $\frac{30}{48}$, $\frac{31}{48}$, $\frac{32}{48}$를 통분하면 $\frac{63}{96}$, $\frac{58}{96}$, $\frac{60}{96}$, $\frac{62}{96}$, $\frac{64}{96}$이고 이 중에서 $\frac{63}{96}$보다 큰 수는 $\frac{64}{96}\left(=\frac{32}{48}\right)$입니다.

따라서 조건을 모두 만족하는 분수는 $\frac{32}{48}$입니다.

3 처음 분수를 $\frac{▲}{■}$라고 하면 ■+▲=40이고,

$\frac{▲-5}{■+5}=\frac{3}{7}$입니다.

(■+5)+(▲−5)=■+▲=40이므로 $\frac{3}{7}$과 크기가 같은 분수 중에서 분모와 분자의 합이 40인 분수를 찾습니다.

$\frac{3}{7}$의 분모와 분자의 합은 7+3=10이고, 40은 10의 4배이므로 $\frac{▲-5}{■+5}=\frac{3\times4}{7\times4}=\frac{12}{28}$입니다.

■+5=28 ⇨ ■=23, ▲−5=12 ⇨ ▲=17

따라서 처음 분수는 $\frac{17}{23}$입니다.

4 비법 PLUS 규칙을 찾아 분수를 늘어 놓은 뒤 $\frac{3}{5}$과 크기가 같은 분수를 찾습니다.

분모는 3씩 커지고 분자는 2씩 커지는 규칙입니다. 분수의 분모를 차례대로 쓰면 12, 15, 18, 21, 24, 27, 30, 33, 36, 39, 42, 45, 48, 51, 54, 57, 60……이고 이 중에서 5의 배수는 15, 30, 45, 60……입니다. 각각의 경우의 분수는 $\frac{6}{15}$, $\frac{16}{30}$, $\frac{26}{45}$, $\frac{36}{60}$……입니다.

따라서 분모가 5의 배수인 분수 중에서 $\frac{3}{5}$과 크기가 같은 분수는 $\frac{36}{60}$이므로 $36\div2-1=17$(째 번)에 놓입니다.

5 분자를 7, 3의 최소공배수인 21로 같게 하면

$\frac{7}{2}=\frac{21}{6}$, $\frac{3}{●}=\frac{21}{●\times7}$, $\frac{7}{6}=\frac{21}{18}$, $\frac{3}{♥}=\frac{21}{♥\times7}$, $\frac{7}{10}=\frac{21}{30}$입니다.

• $\frac{21}{6}>\frac{21}{●\times7}>\frac{21}{18}$에서 $6<●\times7<18$이므로 ●=1, 2이고 이 중에서 큰 수는 2입니다.

• $\frac{21}{18}>\frac{21}{♥\times7}>\frac{21}{30}$에서 $18<♥\times7<30$이므로 ♥=3, 4이고 이 중에서 큰 수는 4입니다.

따라서 ●×♥의 계산 결과가 가장 클 때의 값은 $2\times4=8$입니다.

6 비법 PLUS $\frac{1}{28}$의 분모와 분자에 같은 수를 곱하여 $\frac{㉠}{㉡\times㉡\times㉡}$의 형태로 나타냅니다.

$\frac{㉠}{㉡\times㉡\times㉡}=\frac{1}{28}$에서 $28=2\times2\times7$이므로 분모를 ㉡×㉡×㉡과 같이 똑같은 수를 세 번 곱한 수로 나타내기 위해서는 분모와 분자에 각각 2×7×7을 곱해야 합니다.

$$⇨ \frac{1}{28}=\frac{1}{2\times2\times7}=\frac{1\times(2\times7\times7)}{(2\times2\times7)\times(2\times7\times7)}=\frac{2\times7\times7}{(2\times7)\times(2\times7)\times(2\times7)}$$

따라서 ㉠=2×7×7=98, ㉡=2×7=14입니다.

⑤ 분수의 덧셈과 뺄셈

핵심 개념과 문제 77쪽

1 (선 잇기)　2 $\frac{7}{8}$

3 $6\frac{23}{30}$ km　4 $1\frac{11}{15}$

5 수호　6 $7\frac{1}{20}$

1 • $2\frac{7}{8}+1\frac{1}{6}=2\frac{21}{24}+1\frac{4}{24}=3\frac{25}{24}=4\frac{1}{24}$

• $1\frac{7}{12}+2\frac{5}{8}=1\frac{14}{24}+2\frac{15}{24}=3\frac{29}{24}=4\frac{5}{24}$

2 • $\frac{1}{8}$이 5개인 수 ⇨ $\frac{5}{8}$

• $\frac{1}{12}$보다 $\frac{1}{6}$만큼 더 큰 수

⇨ $\frac{1}{12}+\frac{1}{6}=\frac{1}{12}+\frac{2}{12}=\frac{3}{12}=\frac{1}{4}$

따라서 두 분수의 합은 $\frac{5}{8}+\frac{1}{4}=\frac{5}{8}+\frac{2}{8}=\frac{7}{8}$입니다.

3 (집에서 병원을 지나 학교까지 가는 거리)

$=4\frac{7}{15}+2\frac{3}{10}=4\frac{14}{30}+2\frac{9}{30}=6\frac{23}{30}$(km)

4 $\square-\frac{5}{6}=\frac{9}{10}$

⇨ $\square=\frac{9}{10}+\frac{5}{6}=\frac{27}{30}+\frac{25}{30}=\frac{52}{30}=1\frac{22}{30}=1\frac{11}{15}$

5 • (준규가 수학 공부를 한 시간)

$=\frac{1}{3}+\frac{3}{4}=\frac{4}{12}+\frac{9}{12}=\frac{13}{12}=1\frac{1}{12}$(시간)

• (수호가 수학 공부를 한 시간)

$=\frac{2}{3}+\frac{1}{2}=\frac{4}{6}+\frac{3}{6}=\frac{7}{6}=1\frac{1}{6}$(시간)

따라서 $1\frac{1}{12}<1\frac{1}{6}$이므로 수호가 수학 공부를 더 오래 했습니다.

6 • 만들 수 있는 가장 큰 대분수: $5\frac{1}{4}$

• 만들 수 있는 가장 작은 대분수: $1\frac{4}{5}$

⇨ $5\frac{1}{4}+1\frac{4}{5}=5\frac{5}{20}+1\frac{16}{20}=6\frac{21}{20}=7\frac{1}{20}$

핵심 개념과 문제 79쪽

1 $\frac{1}{3\times4}$

/ $\frac{7}{12}-\frac{1}{3}=\frac{7}{12}-\frac{1\times4}{3\times4}$

$=\frac{7}{12}-\frac{4}{12}=\frac{3}{12}=\frac{1}{4}$

2 (1) $>$ (2) $<$

3 $2\frac{19}{30}$

4 $\frac{17}{60}$ kg

5 $\frac{17}{40}$

6 $\frac{23}{24}$ km

2 (1) $\frac{5}{6}-\frac{1}{4}=\frac{7}{12}\left(=\frac{35}{60}\right)$, $\frac{3}{5}-\frac{1}{2}=\frac{1}{10}\left(=\frac{6}{60}\right)$ ⇨ $\frac{35}{60}>\frac{6}{60}$

(2) $3\frac{5}{8}-3\frac{7}{12}=\frac{1}{24}\left(=\frac{3}{72}\right)$, $1\frac{4}{9}-1\frac{1}{6}=\frac{5}{18}\left(=\frac{20}{72}\right)$ ⇨ $\frac{3}{72}<\frac{20}{72}$

3 가장 큰 분수: $3\frac{7}{10}$, 가장 작은 분수: $1\frac{1}{15}$

⇨ $3\frac{7}{10}-1\frac{1}{15}=3\frac{21}{30}-1\frac{2}{30}=2\frac{19}{30}$

4 (준서에게 주고 남은 딸기)

$=2\frac{7}{10}-1\frac{1}{3}=2\frac{21}{30}-1\frac{10}{30}=1\frac{11}{30}$(kg)

⇨ (준서와 태형이에게 주고 남은 딸기)

$=1\frac{11}{30}-1\frac{1}{12}=1\frac{22}{60}-1\frac{5}{60}=\frac{17}{60}$(kg)

5 밭 전체를 1이라 하면 밭 전체에서 배추를 심고 남은 부분은 $1-\frac{3}{8}=\frac{8}{8}-\frac{3}{8}=\frac{5}{8}$입니다.

배추를 심고 남은 부분에서 콩을 심은 부분을 빼면 $\frac{5}{8}-\frac{1}{5}=\frac{25}{40}-\frac{8}{40}=\frac{17}{40}$이므로

감자를 심은 부분은 밭 전체의 $\frac{17}{40}$입니다.

6 (㉠~㉢)+(㉡~㉣)

$=2\frac{1}{6}+6\frac{5}{12}=2\frac{2}{12}+6\frac{5}{12}=8\frac{7}{12}$(km)

⇨ (㉡~㉢)=(㉠~㉢)+(㉡~㉣)−(㉠~㉣)

$=8\frac{7}{12}-7\frac{5}{8}=8\frac{14}{24}-7\frac{15}{24}$

$=7\frac{38}{24}-7\frac{15}{24}=\frac{23}{24}$(km)

상위권 문제 80~85쪽

유형 1 (1) $\frac{7}{12}$ (2) $\frac{5}{12}$

유제 1 $2\frac{13}{15}$

유제 2 풀이 참조, $4\frac{5}{36}$

유형 2 (1) $4\frac{1}{8}$ m (2) $\frac{5}{6}$ m (3) $3\frac{7}{24}$ m

유제 3 $7\frac{5}{12}$ m

유제 4 $\frac{1}{10}$ m

유형 3 (1) $1\frac{1}{4}$ (2) 7

유제 5 50

유제 6 3개

유형 4 (1) $2\frac{1}{42}$ kg (2) $1\frac{17}{21}$ kg

유제 7 $1\frac{19}{24}$ kg

유제 8 풀이 참조, $1\frac{2}{15}$ kg

유형 5 (1) $8\frac{4}{5}$, $7\frac{2}{3}$ 또는 $8\frac{2}{3}$, $7\frac{4}{5}$

(2) $16\frac{7}{15}$

유제 9 $18\frac{1}{3}$

유제 10 $8\frac{7}{24}$

유형 6 (1) $\frac{1}{2}$, $\frac{1}{8}$, $\frac{1}{16}$ (2) 예 2, 8, 16

유제 11 예 $\frac{1}{2}$, $\frac{1}{4}$, $\frac{1}{16}$, $\frac{1}{32}$

유형 1 (1) 어떤 수를 □라고 하면 $□+\frac{1}{6}=\frac{3}{4}$입니다.

⇨ $□=\frac{3}{4}-\frac{1}{6}=\frac{9}{12}-\frac{2}{12}=\frac{7}{12}$

(2) 어떤 수는 $\frac{7}{12}$이므로 바르게 계산하면

$\frac{7}{12}-\frac{1}{6}=\frac{7}{12}-\frac{2}{12}=\frac{5}{12}$입니다.

유제 1 어떤 수를 □라고 하면 $□-\frac{3}{10}=2\frac{4}{15}$이므로

$□=2\frac{4}{15}+\frac{3}{10}=2\frac{8}{30}+\frac{9}{30}=2\frac{17}{30}$입니다.

따라서 어떤 수는 $2\frac{17}{30}$이므로 바르게 계산하면

$2\frac{17}{30}+\frac{3}{10}=2\frac{17}{30}+\frac{9}{30}$

$=2\frac{26}{30}=2\frac{13}{15}$입니다.

유제 2 예 어떤 수를 □라고 하면

$\square+5\frac{8}{9}=15\frac{11}{12}$이므로

$\square=15\frac{11}{12}-5\frac{8}{9}=15\frac{33}{36}-5\frac{32}{36}=10\frac{1}{36}$

입니다.」 ❶

따라서 어떤 수는 $10\frac{1}{36}$이므로 바르게 계산하면

$10\frac{1}{36}-5\frac{8}{9}=10\frac{1}{36}-5\frac{32}{36}$

$=9\frac{37}{36}-5\frac{32}{36}=4\frac{5}{36}$입니다.」 ❷

채점 기준
❶ 어떤 수 구하기
❷ 바르게 계산한 값 구하기

유형 2 (1) $1\frac{3}{8}+1\frac{3}{8}+1\frac{3}{8}=3\frac{9}{8}=4\frac{1}{8}$(m)

(2) 겹쳐진 부분이 2군데이므로 겹쳐진 부분의 길이의 합은 $\frac{5}{12}+\frac{5}{12}=\frac{10}{12}=\frac{5}{6}$(m)입니다.

(3) (색 테이프 3장의 길이의 합)

−(겹쳐진 부분의 길이의 합)

$=4\frac{1}{8}-\frac{5}{6}=4\frac{3}{24}-\frac{20}{24}$

$=3\frac{27}{24}-\frac{20}{24}=3\frac{7}{24}$(m)

유제 3 (색 테이프 3장의 길이의 합)

$=3\frac{1}{4}+3\frac{1}{4}+3\frac{1}{4}=9\frac{3}{4}$(m)

겹쳐진 부분이 2군데이므로 겹쳐진 부분의 길이의 합은 $1\frac{1}{6}+1\frac{1}{6}=2\frac{2}{6}=2\frac{1}{3}$(m)입니다.

⇨ (이어 붙인 색 테이프 전체의 길이)

$=9\frac{3}{4}-2\frac{1}{3}=9\frac{9}{12}-2\frac{4}{12}=7\frac{5}{12}$(m)

유제 4 (겹쳐진 부분의 길이의 합)

=(색 테이프 4장의 길이의 합)

−(이어 붙인 색 테이프 전체의 길이)

$=\left(1\frac{1}{5}+1\frac{1}{5}+1\frac{1}{5}+1\frac{1}{5}\right)-4\frac{1}{2}$

$=4\frac{4}{5}-4\frac{1}{2}=4\frac{8}{10}-4\frac{5}{10}=\frac{3}{10}$(m)

겹쳐진 부분이 3군데이고

$\frac{1}{10}+\frac{1}{10}+\frac{1}{10}=\frac{3}{10}$이므로 $\frac{1}{10}$ m씩 겹치게 이어 붙였습니다.

유형 3 (1) $\frac{2}{3}+\frac{7}{12}=\frac{8}{12}+\frac{7}{12}$

$=\frac{15}{12}=1\frac{3}{12}=1\frac{1}{4}$

(2) $1\frac{1}{4}\left(=\frac{5}{4}\right)<\frac{\square}{5}$ ⇨ $\frac{25}{20}<\frac{\square\times4}{20}$

⇨ $25<\square\times4$

따라서 □ 안에 들어갈 수 있는 자연수 중에서 가장 작은 수는 7입니다.

유제 5 $7\frac{1}{6}-2\frac{2}{3}=7\frac{1}{6}-2\frac{4}{6}=6\frac{7}{6}-2\frac{4}{6}$

$=4\frac{3}{6}=4\frac{1}{2}$이므로

$4\frac{1}{2}\left(=\frac{9}{2}\right)<\frac{\square}{11}$ ⇨ $\frac{99}{22}<\frac{\square\times2}{22}$

⇨ $99<\square\times2$입니다.

따라서 □ 안에 들어갈 수 있는 자연수 중에서 가장 작은 수는 50입니다.

유제 6 $1\frac{8}{15}+\frac{\square}{7}=\frac{23}{15}+\frac{\square}{7}$

$=\frac{161}{105}+\frac{\square\times15}{105}$

$=\frac{161+\square\times15}{105}$이고,

$2=\frac{210}{105}$이므로 식을 간단히 만들면

$\frac{161+\square\times15}{105}<\frac{210}{105}$ ⇨ $161+\square\times15<210$

⇨ $\square\times15<49$입니다.

따라서 □ 안에 들어갈 수 있는 자연수는 1, 2, 3이므로 모두 3개입니다.

참고 $1=\frac{105}{105}$이므로 $2=\frac{210}{105}$, $3=\frac{315}{105}$……와 같이 나타낼 수 있습니다.

유형 4 (1) (전체 물의 반의 무게)

=(물이 가득 들어 있는 물통의 무게)

−(물을 마시고 난 후의 물통의 무게)

$=5\frac{6}{7}-3\frac{5}{6}=5\frac{36}{42}-3\frac{35}{42}=2\frac{1}{42}$(kg)

(2) (빈 물통의 무게)

=(물을 마시고 난 후의 물통의 무게)

−(전체 물의 반의 무게)

$=3\frac{5}{6}-2\frac{1}{42}=3\frac{35}{42}-2\frac{1}{42}$

$=1\frac{34}{42}=1\frac{17}{21}$(kg)

유제 7 (전체 주스의 반의 무게)
=(주스가 가득 들어 있는 병의 무게)
−(주스를 마시고 난 후의 병의 무게)
$=3\frac{7}{8}-2\frac{5}{6}=3\frac{21}{24}-2\frac{20}{24}=1\frac{1}{24}$(kg)
⇨ (빈 병의 무게)
=(주스를 마시고 난 후의 병의 무게)
−(전체 주스의 반의 무게)
$=2\frac{5}{6}-1\frac{1}{24}=2\frac{20}{24}-1\frac{1}{24}=1\frac{19}{24}$(kg)

유제 8 예 전체 물의 $\frac{1}{3}$의 무게는
$4\frac{1}{5}-3\frac{8}{45}=4\frac{9}{45}-3\frac{8}{45}=1\frac{1}{45}$(kg)
입니다.」❶
전체 물의 $\frac{1}{3}$의 무게가 $1\frac{1}{45}$ kg이므로 전체 물의 무게는
$1\frac{1}{45}+1\frac{1}{45}+1\frac{1}{45}=3\frac{3}{45}=3\frac{1}{15}$(kg)
입니다.」❷
따라서 빈 물통의 무게는 물이 가득 들어 있는 물통의 무게에서 전체 물의 무게를 뺀 것과 같으므로
$4\frac{1}{5}-3\frac{1}{15}=4\frac{3}{15}-3\frac{1}{15}=1\frac{2}{15}$(kg)
입니다.」❸

채점 기준
❶ 전체 물의 $\frac{1}{3}$의 무게 구하기
❷ 전체 물의 무게 구하기
❸ 빈 물통의 무게 구하기

유형 5 (1) 8과 7을 자연수 부분에 각각 놓고 2, 3, 4, 5로 합이 가장 큰 진분수를 2개 만들어야 합니다.
따라서 $8\frac{4}{5}+7\frac{2}{3}$ 또는 $8\frac{2}{3}+7\frac{4}{5}$일 때 합이 가장 크게 됩니다.
(2) $8\frac{4}{5}+7\frac{2}{3}=8\frac{12}{15}+7\frac{10}{15}=16\frac{7}{15}$

유제 9 합이 가장 크게 되려면 9와 8을 자연수 부분에 각각 놓고 1, 2, 5, 6으로 합이 가장 큰 진분수를 2개 만들어야 합니다.
따라서 $9\frac{5}{6}+8\frac{1}{2}$ 또는 $9\frac{1}{2}+8\frac{5}{6}$일 때 합이 가장 크게 됩니다.
⇨ $9\frac{5}{6}+8\frac{1}{2}=9\frac{5}{6}+8\frac{3}{6}=18\frac{2}{6}=18\frac{1}{3}$

유제 10 차가 가장 크게 되려면 자연수 부분에는 가장 큰 수와 가장 작은 수를 놓고 나머지 수로 차가 가장 큰 진분수를 2개 만들어야 합니다.
⇨ $9\frac{4}{6}-1\frac{3}{8}=9\frac{16}{24}-1\frac{9}{24}=8\frac{7}{24}$

유형 6 (1) ㉠ $\frac{1}{16}+\frac{1}{16}+\frac{1}{16}+\frac{1}{16}+\frac{1}{16}+\frac{1}{16}+\frac{1}{16}+\frac{1}{16}=\frac{8}{16}=\frac{1}{2}$
㉡ $\frac{1}{16}+\frac{1}{16}=\frac{2}{16}=\frac{1}{8}$
㉢ $\frac{1}{16}$
(2) $\frac{1}{2}+\frac{1}{8}+\frac{1}{16}=\frac{8}{16}+\frac{2}{16}+\frac{1}{16}=\frac{11}{16}$

유제 11 색종이 조각을 단위분수로 나타내면 다음과 같습니다.

$\frac{1}{2}+\frac{1}{4}+\frac{1}{16}+\frac{1}{32}$
$=\frac{16}{32}+\frac{8}{32}+\frac{2}{32}+\frac{1}{32}=\frac{27}{32}$

상위권 문제 확인과 응용 86~89쪽

1	3시간 50분	**2**	$\frac{11}{12}$
3	13개	**4**	$\frac{29}{36}$ kg
5	$\frac{7}{12}$ L	**6**	풀이 참조, 60개
7	$1\frac{3}{35}$ m	**8**	풀이 참조, $8\frac{4}{805}$
9	6일	**10**	$\frac{13}{24}$, $\frac{3}{8}$
11	$\frac{1}{20}$	**12**	$\frac{1}{64}$

1 (부산에 가는 데 걸린 시간)
$=2\frac{1}{6}+1\frac{1}{3}+\frac{1}{3}=2\frac{1}{6}+1\frac{2}{6}+\frac{2}{6}=3\frac{5}{6}$(시간)
⇨ $\frac{5}{6}$시간$=\frac{50}{60}$시간$=$50분이므로 우희가 부산에 가는 데 걸린 시간은 모두 $3\frac{5}{6}$시간$=$3시간 50분입니다.

2 $\frac{5}{6} \odot \frac{3}{4} = \frac{5}{6} + \frac{5}{6} - \frac{3}{4} = \frac{10}{6} - \frac{3}{4}$
$= \frac{20}{12} - \frac{9}{12} = \frac{11}{12}$

3 $\frac{1}{4} - \frac{1}{5} = \frac{5}{20} - \frac{4}{20} = \frac{1}{20}$이므로
$\frac{1}{4} - \frac{1}{5} < \frac{1}{\square+6} \Rightarrow \frac{1}{20} < \frac{1}{\square+6}$입니다.
단위분수는 분모가 작을수록 더 큰 분수이므로
$\square+6<20$, $\square<14$입니다.
따라서 □ 안에 들어갈 수 있는 자연수는 1, 2, 3 ……12, 13으로 모두 13개입니다.

4 (전체 귤의 $\frac{2}{3}$의 무게)
$= 6\frac{8}{9} - 2\frac{5}{6} = 6\frac{16}{18} - 2\frac{15}{18} = 4\frac{1}{18}$(kg)이고,
$4\frac{1}{18} = 4\frac{2}{36} = 2\frac{1}{36} + 2\frac{1}{36}$이므로
전체 귤의 $\frac{1}{3}$의 무게는 $2\frac{1}{36}$ kg입니다.
⇨ (빈 상자의 무게)
=(귤을 나누어 준 후의 상자의 무게)
−(전체 귤의 $\frac{1}{3}$의 무게)
$= 2\frac{5}{6} - 2\frac{1}{36} = 2\frac{30}{36} - 2\frac{1}{36} = \frac{29}{36}$(kg)

5 처음 ㉯ 병에 들어 있던 주스의 양을 □ L라 하면
$\frac{5}{6} - \frac{1}{8} = \square + \frac{1}{8}$이므로 $\frac{17}{24} = \square + \frac{1}{8}$,
$\square = \frac{17}{24} - \frac{1}{8} = \frac{17}{24} - \frac{3}{24} = \frac{14}{24} = \frac{7}{12}$입니다.
따라서 처음 ㉯ 병에 들어 있던 주스의 양은 $\frac{7}{12}$ L 입니다.

6 예 수영이가 처음에 가지고 있던 딸기의 양을 1이라 하면 3개의 접시에 담고 남은 딸기의 양은 전체의
$1 - \left(\frac{2}{5} + \frac{1}{4} + \frac{3}{10}\right) = 1 - \left(\frac{8}{20} + \frac{5}{20} + \frac{6}{20}\right)$
$= 1 - \frac{19}{20} = \frac{1}{20}$입니다.」 ❶
따라서 전체 딸기의 $\frac{1}{20}$이 3개이므로 수영이가 처음에 가지고 있던 딸기는 $3 \times 20 = 60$(개)입니다.」 ❷

채점 기준
❶ 남은 딸기의 양은 전체의 얼마인지 구하기
❷ 수영이가 처음에 가지고 있던 딸기는 몇 개인지 구하기

7 (색 테이프 4장의 겹쳐진 부분의 길이의 합)
$= \frac{2}{5} + \frac{2}{5} + \frac{2}{5} = \frac{6}{5} = 1\frac{1}{5}$(m)
색 테이프 4장의 길이의 합은 (이어 붙인 색 테이프 전체의 길이)+(겹쳐진 부분의 길이의 합)이므로
$3\frac{1}{7} + 1\frac{1}{5} = 3\frac{5}{35} + 1\frac{7}{35} = 4\frac{12}{35}$(m)입니다.
⇨ $4\frac{12}{35} = 1\frac{3}{35} + 1\frac{3}{35} + 1\frac{3}{35} + 1\frac{3}{35}$이므로 색 테이프 한 장의 길이는 $1\frac{3}{35}$ m입니다.

8 예 자연수 부분과 분자는 2씩, 분모는 3씩 커지는 규칙입니다.」 ❶
따라서 여덟째 분수는 $16\frac{15}{23}$이고, 열두째 분수는 $24\frac{23}{35}$이므로 여덟째 분수와 열두째 분수의 차는
$24\frac{23}{35} - 16\frac{15}{23} = 24\frac{529}{805} - 16\frac{525}{805} = 8\frac{4}{805}$입니다.」 ❷

채점 기준
❶ 분수를 늘어놓은 규칙 알아보기
❷ 여덟째 분수와 열두째의 분수의 차 구하기

9 혼자서 일을 모두 끝내는 데 우민이는 $2 \times 4 = 8$(일), 윤정이는 $8 \times 3 = 24$(일)이 걸리므로 우민이와 윤정이가 하루에 하는 일의 양은 각각
전체의 $\frac{1}{8}$, 전체의 $\frac{1}{24}$입니다.
따라서 두 사람이 함께 하루에 하는 일의 양은 전체의 $\frac{1}{8} + \frac{1}{24} = \frac{3}{24} + \frac{1}{24} = \frac{4}{24} = \frac{1}{6}$이므로 두 사람이 함께 일을 해서 이 일을 모두 끝내는 데 6일이 걸립니다.

10 • (■+▲)+(■−▲)
$= \frac{11}{12} + \frac{1}{6} = \frac{11}{12} + \frac{2}{12} = \frac{13}{12}$
■+■$= \frac{13}{12} = \frac{26}{24} = \frac{13}{24} + \frac{13}{24}$ ⇨ ■$= \frac{13}{24}$
• ■+▲$= \frac{11}{12}$ ⇨ $\frac{13}{24}$+▲$= \frac{11}{12}$,
▲$= \frac{11}{12} - \frac{13}{24} = \frac{22}{24} - \frac{13}{24} = \frac{9}{24} = \frac{3}{8}$

11 만든 18 K 금반지는 전체의 $\frac{18}{24}\left(=\frac{3}{4}\right)$만큼이 금이고, 전체의 $\frac{1}{5}$이 은이므로 구리는 금반지 전체의
$1 - \frac{3}{4} - \frac{1}{5} = \frac{20}{20} - \frac{15}{20} - \frac{4}{20} = \frac{1}{20}$입니다.

12 (호루스의 눈의 여섯 부분의 합)

$=\frac{1}{2}+\frac{1}{4}+\frac{1}{8}+\frac{1}{16}+\frac{1}{32}+\frac{1}{64}$

$=\frac{32}{64}+\frac{16}{64}+\frac{8}{64}+\frac{4}{64}+\frac{2}{64}+\frac{1}{64}=\frac{63}{64}$

⇨ (토트가 채워준 부분)

$=1-\frac{63}{64}=\frac{64}{64}-\frac{63}{64}=\frac{1}{64}$

최상위권 문제 90~91쪽

1 9일	**2** $\frac{37}{70}$
3 $\frac{5}{14}$	**4** $\frac{2}{15}$
5 $18\frac{17}{20}$분	**6** $2\frac{1}{36}$ m

1 농부는 벼를 2일 동안 논 전체의

$\frac{1}{10}+\frac{1}{8}=\frac{4}{40}+\frac{5}{40}=\frac{9}{40}$만큼 심습니다.

논 전체를 1이라 하면

$1-\frac{9}{40}-\frac{9}{40}-\frac{9}{40}-\frac{9}{40}=\frac{4}{40}=\frac{1}{10}$이므로

8일 동안 벼를 심으면 논 전체의 $\frac{1}{10}$이 남습니다.

따라서 9일째에 논에 벼를 모두 심을 수 있으므로 9일이 걸립니다.

2 경복궁 또는 창경궁을 가 본 학생은 전체의

$\frac{2}{5}+\frac{3}{7}-\frac{5}{14}=\frac{14}{35}+\frac{15}{35}-\frac{5}{14}=\frac{29}{35}-\frac{5}{14}$

$=\frac{58}{70}-\frac{25}{70}=\frac{33}{70}$입니다.

따라서 경복궁과 창경궁 두 곳을 모두 가 보지 않은 학생은 전체의 $1-\frac{33}{70}=\frac{37}{70}$입니다.

3 비법 PLUS 먼저 단위분수의 분모를 연속하는 두 자연수의 곱으로 나타낸다.

$\frac{1}{6}+\frac{1}{12}+\frac{1}{20}+\frac{1}{30}+\frac{1}{42}$

$=\frac{1}{2\times3}+\frac{1}{3\times4}+\frac{1}{4\times5}+\frac{1}{5\times6}+\frac{1}{6\times7}$

$=\frac{1}{2}-\frac{1}{3}+\frac{1}{3}-\frac{1}{4}+\frac{1}{4}-\frac{1}{5}+\frac{1}{5}-\frac{1}{6}+\frac{1}{6}-\frac{1}{7}$

$=\frac{1}{2}-\frac{1}{7}=\frac{7}{14}-\frac{2}{14}=\frac{5}{14}$

4 비법 PLUS (㉮와 ㉯ 수도꼭지를 동시에 틀어 배수구를 연 욕조를 1분 동안 채울 수 있는 물의 양)
=(㉮ 수도꼭지로 1분 동안 채울 수 있는 물의 양)
+(㉯ 수도꼭지로 1분 동안 채울 수 있는 물의 양)
−(1분 동안 배수구로 나가는 물의 양)

㉮ 수도꼭지로만 1분 동안 채울 수 있는 물의 양은 전체의 $\frac{1}{15}$이고, ㉯ 수도꼭지로만 1분 동안 채울 수 있는 물의 양은 전체의 $\frac{1}{10}$입니다.

배수구를 연 욕조에 물을 가득 채우는 데 ㉯ 수도꼭지로만 15분이 걸렸으므로 1분 동안 배수구로 나가는 물의 양은 전체의 $\frac{1}{10}-\frac{1}{15}=\frac{3}{30}-\frac{2}{30}=\frac{1}{30}$입니다.

따라서 ㉮와 ㉯ 수도꼭지를 동시에 틀어 배수구를 연 욕조를 1분 동안 채울 수 있는 물의 양은 전체의 $\frac{1}{15}+\frac{1}{10}-\frac{1}{30}=\frac{2}{30}+\frac{3}{30}-\frac{1}{30}=\frac{4}{30}=\frac{2}{15}$입니다.

5 (5도막으로 자르는 데 걸리는 시간의 합)

$=3\frac{2}{5}+3\frac{2}{5}+3\frac{2}{5}+3\frac{2}{5}=12\frac{8}{5}=13\frac{3}{5}$(분)

(쉬는 시간의 합)

$=1\frac{3}{4}+1\frac{3}{4}+1\frac{3}{4}=3\frac{9}{4}=5\frac{1}{4}$(분)

따라서 통나무를 5도막으로 자르는 데 걸리는 시간은 모두 $13\frac{3}{5}+5\frac{1}{4}=13\frac{12}{20}+5\frac{5}{20}=18\frac{17}{20}$(분)입니다.

6 비법 PLUS

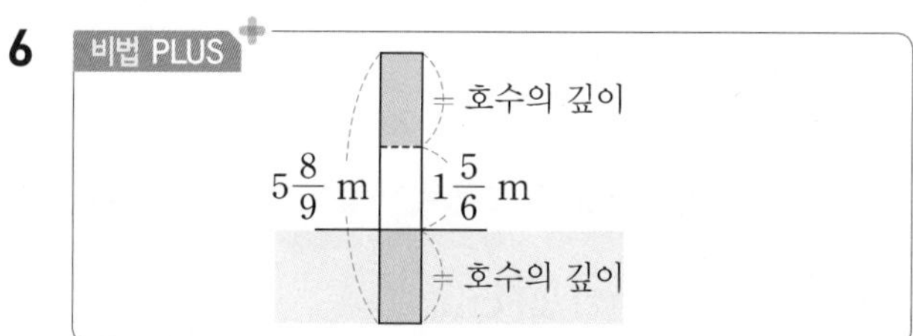

호수의 깊이를 □m라 하면

$□+1\frac{5}{6}+□=5\frac{8}{9}$입니다.

⇨ $□+□=5\frac{8}{9}-1\frac{5}{6}=5\frac{16}{18}-1\frac{15}{18}=4\frac{1}{18}$

따라서 $4\frac{1}{18}=4\frac{2}{36}=2\frac{1}{36}+2\frac{1}{36}$이므로 호수의 깊이는 $2\frac{1}{36}$ m입니다.

❻ 다각형의 둘레와 넓이

핵심 개념과 문제 95쪽

1 (1) 84 (2) 81

2 1 cm^2

4 cm^2 5 cm^2 6 cm^2 7 cm^2

3 (1) = (2) <

4 4, 3

5 14

6 25 m^2

3 (1) 70000 cm^2=7 m^2 ⇨ 70000 cm^2=7 m^2
(2) 500000 m^2=0.5 km^2
⇨ 500000 m^2<50 km^2

4 • (정육각형의 한 변의 길이)$=24\div6=4$(cm)
• (정팔각형의 한 변의 길이)$=24\div8=3$(cm)

5 (마름모의 둘레)$=12\times4=48$(cm)
두 다각형의 둘레가 같으므로
(평행사변형의 둘레)=(□+10)×2=48(cm)입니다.
⇨ □+10=24, □=24−10=14

6 (가로)+(세로)=(직사각형의 둘레)÷2
$=20\div2=10$(m)

가로(m)	1	2	3	4	5
세로(m)	9	8	7	6	5
넓이(m^2)	9	16	21	24	25

따라서 둘레가 20 m인 넓이가 가장 큰 직사각형의 넓이는 25 m^2입니다.

핵심 개념과 문제 97쪽

1 (1) 60 cm^2 (2) 39 cm^2

2 160 m^2

3 (1) 14 (2) 10

4 16 m

5 예 1 cm^2

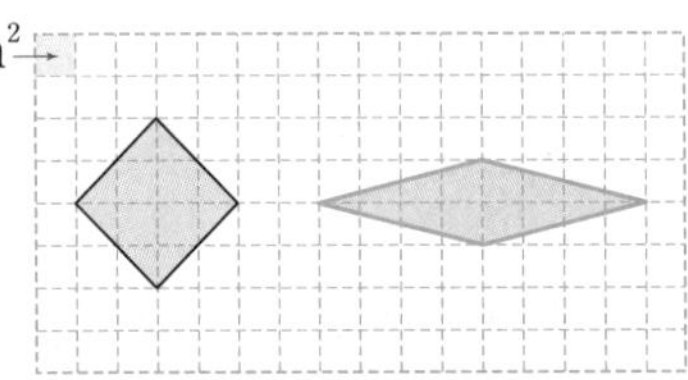

6 54 cm^2

1 (1) (평행사변형의 넓이)=(밑변의 길이)×(높이)
$=5\times12=60(cm^2)$
(2) (삼각형의 넓이)=(밑변의 길이)×(높이)÷2
$=6\times13\div2=39(cm^2)$

2 (꽃밭의 넓이)$=(16+24)\times8\div2=160(m^2)$

3 (1) □×9÷2=63, □=63×2÷9=14
(2) (20+□)×8÷2=120,
20+□=120×2÷8=30,
□=30−20=10

4 (다른 대각선의 길이)
=(마름모의 넓이)×2÷(한 대각선의 길이)
$=120\times2\div15=16$(m)

5 주어진 마름모의 넓이는 $4\times4\div2=8(cm^2)$입니다.
따라서 넓이가 8 cm^2가 되는 마름모를 그립니다.

6 (색칠한 부분의 넓이)
=(사다리꼴의 넓이)−(삼각형의 넓이)
$=(9+15)\times7\div2-15\times4\div2$
$=84-30=54(cm^2)$

상위권 문제 98~105쪽

유형 ❶ (1) (위에서부터) 13, 18 (2) 62 cm
유제 1 48 cm　유제 2 90 cm
유형 ❷ (1) 16 cm^2 (2) 4 cm (3) 96 cm
유제 3 432 cm^2
유제 4 풀이 참조, 54 cm
유형 ❸ (1) (위에서부터) 24, 18 (2) 432 cm^2
유제 5 286 cm^2　유제 6 308 cm^2
유형 ❹ (1) 224 cm^2 (2) 56 cm^2 (3) 168 cm^2
유제 7 255 cm^2　유제 8 169 cm^2
유형 ❺ (1) 4 cm (2) 16 cm^2 (3) 673 cm^2
유제 9 426 cm^2
유제 10 풀이 참조, 15 cm^2
유형 ❻ (1) 120 cm^2 (2) 12 cm (3) 312 cm^2
유제 11 1320 m^2　유제 12 282 cm^2
유형 ❼ (1) 270 cm^2 (2) 3배 (3) 90 cm^2
유제 13 54 cm^2　유제 14 168 cm^2
유형 ❽ (1) 108 cm^2 (2) 42 cm^2 (3) 66 cm^2
유제 15 79 cm^2

유형 1 (1)

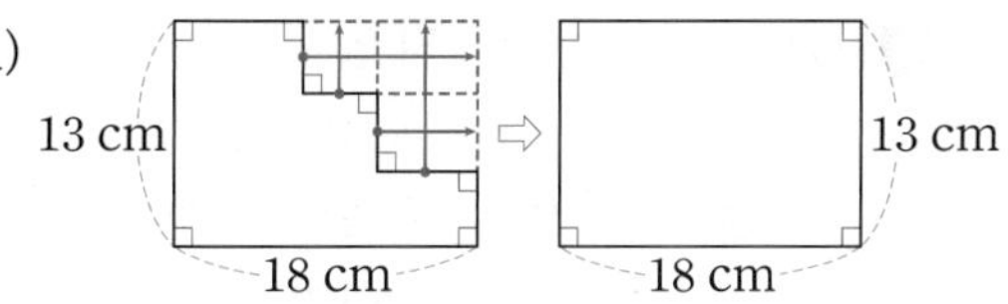

변의 위치를 평행하게 옮기면 도형의 둘레는 가로가 18 cm, 세로가 13 cm인 직사각형의 둘레와 같습니다.

(2) (도형의 둘레)$=(18+13)\times2$
$=31\times2=62$(cm)

유제 1

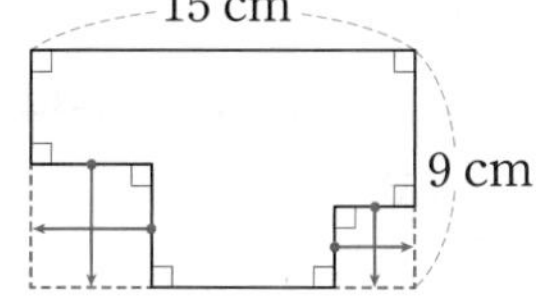

도형의 둘레는 가로가 15 cm이고, 세로가 9 cm인 직사각형의 둘레와 같습니다.

⇨ (도형의 둘레)$=(15+9)\times2$
$=24\times2=48$(cm)

유제 2

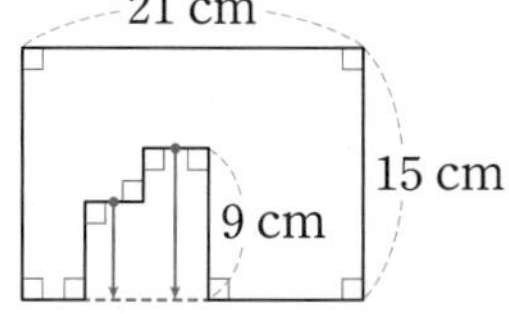

도형의 둘레는 가로가 21 cm이고, 세로가 15 cm인 직사각형의 둘레에 9 cm인 변의 길이를 2번 더한 것과 같습니다.

⇨ (도형의 둘레)$=(21+15)\times2+9\times2$
$=36\times2+18$
$=90$(cm)

유형 2 (1) 정사각형 11개를 겹치지 않게 이어 붙여서 만들었으므로 정사각형 한 개의 넓이는 $176\div11=16$(cm^2)입니다.

(2) $4\times4=16$이므로 정사각형의 한 변의 길이는 4 cm입니다.

(3) 도형의 둘레에는 정사각형의 한 변이 24개 있으므로 도형의 둘레는 $4\times24=96$(cm)입니다.

유제 3 도형의 둘레에는 정사각형의 한 변이 18개 있으므로 정사각형의 한 변의 길이는 $108\div18=6$(cm)입니다.

(정사각형 한 개의 넓이)$=6\times6=36$(cm^2)

⇨ 도형에는 정사각형이 12개 있으므로 도형의 넓이는 $36\times12=432$(cm^2)입니다.

유제 4 예 정사각형 14개를 겹치지 않게 이어 붙여서 만들었으므로 정사각형 한 개의 넓이는 $126\div14=9$(cm^2)입니다.」 ❶

정사각형 한 개의 넓이가 9 cm^{2}이고 $3\times3=9$이므로 정사각형의 한 변의 길이는 3 cm입니다.」 ❷

따라서 도형의 둘레에는 정사각형의 한 변이 18개 있으므로 도형의 둘레는 $3\times18=54$(cm)입니다.」 ❸

채점 기준
❶ 정사각형 한 개의 넓이 구하기
❷ 정사각형의 한 변의 길이 구하기
❸ 도형의 둘레 구하기

유형 3 (1) (가로)$=32-4-4=24$(cm)
(세로)$=20-2=18$(cm)

(2) (남은 부분의 넓이)$=24\times18=432$(cm^2)

유제 5 잘라 내고 남은 부분을 모으면 다음과 같은 직사각형이 됩니다.

(20−3−3−3) cm
(30−2−2) cm

⇨ (남은 부분의 넓이)
$=(30-2-2)\times(20-3-3-3)$
$=26\times11=286$(cm^2)

유제 6 잘라 내고 남은 부분을 모으면 다음과 같은 평행사변형이 됩니다.

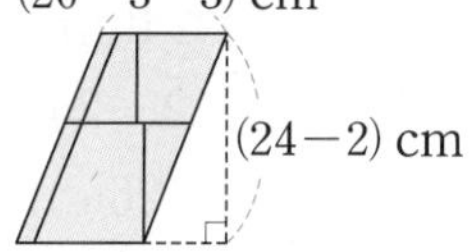

⇨ (남은 부분의 넓이)
$=(20-3-3)\times(24-2)$
$=14\times22=308$(cm^2)

유형 4 (1) (큰 마름모의 넓이)
$=28\times16\div2=224$(cm^2)

(2) 작은 마름모의 두 대각선의 길이는 각각 $28\div2=14$(cm)와 $16\div2=8$(cm)입니다.

⇨ (작은 마름모의 넓이)
$=14\times8\div2=56$(cm^2)

(3) (색칠한 부분의 넓이)
$=$(큰 마름모의 넓이)$-$(작은 마름모의 넓이)
$=224-56=168$(cm^2)

유제 7 (마름모 ㄱㄴㄷㄹ의 넓이)
$=34\times30\div2=510(cm^2)$
선분 ㄴㅁ, 선분 ㄴㅂ, 선분 ㄹㅁ, 선분 ㄹㅂ의 길이가 모두 같으므로 사각형 ㅁㄴㅂㄹ은 마름모입니다.
(선분 ㅁㅂ)$=30\div2=15(cm)$이므로
(마름모 ㅁㄴㅂㄹ의 넓이)
$=34\times15\div2=255(cm^2)$입니다.
⇨ (색칠한 부분의 넓이)
=(마름모 ㄱㄴㄷㄹ의 넓이)
−(마름모 ㅁㄴㅂㄹ의 넓이)
$=510-255=255(cm^2)$

유제 8 (큰 마름모의 넓이)$=26\times26\div2=338(cm^2)$
(작은 마름모의 넓이)$=338\div2=169(cm^2)$
⇨ (색칠한 부분의 넓이)
=(큰 마름모의 넓이)−(작은 마름모의 넓이)
$=338-169=169(cm^2)$

유형 5 (1) (겹쳐진 정사각형의 한 변의 길이)
$=17-13=4(cm)$
(2) (겹쳐진 부분의 넓이)$=4\times4=16(cm^2)$
(3) (도형의 넓이)
=(정사각형 2개의 넓이)
−(겹쳐진 부분의 넓이)
$=(20\times20)+(17\times17)-16$
$=400+289-16=673(cm^2)$

유제 9 겹쳐진 직사각형의 가로는 $15-12=3(cm)$이고, 세로는 $15-7=8(cm)$입니다.
(겹쳐진 부분의 넓이)$=3\times8=24(cm^2)$
⇨ (도형의 넓이)$=(15\times15)\times2-24$
$=450-24=426(cm^2)$

유제 10

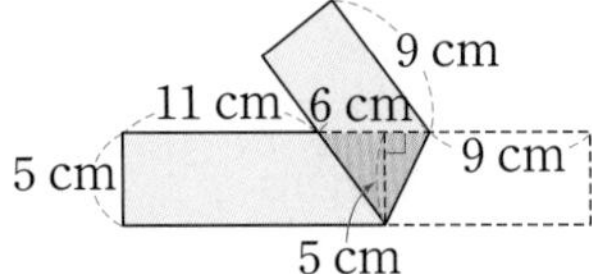

예 겹쳐진 부분이 삼각형이므로 밑변의 길이와 높이를 구하면 밑변의 길이는
$26-11-9=6(cm)$이고, 높이는 5 cm입니다.」 ❶
따라서 겹쳐진 부분의 넓이는
$6\times5\div2=15(cm^2)$입니다.」 ❷

채점 기준
❶ 겹쳐진 삼각형의 밑변의 길이와 높이 각각 구하기
❷ 겹쳐진 부분의 넓이 구하기

유형 6 (1) (삼각형 ㄱㄷㄹ의 넓이)
$=24\times10\div2=120(cm^2)$
(2) 삼각형 ㄱㄷㄹ에서 변 ㄱㄹ을 밑변이라고 할 때 높이를 □cm라 하면 $20\times□\div2=120$,
$□=120\times2\div20=12$입니다.
(3) 사다리꼴 ㄱㄴㄷㄹ의 높이는 12 cm입니다.
⇨ (사다리꼴 ㄱㄴㄷㄹ의 넓이)
$=(20+32)\times12\div2=312(cm^2)$

유제 11 (삼각형 ㄹㄴㄷ의 넓이)
$=50\times18\div2=450(m^2)$
삼각형 ㄹㄴㄷ에서 변 ㄴㄷ을 밑변이라고 할 때 높이를 □m라 하면 $30\times□\div2=450$,
$□=450\times2\div30=30$입니다.
따라서 사다리꼴 ㄱㄴㄷㄹ의 높이는 30 m입니다.
⇨ (사다리꼴 ㄱㄴㄷㄹ의 넓이)
$=(58+30)\times30\div2=1320(m^2)$

유제 12 (평행사변형 ㄱㄴㅂㅁ의 넓이)
$=15\times4=60(cm^2)$
평행사변형 ㄱㄴㅂㅁ에서 변 ㄱㅁ을 밑변이라고 할 때 높이를 □cm라 하면 $5\times□=60$,
$□=60\div5=12$입니다.
따라서 사다리꼴 ㄱㄴㄷㄹ의 높이는 12 cm입니다.
⇨ (사다리꼴 ㄱㄴㄷㄹ의 넓이)
$=(5+14+5+23)\times12\div2$
$=47\times12\div2=282(cm^2)$

유형 7 (1) (삼각형 ㄱㄴㄹ의 넓이)
$=36\times15\div2=270(cm^2)$
(2) 삼각형 ㄱㄴㄹ과 삼각형 ㄱㅁㅂ의 높이는 같고, 삼각형 ㄱㄴㄹ의 밑변의 길이가 삼각형 ㄱㅁㅂ의 밑변의 길이의 3배이므로 넓이도 3배입니다.
(3) (삼각형 ㄱㅁㅂ의 넓이)
=(삼각형 ㄱㄴㄹ의 넓이)$\div3$
$=270\div3=90(cm^2)$

유제 13 삼각형 ㄱㄷㄹ의 넓이는
$24\times18\div2=216(cm^2)$입니다.
삼각형 ㄱㄷㄹ과 삼각형 ㄹㅁㅂ의 높이는 같고, 삼각형 ㄱㄷㄹ의 밑변의 길이가 삼각형 ㄹㅁㅂ의 밑변의 길이의 4배이므로 넓이도 4배입니다.
따라서 삼각형 ㄹㅁㅂ의 넓이는
$216\div4=54(cm^2)$입니다.

유제 14 삼각형 ㄱㄷㄹ의 넓이는
$48 \times 14 \div 2 = 336(cm^2)$입니다.
삼각형 ㄱㅁㅂ과 삼각형 ㄱㅂㄹ, 삼각형 ㄷㅁㅂ과 삼각형 ㄷㅂㄹ은 각각 밑변의 길이와 높이가 같으므로 넓이도 같습니다.
따라서 삼각형 ㄱㄷㅂ의 넓이는 삼각형 ㄱㄷㄹ의 넓이의 반이므로 $336 \div 2 = 168(cm^2)$입니다.

유형 8 (1) (파란색 직사각형의 넓이)
$= (24-6-9) \times 12 = 108(cm^2)$
(2) (빨간색 직사각형의 넓이)
$= 6 \times (24-12-5) = 42(cm^2)$
(3) (파란색 직사각형의 넓이)
$-$(빨간색 직사각형의 넓이)
$= 108 - 42 = 66(cm^2)$

유제 15 (직사각형 ㉮의 넓이)
$= (30-5-9) \times 8 = 128(cm^2)$
(직사각형 ㉯의 넓이)
$= (30-23) \times 7 = 49(cm^2)$
⇨ (직사각형 ㉮의 넓이)$-$(직사각형 ㉯의 넓이)
$= 128 - 49 = 79(cm^2)$

상위권 문제 확인과 응용 106~109쪽

1 980000 cm^2	**2** 64 m
3 72 cm^2	**4** 풀이 참조, 144 cm^2
5 62 cm	**6** 1088 cm^2
7 4 cm	**8** 풀이 참조, 9 cm^2
9 15 cm^2	**10** 72 cm^2
11 39 m^2	**12** 5800 cm^2

1 정사각형은 네 변의 길이가 모두 같으므로 마름모라고 할 수 있습니다.
⇨ (정사각형 모양의 논의 넓이)
$=$(마름모의 넓이)$= 14 \times 14 \div 2 = 98(m^2)$
따라서 논의 넓이는 $98\ m^2 = 980000\ cm^2$입니다.

2 직사각형의 세로를 □ m라 하면 가로는 (□$\times 7$) m입니다.
□$\times 7 \times$□$= 112$, □$\times$□$= 112 \div 7 = 16$이고 $4 \times 4 = 16$이므로 □$= 4$입니다.
⇨ 직사각형의 세로는 4 m, 가로는 $4 \times 7 = 28(m)$이므로 직사각형의 둘레는 $(28+4) \times 2 = 64(m)$입니다.

3 
(칠교판의 넓이)
$= 24 \times 24 = 576(cm^2)$
칠교판 안에 있는 모든 도형은 가장 작은 직각삼각형 모양으로 나눌 수 있으므로 가장 작은 직각삼각형 모양을 이용하여 평행사변형 ㉮의 넓이를 구합니다.
(가장 작은 직각삼각형의 넓이)
$= 576 \div 16 = 36(cm^2)$
⇨ (평행사변형 ㉮의 넓이)$= 36 \times 2 = 72(cm^2)$

4 예 마름모 ㄱㄴㄷㄹ의 넓이는
$36 \times 16 \div 2 = 288(cm^2)$입니다.」❶
선분 ㄴㅁ, 선분 ㄴㅂ, 선분 ㄹㅁ, 선분 ㄹㅂ의 길이가 모두 같으므로 사각형 ㅁㄴㅂㄹ은 마름모입니다.
선분 ㅁㅂ의 길이는 $16 \div 2 = 8(cm)$이므로 마름모 ㅁㄴㅂㄹ의 넓이는 $36 \times 8 \div 2 = 144(cm^2)$입니다.」❷
따라서 색칠한 부분의 넓이는
$288 - 144 = 144(cm^2)$입니다.」❸

채점 기준
❶ 마름모 ㄱㄴㄷㄹ의 넓이 구하기
❷ 마름모 ㅁㄴㅂㄹ의 넓이 구하기
❸ 색칠한 부분의 넓이 구하기

5 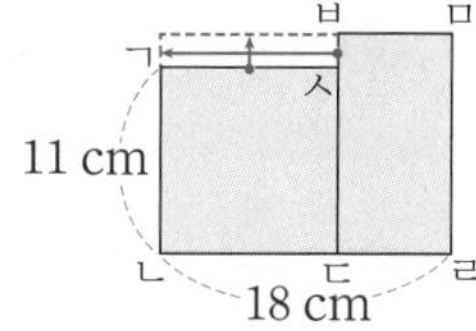

(정사각형 ㄱㄴㄷㅅ의 넓이)$= 11 \times 11 = 121(cm^2)$
(직사각형 ㅂㄷㄹㅁ의 넓이)$= 212 - 121 = 91(cm^2)$
(선분 ㄷㄹ)$= 18 - 11 = 7(cm)$
(선분 ㅁㄹ)$= 91 \div 7 = 13(cm)$
도형의 둘레는 가로가 18 cm이고, 세로가 13 cm인 직사각형의 둘레와 같습니다.
⇨ (도형의 둘레)$= (18+13) \times 2 = 62(cm)$

6 (마름모 3개의 넓이)
$= (32 \times 32 \div 2) \times 2 + (16 \times 16 \div 2)$
$= 1024 + 128 = 1152(cm^2)$
겹쳐진 부분은 두 대각선의 길이가 각각 8 cm인 마름모이므로 겹쳐진 부분의 넓이의 합은
$(8 \times 8 \div 2) \times 2 = 64(cm^2)$입니다.
따라서 도형의 넓이는
$1152 - 64 = 1088(cm^2)$입니다.
참고 마름모는 한 대각선이 다른 대각선을 이등분합니다.

7 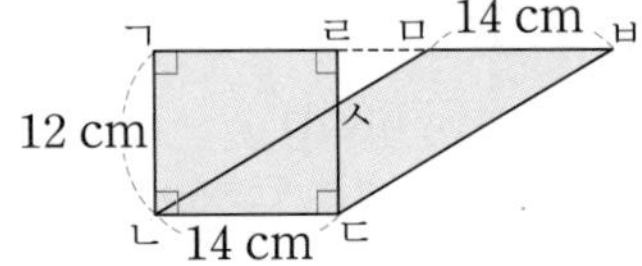

(직사각형 ㄱㄴㄷㄹ의 넓이)$=14\times12=168(\text{cm}^2)$
직사각형 ㄱㄴㄷㄹ과 평행사변형 ㅁㄴㄷㅂ의 넓이는 같습니다.
(삼각형 ㅅㄴㄷ의 넓이)
$=$(직사각형 ㄱㄴㄷㄹ의 넓이)$\times2$
$-$(색칠한 부분의 넓이)
$=168\times2-280=56(\text{cm}^2)$
선분 ㄹㅅ의 길이를 □cm라 하면
$14\times(12-\square)\div2=56$, $12-\square=56\times2\div14=8$,
$\square=12-8=4$입니다.
따라서 선분 ㄹㅅ의 길이는 4 cm입니다.

8 예 도형의 전체 넓이는
$(2\times2\div2)+(2\times2)+(3\times3)+(4\times4)=31(\text{cm}^2)$
입니다.」❶
색칠하지 않은 부분은 밑변의 길이가
$2+2+3+4=11(\text{cm})$, 높이가 4 cm인 직각삼각형이므로 넓이는 $11\times4\div2=22(\text{cm}^2)$입니다.」❷
따라서 색칠한 부분의 넓이는 $31-22=9(\text{cm}^2)$입니다.」❸

채점 기준
❶ 도형의 전체 넓이 구하기
❷ 색칠하지 않은 부분의 넓이 구하기
❸ 색칠한 부분의 넓이 구하기

9 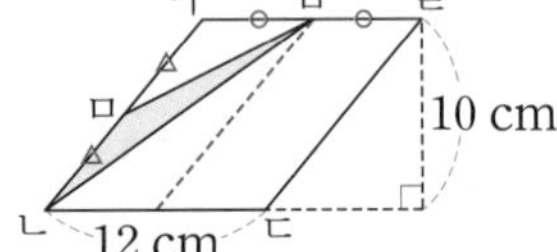

(평행사변형 ㄱㄴㄷㄹ의 넓이)$=12\times10=120(\text{cm}^2)$
변 ㄱㄴ과 평행하고 점 ㅂ을 지나는 선을 그어 보면 크기가 같은 평행사변형이 2개 생기고, 새로 생긴 작은 평행사변형 1개의 넓이는 $120\div2=60(\text{cm}^2)$입니다. 삼각형 ㄱㄴㅂ의 넓이는 작은 평행사변형의 넓이의 반이므로 $60\div2=30(\text{cm}^2)$입니다.
삼각형 ㄱㅁㅂ과 삼각형 ㅁㄴㅂ은 밑변의 길이와 높이가 각각 같으므로 넓이도 같습니다.
⇨ (삼각형 ㅁㄴㅂ의 넓이)$=30\div2=15(\text{cm}^2)$

10 사다리꼴 ㄱㄴㄷㄹ의 높이를 □cm라 하면
$(16+28)\times\square\div2=528$, $\square=528\times2\div44=24$
입니다.
선분 ㄱㅁ과 선분 ㄷㅁ의 길이가 같으므로 삼각형 ㄱㄴㅁ과 삼각형 ㅁㄴㄷ의 넓이가 같고,
삼각형 ㄱㅁㄹ과 삼각형 ㄹㅁㄷ의 넓이가 같습니다.
따라서 사각형 ㄱㄴㅁㄹ의 넓이는 사다리꼴 ㄱㄴㄷㄹ의 넓이의 반이므로 $528\div2=264(\text{cm}^2)$입니다.
(삼각형 ㄱㄴㄹ의 넓이)$=16\times24\div2=192(\text{cm}^2)$
⇨ (삼각형 ㄴㅁㄹ의 넓이)
$=$(사각형 ㄱㄴㅁㄹ의 넓이)$-$(삼각형 ㄱㄴㄹ의 넓이)
$=264-192=72(\text{cm}^2)$

11 (침실 1의 넓이)$=4\times5-1\times1=19(\text{m}^2)$
(침실 2의 넓이)$+$(침실 3의 넓이)
$=6\times3+2\times1=20(\text{m}^2)$
⇨ (침실 3개의 넓이의 합)
$=$(침실 1의 넓이)$+$(침실 2의 넓이)
$+$(침실 3의 넓이)
$=19+20=39(\text{m}^2)$

12 • (바뀌기 전의 제한구역의 넓이)
$=(600+360)\times580\div2=278400(\text{cm}^2)$
• (바뀐 제한구역의 넓이)
$=580\times490=284200(\text{cm}^2)$
⇨ $284200-278400=5800(\text{cm}^2)$

최상위권 문제 110~111쪽

1 200 cm	2 224 cm^2
3 120 cm^2	4 56 cm^2
5 6 cm^2	6 68 cm^2, 4초

1 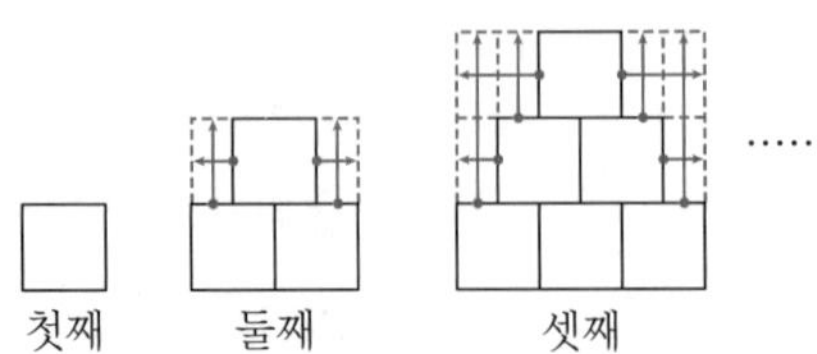

(첫째 도형의 둘레)$=1\times4=4(\text{cm})$
(둘째 도형의 둘레)$=2\times4=8(\text{cm})$
(셋째 도형의 둘레)$=3\times4=12(\text{cm})$
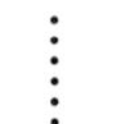
(오십째 도형의 둘레)$=50\times4=200(\text{cm})$

2

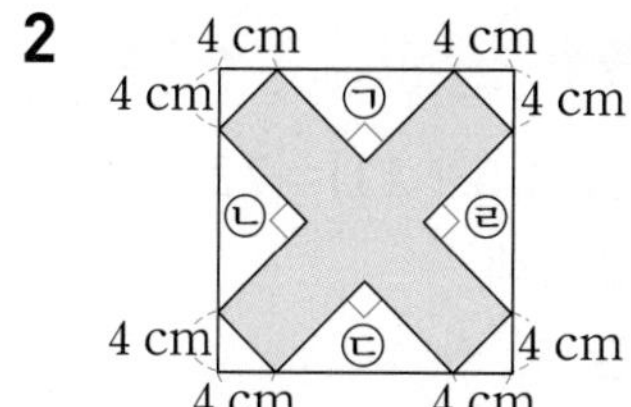

정사각형의 꼭짓점을 포함하는 작은 삼각형 1개의 넓이는 $4\times4\div2=8(cm^2)$입니다. 정사각형의 꼭짓점을 포함하는 작은 삼각형 4개의 넓이의 합은 $8\times4=32(cm^2)$입니다.

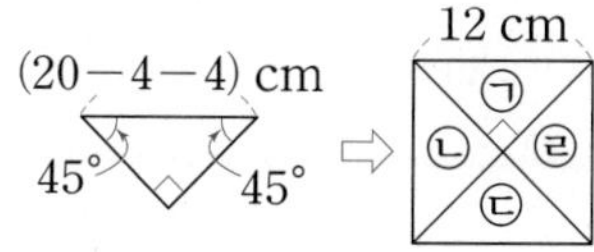

㉠, ㉡, ㉢, ㉣은 위의 그림과 같이 한 각이 직각인 이등변삼각형입니다. ㉠, ㉡, ㉢, ㉣을 모으면 한 변의 길이가 $20-4-4=12(cm)$인 정사각형이 되므로 ㉠, ㉡, ㉢, ㉣의 넓이의 합은 $12\times12=144(cm^2)$입니다.

⇨ (색칠한 부분의 넓이)
=(정사각형의 넓이)−(작은 삼각형 4개의 넓이)
−(㉠, ㉡, ㉢, ㉣의 넓이의 합)
$=20\times20-32-144$
$=400-32-144=224(cm^2)$

3

비법 PLUS 평행사변형의 두 대각선은 서로 다른 대각선을 이등분합니다.

평행사변형의 한 대각선은 다른 대각선을 이등분하므로 변 ㄱㅂ과 변 ㄷㅂ의 길이가 같고, 변 ㄴㅂ과 변 ㄹㅂ의 길이가 같습니다.
삼각형 ㄱㄴㅂ과 삼각형 ㅂㄴㄷ은 밑변의 길이와 높이가 각각 같으므로 넓이가 같고, 삼각형 ㄱㄴㅂ과 삼각형 ㄱㅂㄹ도 밑변의 길이와 높이가 각각 같으므로 넓이가 같습니다.
같은 방법으로 넓이를 비교하면 삼각형 ㄱㄴㅂ, 삼각형 ㅂㄴㄷ, 삼각형 ㅂㄷㄹ, 삼각형 ㄱㅂㄹ의 넓이는 모두 같습니다.
삼각형 ㅂㄴㅁ과 삼각형 ㅂㅁㄷ의 높이는 같고, 삼각형 ㅂㄴㅁ의 밑변의 길이가 삼각형 ㅂㅁㄷ의 밑변의 길이의 2배이므로 넓이도 2배입니다.
삼각형 ㅂㄴㅁ의 넓이는 $10\times2=20(cm^2)$입니다.
따라서 삼각형 ㅂㄴㄷ의 넓이가 $20+10=30(cm^2)$이므로 평행사변형 ㄱㄴㄷㄹ의 넓이는 $30\times4=120(cm^2)$입니다.

4

비법 PLUS 정육각형은 정삼각형 6개를 이어 붙여서 만들 수 있습니다.

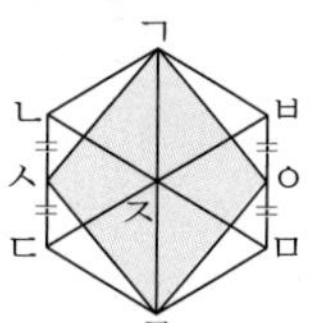

정육각형은 크기가 같은 정삼각형 6개로 나눌 수 있으므로 작은 정삼각형 한 개의 넓이는 $84\div6=14(cm^2)$입니다.
삼각형 ㄱㄴㅅ과 삼각형 ㄹㄷㅅ은 밑변의 길이와 높이가 각각 같으므로 넓이가 같고, 삼각형 ㄴㄷㅈ의 밑변의 길이는 삼각형 ㄱㄴㅅ의 밑변의 길이의 2배이고 높이는 같으므로 삼각형 ㄱㄴㅅ과 삼각형 ㄹㄷㅅ의 넓이의 합은 삼각형 ㄴㄷㅈ의 넓이와 같습니다.
같은 방법으로 삼각형 ㄱㅂㅇ과 삼각형 ㄹㅁㅇ의 넓이의 합도 작은 정삼각형 한 개의 넓이와 같으므로 색칠하지 않은 부분의 넓이는 작은 정삼각형 2개의 넓이와 같습니다.
따라서 색칠하지 않은 부분의 넓이가 $14\times2=28(cm^2)$이므로 색칠한 부분의 넓이는 $84-28=56(cm^2)$입니다.

5

비법 PLUS (㉯+㉱)+(㉯+㉰)+(㉰+㉱)
=(㉯+㉰+㉱)×2

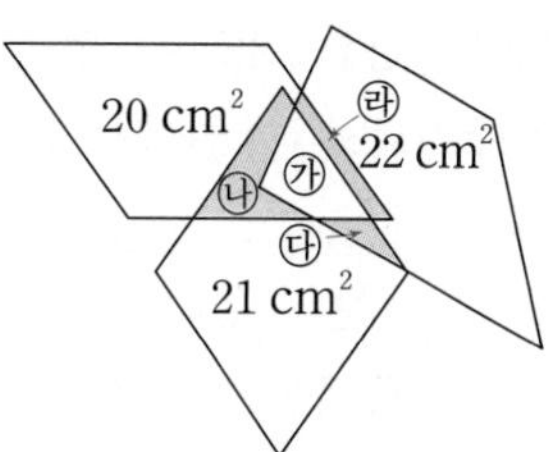

㉯+㉱=28−20−3=5(cm^2)
㉯+㉰=28−21−3=4(cm^2)
㉰+㉱=28−22−3=3(cm^2)
(㉯+㉱)+(㉯+㉰)+(㉰+㉱)
=(㉯+㉰+㉱)×2=5+4+3=12(cm^2)
따라서 색칠한 부분의 넓이는 ㉯+㉰+㉱이므로 $12\div2=6(cm^2)$입니다.

6

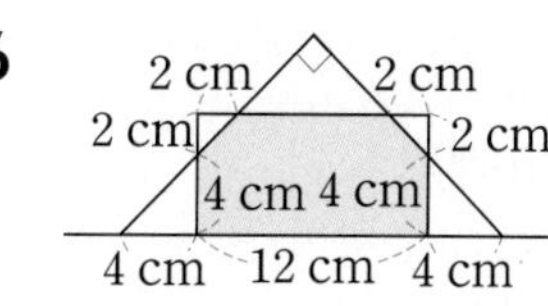

왼쪽 그림과 같이 겹쳐졌을 때 겹쳐지는 부분의 넓이가 가장 넓게 됩니다.
따라서 겹쳐지는 부분의 넓이가 가장 넓게 될 때의 넓이는 $12\times6-(2\times2\div2)\times2=68(cm^2)$입니다.
직사각형은 $12+4=16(cm)$를 움직였으므로 넓이가 가장 넓게 될 때는 직사각형이 움직이기 시작한 지 $16\div4=4$(초) 후입니다.

1 자연수의 혼합 계산

복습 상위권 문제 2~3쪽

1 ÷, +, ×, − **2** 960
3 11 **4** 261
5 $55-(5+3)\times3\times2-2=5$ / 5개
6 9

1 계산이 가능한 경우를 생각하여 여러 가지 방법으로 +, −, ×, ÷를 써넣어 봅니다.
$10\div2+3\times12-8=5+36-8$
$=41-8=33$

2 $12★3=12\times(12+3)\div3$
$=12\times15\div3$
$=180\div3=60$
⇨ $(12★3)★4=60★4$
$=60\times(60+4)\div4$
$=60\times64\div4$
$=3840\div4=960$

3 $40-(20+12)\div2=40-32\div2=40-16=24$ 이므로 식을 간단히 나타내면 $24<36-\square$입니다.
$24=36-\square$이면 $\square=12$이므로 □ 안에는 12보다 작은 수가 들어가야 합니다.
따라서 □ 안에 들어갈 수 있는 자연수는 1, 2, 3 …… 10, 11이므로 가장 큰 자연수는 11입니다.

4 어떤 수를 □라 하면 $(\square-13\times7)\div2=17\times5$, $(\square-13\times7)\div2=85$, $\square-13\times7=170$, $\square-91=170$, $\square=261$입니다.
따라서 어떤 수는 261입니다.

5 (남은 귤 수)
=(전체 귤 수)−(2모둠에 나누어 준 귤 수)
−(선생님께 드린 귤 수)
$=55-(5+3)\times3\times2-2$
$=55-48-2=7-2=5$(개)

6 $(8+0+1+2+7+7)$
$+(8+1+6+2+3+2)\times3+■$
$=25+22\times3+■=25+66+■=91+■$
⇨ $91+■$는 $10\times★$로 나타낼 수 있어야 하고 ■는 한 자리 수이므로 ■=9입니다.
따라서 체크 숫자는 9입니다.

복습 상위권 문제 확인과 응용 4~7쪽

1 $7\times(10-52\div13)+(95\div5+11)=72$
2 6개 **3** 5배
4 100 cm **5** 5
6 9 **7** 10000원
8 80 g **9** 151명
10 12팩 **11** 14612 m
12 15000동

1 $7\times6+30=72$
(㉢ $95\div5+11=30$, ㉡ $10-52\div13=6$)
⇨ $7\times(10-52\div13)+(95\div5+11)=72$

2 $15\div3+2\times7=5+14=19$이므로 식을 간단히 나타내면 $\square+12<19$입니다.
$\square+12=19$이면 $\square=7$이므로 □ 안에는 7보다 작은 수가 들어가야 합니다.
따라서 □ 안에 들어갈 수 있는 자연수는 1, 2, 3, 4, 5, 6으로 모두 6개입니다.

3 (사과 수)=(15×36)개, (복숭아 수)=(12×9)개
(사과 수)÷(복숭아 수)=$(15\times36)\div(12\times9)$
$=540\div108=5$
따라서 사과 수는 복숭아 수의 5배입니다.

4 정사각형은 네 변의 길이가 모두 같으므로
(직사각형의 긴 변의 길이)
=(정사각형의 한 변의 길이)=40 cm,
(직사각형의 짧은 변의 길이)=$(40\div4)$ cm입니다.
⇨ (나눈 직사각형 한 개의 네 변의 길이의 합)
$=40+(40\div4)+40+(40\div4)$
$=40+10+40+10=100$(cm)
다른 풀이 (나눈 직사각형 한 개의 네 변의 길이의 합)
=(직사각형의 긴 변의 길이)×2
+(직사각형의 짧은 변의 길이)×2
$=40\times2+(40\div4)\times2=40\times2+10\times2$
$=80+20=100$(cm)

5 어떤 수를 □라 하면 잘못 계산한 식은 $(\square+20)\times3=165$이므로 $\square+20=55$, $\square=35$입니다.
따라서 바르게 계산하면 $(35-20)\div3=15\div3=5$ 입니다.

6 $\begin{vmatrix} 7 & 2 \\ 4 & ★ \end{vmatrix}$$=7\times★-2\times4=55$이므로 $7\times★-8=55$, $7\times★=63$, $★=9$입니다.

7 자전거 5대를 1시간 40분 동안 빌려 타는 데 필요한 돈을 사람 수로 나누면 되므로
$6000\times5\times(100\div20)\div15$를 계산합니다.
따라서 한 사람이 내야 하는 돈은
$6000\times5\times(100\div20)\div15$
$=6000\times5\times5\div15$
$=150000\div15=10000$(원)입니다.

8 컵 1개의 무게를 식으로 나타내면 $(1280-980)\div4$이고, 컵 12개의 무게를 식으로 나타내면
$(1280-980)\div4\times12$입니다.
따라서 컵 12개가 들어 있는 상자의 무게에서 컵 12개의 무게를 빼면 되므로 빈 상자는
$980-(1280-980)\div4\times12$
$=980-300\div4\times12$
$=980-75\times12$
$=980-900=80$(g)입니다.

9 (영어 학원만 다니는 학생 수)$=330-96=234$(명)
(논술 학원만 다니는 학생 수)$=125-96=29$(명)
⇨ (영어 학원도 논술 학원도 다니지 않는 학생 수)
$=510-(234+29+96)$
$=510-359=151$(명)

10 9월은 30일까지 있으므로 우윳값이 오르지 않았을 경우 9월 한 달 동안의 우윳값을 식으로 나타내면 950×30이고, 9월 한 달 동안에 값이 올라서 더 낸 우윳값을 식으로 나타내면 $29100-950\times30$입니다. 따라서 9월에 오른 값으로 먹은 우유는
$(29100-950\times30)\div(1000-950)$
$=(29100-28500)\div(1000-950)$
$=600\div50=12$(팩)입니다.

11 KTX는 한 시간에 300 km를 가므로 1분에 $300\div60=5$(km), 즉 5000 m를 갑니다.
(KTX가 3분 동안 간 거리)
=(터널의 길이)+(KTX의 길이)
⇨ (터널의 길이)
=(KTX가 3분 동안 간 거리)−(KTX의 길이)
$=5000\times3-388$
$=15000-388=14612$(m)

12 (경민이가 가지고 있는 한국 돈)
$=500+100+10\times18$
$=500+100+180=780$(원)
한국 돈 52원을 베트남 돈 1000동으로 바꿀 수 있으므로 경민이가 가진 돈을 모두 베트남 돈으로 바꾸면 $780\div52\times1000=15\times1000=15000$(동)이 됩니다.

복습 최상위권 문제 8~9쪽

1 50분	**2** 58
3 926 cm	**4** 4000원
5 23명	
6 예 $8\times(6+3)-4\div2=70$ / 70	

1 비법 PLUS 먼저 기차가 2시간 15분 동안 간 거리를 구하여 혜수가 걸어간 거리를 알아봅니다.

2시간 15분=120분+15분=135분이므로 15분의 9배입니다.
⇨ (혜수가 걸어간 거리)
=(기차역에서 이모 댁까지의 거리)
−(135분 동안 기차가 간 거리)
$=271-30\times9$
$=271-270=1$(km)
따라서 1 km=1000 m이고 혜수는 1분에 20 m씩 걸으므로 걸어간 시간은 $1000\div20=50$(분)입니다.

2 비법 PLUS □▲4를 ○라 하여 식을 만들고, 식의 계산 순서를 거꾸로 생각해 봅니다.

(□▲4)▲8=45에서 □▲4를 ○라 하면
○▲8 $=(○\times6+8\times9)\div8=45$,
$○\times6+8\times9=360$, $○\times6+72=360$,
$○\times6=288$, ○=48입니다.
⇨ □▲4=48이므로 $(□\times6+4\times9)\div8=48$,
$□\times6+4\times9=384$, $□\times6+36=384$,
$□\times6=348$, □=58

3 색 테이프 18장을 겹치게 이어 붙이면 3 cm씩 17번 겹쳐집니다.
(이어 붙인 색 테이프의 긴 변의 길이)
$=(28\times18-3\times17)$ cm
(이어 붙인 색 테이프의 짧은 변의 길이)$=10$ cm
⇨ (이어 붙인 색 테이프 전체의 네 변의 길이의 합)
$=(28\times18-3\times17)+10$
$+(28\times18-3\times17)+10$
$=453+10+453+10=926$(cm)

4 민아가 가지고 있는 돈을 □원이라 하여 소현이가 가지고 있는 돈을 식으로 나타내면 □$+5000$이고, 준호가 가지고 있는 돈을 식으로 나타내면 □$\times2+2000$입니다.
준호가 소현이보다 2000원 더 적게 가지고 있으므로
□$\times2+2000=$□$+5000-2000$이고,
□$\times2+2000=$□$+3000$,
□$\times2=$□$+1000$, □$=1000$입니다.
따라서 민아가 가지고 있는 돈이 1000원이므로 준호가 가지고 있는 돈은
$1000\times2+2000=2000+2000$
$=4000$(원)입니다.

5 비법 PLUS 15명을 넘는 학생을 □명이라 하여 각 학생들이 낸 입장료의 합을 식으로 나타냅니다.

3000원을 낸 학생 입장료의 합을 식으로 나타내면 3000×10이고, 2500원을 낸 학생 입장료의 합을 식으로 나타내면 2500×5입니다.
2300원을 낸 학생을 □명이라 하면
$3000\times10+2500\times5+2300\times$□$=60900$,
$30000+12500+2300\times$□$=60900$,
$2300\times$□$=18400$, □$=8$입니다.
따라서 소민이네 반 학생은 $10+5+8=23$(명)입니다.

6 비법 PLUS 덧셈과 곱셈은 계산 결과를 크게 만들고, 뺄셈과 나눗셈은 계산 결과를 작게 만든다는 사실을 이용하여 식을 만듭니다.

계산 결과를 크게 만들려면 더하거나 곱하는 수에는 큰 수를, 빼거나 나누는 수에는 작은 수를 사용합니다.
$8\times(6+3)-4\div2=70$, $(6+3)\times8-4\div2=70$, $(3+6)\times8-4\div2=70$…… 등 여러 가지 방법으로 식을 만들 수 있습니다.

② 약수와 배수

복습 상위권 문제 10~11쪽

1 27	**2** 12개
3 6	**4** 8
5 50	**6** 35장
7 48	**8** 34살

1 54의 약수인 1, 2, 3, 6, 9, 18, 27, 54 중에서 40보다 작은 수의 약수의 합을 구합니다.
(2의 약수의 합)$=1+2=3$
(3의 약수의 합)$=1+3=4$
(6의 약수의 합)$=1+2+3+6=12$
(9의 약수의 합)$=1+3+9=13$
(18의 약수의 합)$=1+2+3+6+9+18=39$
(27의 약수의 합)$=1+3+9+27=40$
따라서 조건을 모두 만족하는 어떤 수는 27입니다.

2 3과 8의 공배수는 3과 8의 최소공배수인 24의 배수와 같습니다.
• 1부터 500까지의 수 중에서 24의 배수의 개수:
$500\div24=20\cdots20$ ⇨ 20개
• 1부터 199까지의 수 중에서 24의 배수의 개수:
$199\div24=8\cdots7$ ⇨ 8개
따라서 200부터 500까지의 수 중에서 3의 배수이면서 8의 배수인 수는 모두 $20-8=12$(개)입니다.

3 9의 배수는 각 자리 수의 합이 9의 배수인 수입니다.
79□5가 9의 배수이려면 $7+9+$□$+5=21+$□가 9의 배수이어야 합니다.
$21+$□가 9의 배수인 경우는 27일 때입니다.
따라서 □ 안에 들어갈 수 있는 숫자는 6입니다.

4 어떤 수는 $37-5=32$와 $45-5=40$의 공약수입니다.
$$\begin{array}{r|rr} 2 & 32 & 40 \\ 2 & 16 & 20 \\ 2 & 8 & 10 \\ & 4 & 5 \end{array}$$
⇨ 최대공약수: $2\times2\times2=8$
따라서 32와 40의 공약수인 1, 2, 4, 8 중에서 어떤 수는 나머지인 5보다 커야 하므로 8입니다.

5 '(어떤 수)-2'는 12와 16의 공배수이므로 12와 16의 최소공배수를 구합니다.

$$\begin{array}{r|ll} 2 & 12 & 16 \\ \hline 2 & 6 & 8 \\ \hline & 3 & 4 \end{array}$$

⇨ 최소공배수: $2\times2\times3\times4=48$

12와 16의 최소공배수가 48이므로 '(어떤 수)-2'가 될 수 있는 가장 작은 수는 48입니다.

따라서 어떤 수가 될 수 있는 수 중에서 가장 작은 수는 $48+2=50$입니다.

6

$$\begin{array}{r|ll} 2 & 70 & 98 \\ \hline 7 & 35 & 49 \\ \hline & 5 & 7 \end{array}$$

⇨ 최대공약수: $2\times7=14$

가장 큰 정사각형 모양 색종이의 한 변은 14 cm입니다.

따라서 가장 큰 정사각형 모양의 색종이는 가로로 $70\div14=5$(장)씩, 세로로 $98\div14=7$(장)씩 붙여야 하므로 모두 $5\times7=35$(장)이 필요합니다.

7

$$\begin{array}{r|ll} 16 & 80 & (\text{어떤 수}) \\ \hline & 5 & ㉠ \end{array}$$

80과 어떤 수의 최소공배수는 240이므로

$240=16\times5\times㉠$입니다.

$16\times5\times㉠=240$,

$80\times㉠=240$, $㉠=3$

따라서 (어떤 수)$=16\times㉠=16\times3=48$입니다.

8 띠는 12가지이므로 띠가 서로 같으면 나이의 차가 12의 배수인 12, 24, 36……만큼 납니다.

10살인 다인이와 띠가 서로 같은 나이는

$10+12=22$(살), $10+24=34$(살),

$10+36=46$(살)……입니다.

따라서 외삼촌의 나이는 32살보다 많고 45살보다 적으므로 34살입니다.

복습 상위권 문제 확인과 응용 12~15쪽

1 3가지	**2** 8개
3 3번	**4** 22개
5 22개	**6** 6명
7 20개	**8** 200개
9 104	**10** 6바퀴
11 15, 16, 17, 19	**12** 1500초

1 42의 약수: 1, 2, 3, 6, 7, 14, 21, 42

8명보다 많은 학생에게 나누어 주어야 하므로 14명, 21명, 42명에게 똑같이 나누어 줄 수 있습니다.

따라서 나누어 줄 수 있는 방법은 모두 3가지입니다.

2 3의 배수는 각 자리 수의 합이 3의 배수인 수입니다.

$0+2+7=9$, $0+5+7=12$이므로 0, 2, 7 또는 0, 5, 7로 만든 세 자리 수는 모두 3의 배수입니다.

따라서 만들 수 있는 세 자리 수 중에서 3의 배수는 207, 270, 702, 720, 507, 570, 705, 750으로 모두 8개입니다.

3

$$\begin{array}{r|ll} 2 & 20 & 28 \\ \hline 2 & 10 & 14 \\ \hline & 5 & 7 \end{array}$$

⇨ 최소공배수: $2\times2\times5\times7=140$

20과 28의 최소공배수가 140이므로 두 기차는 140분=2시간 20분마다 동시에 출발합니다.

따라서 오전 7시부터 낮 12시까지 동시에 출발하는 시각은 오전 7시, 오전 9시 20분, 오전 11시 40분으로 모두 3번입니다.

4

$$\begin{array}{r|ll} 2 & 42 & 24 \\ \hline 3 & 21 & 12 \\ \hline & 7 & 4 \end{array}$$

⇨ 최대공약수: $2\times3=6$

42와 24의 최대공약수가 6이므로 말뚝 사이의 간격을 6 m로 해야 합니다.

네 모퉁이에는 반드시 말뚝을 박아야 하므로

가로에 설치해야 하는 말뚝은 $42\div6+1=8$(개),

세로에 설치해야 하는 말뚝은 $24\div6+1=5$(개)입니다.

따라서 필요한 말뚝의 수는 $(8+5)\times2-4=22$(개)입니다.

5 516은 4의 배수이므로 □도 4의 배수이어야 합니다.

- 1부터 99까지의 수 중에서 4의 배수의 개수:
  $99\div4=24\cdots3$ ⇨ 24개
- 1부터 9까지의 수 중에서 4의 배수의 개수:
  $9\div4=2\cdots1$ ⇨ 2개

따라서 □ 안에 들어갈 수 있는 두 자리 수는 모두 $24-2=22$(개)입니다.

6 나누어 준 학생 수는 57－3＝54와
70－4＝66의 최대공약수입니다.

$$\begin{array}{r|rr} 2 & 54 & 66 \\ \hline 3 & 27 & 33 \\ \hline & 9 & 11 \end{array}$$

⇨ 최대공약수: 2×3＝6
따라서 풀과 수수깡을 6명에게 나누어 주었습니다.

7

$$\begin{array}{r|rr} 2 & 16 & 24 \\ \hline 2 & 8 & 12 \\ \hline 2 & 4 & 6 \\ \hline & 2 & 3 \end{array}$$

⇨ 최소공배수: 2×2×2×2×3＝48
의자와 표지판은 48 m 간격으로 겹칩니다.
도로의 처음과 끝에는 표지판만 세우므로 의자는 480÷16－1＝30－1＝29(개) 놓아야 하는데 이 중에서 표지판과 겹치는 부분은 480÷48－1＝9(군데)입니다.
따라서 필요한 의자는 모두 29－9＝20(개)입니다.

8 전체 자연수의 개수에서 5의 배수이거나 6의 배수인 수의 개수를 빼면 됩니다.
• 1부터 300까지의 수 중에서 5의 배수의 개수:
300÷5＝60 ⇨ 60개
• 1부터 300까지의 수 중에서 6의 배수의 개수:
300÷6＝50 ⇨ 50개
• 1부터 300까지의 수 중에서 5와 6의 최소공배수인 30의 배수의 개수: 300÷30＝10 ⇨ 10개
따라서 1부터 300까지의 자연수 중에서 5의 배수도 6의 배수도 아닌 수는 모두
300－(60＋50－10)＝300－100＝200(개)입니다.

9 '(어떤 수)＋1'을 3과 7로 나누면 나누어떨어지므로 '(어떤 수)＋1'은 3과 7의 공배수입니다.
3과 7의 최소공배수는 21이므로 '(어떤 수)＋1'이 될 수 있는 수는 21, 42, 63, 84, 105……입니다.
따라서 84－1＝83, 105－1＝104이므로 100에 가장 가까운 수는 104입니다.

10 • 16과 40의 최소공배수

$$\begin{array}{r|rr} 2 & 16 & 40 \\ \hline 2 & 8 & 20 \\ \hline 2 & 4 & 10 \\ \hline & 2 & 5 \end{array}$$

⇨ 2×2×2×2×5＝80

• 80과 48의 최소공배수

$$\begin{array}{r|rr} 2 & 80 & 48 \\ \hline 2 & 40 & 24 \\ \hline 2 & 20 & 12 \\ \hline 2 & 10 & 6 \\ \hline & 5 & 3 \end{array}$$

⇨ 2×2×2×2×5×3＝240
16, 40, 48의 최소공배수는 240이므로 톱니의 수가 240의 배수만큼 맞물려야 처음 맞물렸던 자리에서 다시 만납니다. 따라서 ㉯ 톱니바퀴는 적어도 240÷40＝6(바퀴)를 돌아야 합니다.

11 • 15의 약수: 1, 3, 5, 15
⇨ 1＋3＋5＝9 (부족수)
• 16의 약수: 1, 2, 4, 8, 16
⇨ 1＋2＋4＋8＝15 (부족수)
• 17의 약수: 1, 17 ⇨ 1 (부족수)
• 18의 약수: 1, 2, 3, 6, 9, 18
⇨ 1＋2＋3＋6＋9＝21
• 19의 약수: 1, 19 ⇨ 1 (부족수)
• 20의 약수: 1, 2, 4, 5, 10, 20
⇨ 1＋2＋4＋5＋10＝22
따라서 15부터 20까지의 자연수 중에서 부족수는 15, 16, 17, 19입니다.

12 빨간색 등대의 등은 4초 동안 켜져 있다가 2초 동안 꺼져 있으므로 6초마다 새로 켜지고,
흰색 등대의 등은 5초 동안 켜져 있다가 3초 동안 꺼져 있으므로 8초마다 새로 켜집니다.
따라서 두 등대의 등은 동시에 켜진 뒤 6과 8의 최소공배수인 24초마다 다시 동시에 켜집니다.

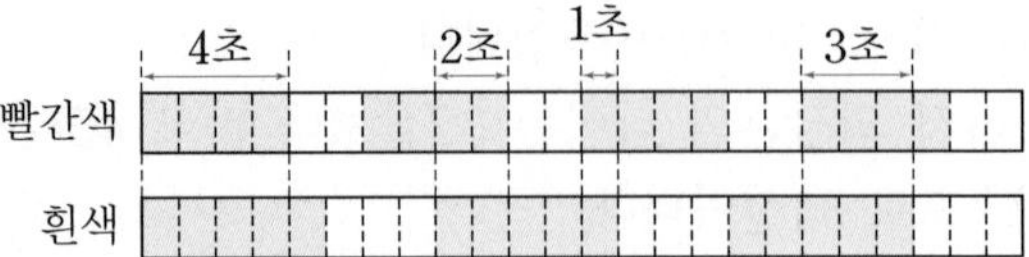

24초 동안 함께 켜져 있는 시간은
4＋2＋1＋3＝10(초)입니다.
오후 10시부터 오후 11시까지는 1시간이고 1시간은 60×60＝3600초입니다.
24초마다 두 등대의 등이 동시에 켜지므로 1시간 동안 동시에 켜지는 횟수는 3600÷24＝150(번)입니다.
따라서 오후 10시에 동시에 켜진 뒤 오후 11시까지 함께 켜져 있는 시간은 모두 10×150＝1500(초)입니다.

복습 최상위권 문제 16~17쪽

1 18	**2** 32724
3 56	**4** 21그루
5 121명	**6** 금요일

1 어떤 수의 배수 중에서 100보다 작은 수가 5개이므로 99를 어떤 수로 나누면 몫이 5이어야 합니다.
$99 \div 16 = 6 \cdots 3$, $99 \div 17 = 5 \cdots 14$,
$99 \div 18 = 5 \cdots 9$, $99 \div 19 = 5 \cdots 4$, $99 \div 20 = 4 \cdots 19$이므로 어떤 수가 될 수 있는 수는 17, 18, 19이고, 이 중 가장 작은 수는 17입니다.
17의 약수는 1, 17이므로 약수의 합은 $1+17=18$입니다.

2 4의 배수는 끝의 두 자리 수가 00 또는 4의 배수인 수이어야 하므로 ⓒ에 알맞은 수는 0, 4, 8입니다.
9의 배수는 각 자리 수의 합이 9의 배수인 수입니다.
• 3㉠720이 9의 배수가 되는 경우:
$3+㉠+7+2+0=12+㉠$에서 ㉠에 알맞은 숫자는 6입니다. ⇨ 36720
• 3㉠724가 9의 배수가 되는 경우:
$3+㉠+7+2+4=16+㉠$에서 ㉠에 알맞은 숫자는 2입니다. ⇨ 32724
• 3㉠728이 9의 배수가 되는 경우:
$3+㉠+7+2+8=20+㉠$에서 ㉠에 알맞은 숫자는 7입니다. ⇨ 37728
따라서 3㉠72ⓒ이 될 수 있는 가장 작은 수는 32724입니다.

3 8) ㉮ ㉯
　　 ■ ▲
$㉮=8\times■$, $㉯=8\times▲$이고 최소공배수는 $8\times■\times▲$입니다.
$8\times■\times▲=168$, $■\times▲=21$이므로
■=1, ▲=21 또는 ■=3, ▲=7입니다.
• ■=1, ▲=21인 경우: $㉮=8\times1=8$,
$㉯=8\times21=168$에서 두 수의 차는 $168-8=160$입니다. (×)
• ■=3, ▲=7인 경우: $㉮=8\times3=24$,
$㉯=8\times7=56$에서 두 수의 차는 $56-24=32$입니다. (○)
따라서 ㉯=56입니다.

4 비법 PLUS 같은 간격으로 나무를 가장 적게 심으려면 땅의 세 변의 길이의 최대공약수를 구해야 합니다.

• 108과 144의 최대공약수
```
2 ) 108  144
2 )  54   72
3 )  27   36
3 )   9   12
      3    4
```
⇨ $2\times2\times3\times3=36$

• 36과 126의 최대공약수
```
2 ) 36  126
3 ) 18   63
3 )  6   21
     2    7
```
⇨ $2\times3\times3=18$

108, 144, 126의 최대공약수는 18이므로 나무 사이의 간격은 18 m로 해야 합니다.
땅의 한 변이 108 m일 때 심는 나무는
$108\div18+1=7$(그루),
144 m일 때 심는 나무는 $144\div18+1=9$(그루),
126 m일 때 심는 나무는 $126\div18+1=8$(그루)입니다.
따라서 필요한 나무는 모두
$7+9+8-3=21$(그루)입니다.

5 비법 PLUS 학생 수를 2, 5, 8로 나누어도 항상 1이 남으므로 '(학생 수)−1'은 2, 5, 8의 공배수입니다.

'(학생 수)−1'은 2, 5, 8의 공배수입니다.
2와 5의 최소공배수는 10이고 10과 8의 최소공배수는 40이므로 2, 5, 8의 최소공배수는 40입니다.
40의 배수는 40, 80, 120, 160……이므로 학생 수가 될 수 있는 수는 41, 81, 121, 161……입니다.
따라서 운동장에 있는 학생은 100명보다 많고 150명보다 적으므로 모두 121명입니다.

6 비법 PLUS 각 요일이 7일마다 다시 돌아오는 것을 이용하여 ㉠과 ⓒ에 알맞은 수를 구합니다.

일주일마다 요일이 반복되므로 ㉠에 알맞은 수는 3, 10, 17, 24……이고, ⓒ에 알맞은 수는 4, 11, 18, 25……입니다.
$10\times11=110$(일), $17\times18=306$(일),
$24\times25=600$(일)…… 후의 요일은
$3\times4=12$(일)과 7의 배수만큼 차이 나므로 요일이 모두 같습니다.
따라서 $㉠\times ⓒ=3\times4=12$(일) 후의 요일은
$12-7=5$(일) 후와 같은 금요일입니다.

③ 규칙과 대응

복습 상위권 문제 18~19쪽

1 50살	2 20
3 76개	4 140개
5 1시간 52분	6 오후 5시

1 이모의 나이는 민주의 나이보다 25살 많습니다.
⇨ (민주의 나이)+25=(이모의 나이)
또는 민주의 나이는 이모의 나이보다 25살 적습니다.
⇨ (이모의 나이)−25=(민주의 나이)
따라서 민주가 25살이 될 때 이모는
25+25=50(살)이 됩니다.

2

종욱이가 말한 수	2	4	6	……
도현이가 답한 수	6	7	8	……

2÷2+5=6, 4÷2+5=7, 6÷2+5=8……이므로 종욱이가 말한 수와 도현이가 답한 수 사이의 대응 관계를 식으로 나타내면
(종욱이가 말한 수)÷2+5=(도현이가 답한 수)입니다.
따라서 종욱이가 30이라고 말할 때 도현이가 답할 수는 30÷2+5=20입니다.

3

정육각형의 수(개)	1	2	3	4	……
성냥개비의 수(개)	6	11	16	21	……

⇨ (정육각형의 수)×5+1=(성냥개비의 수)
따라서 정육각형을 15개 만들 때 필요한 성냥개비는
15×5+1=76(개)입니다.

4 배열 순서를 □, 찾을 수 있는 크고 작은 정사각형의 수를 △라고 할 때, 두 양 사이의 대응 관계를 식으로 나타내면
1×1+2×2+3×3+……+□×□=△입니다.
따라서 일곱째 모양에서 찾을 수 있는 크고 작은 정사각형은
1×1+2×2+3×3+4×4+5×5+6×6+7×7
=1+4+9+16+25+36+49=140(개)입니다.

5 (도막의 수)−1=(자른 횟수)이므로 철근 한 개를 17도막으로 자르려면 17−1=16(번) 잘라야 합니다.
따라서 철근을 쉬지 않고 17도막으로 자르는 데 걸리는 시간은 7×16=112(분)이므로
1시간 52분입니다.

6 서울이 12월 4일 오전 4시일 때 헬싱키는 12월 3일 오후 9시입니다.
서울의 시각은 헬싱키의 시각보다 7시간 빠릅니다.
⇨ (헬싱키의 시각)+7=(서울의 시각)
또는 헬싱키의 시각은 서울의 시각보다 7시간 느립니다.
⇨ (서울의 시각)−7=(헬싱키의 시각)
따라서 헬싱키의 시각으로 오전 10시일 때 서울은
오전 10시+7시간=오후 5시입니다.

복습 상위권 문제 확인과 응용 20~23쪽

1 예 ○+◇=24	2 29살
3 32명	4 88 cm
5 예 □×120=△ / 60자루	
6 12월 8일 오후 2시	7 33
8 49째	9 64개, 16봉지
10 5분	11 147개
12 놀이터	

1 만든 직사각형의 가로와 세로의 길이의 합은
48÷2=24(cm)입니다.
따라서 가로와 세로 사이의 대응 관계를 식으로 나타내면 ○+◇=24입니다.

2 2011년에 예지는 8살이었으므로 2011년에서 3년 뒤인 2014년에는 8+3=11(살)입니다.
예지의 나이와 아버지의 나이 사이의 대응 관계를 식으로 나타내면
(예지의 나이)+31=(아버지의 나이) 또는
(아버지의 나이)−31=(예지의 나이)입니다.
따라서 아버지가 60살이 될 때 예지는
60−31=29(살)이 됩니다.

3

탁자의 수(개)	1	2	3	4	……
사람의 수(명)	8	12	16	20	……

1×4+4=8, 2×4+4=12, 3×4+4=16,
4×4+4=20……이므로 탁자의 수와 사람의 수 사이의 대응 관계를 식으로 나타내면
(탁자의 수)×4+4=(사람의 수)입니다.
따라서 탁자를 7개 이어 붙였을 때 앉을 수 있는 사람은 모두 7×4+4=32(명)입니다.

4

정오각형 조각의 수(개)	1	2	3	4	……
둘레(cm)	10	16	22	28	……

정오각형 조각의 수가 1개씩 늘어날 때마다 둘레는 6 cm씩 늘어납니다.
$1\times6+4=10$, $2\times6+4=16$, $3\times6+4=22$, $4\times6+4=28$……이므로 정오각형 조각의 수와 둘레 사이의 대응 관계를 식으로 나타내면
(정오각형 조각의 수)$\times6+4=$(둘레)입니다.
따라서 정오각형 조각을 14개 이어 붙인 도형의 둘레는 $14\times6+4=88$(cm)입니다.

5 볼펜 한 자루를 팔 때 남는 이익은
$600\div5=120$(원)입니다.

팔린 볼펜의 수(자루)	1	2	3	4	……
남는 이익(원)	120	240	360	480	……

(팔린 볼펜의 수)$\times120=$(남는 이익)
⇨ □$\times120=$△
또는 (남는 이익)$\div120=$(팔린 볼펜의 수)
⇨ △$\div120=$□
따라서 남는 이익이 7200원일 때 팔린 볼펜은
$7200\div120=60$(자루)입니다.

6 서울의 시각이 오후 1시일 때 런던의 시각은 오전 4시이므로
서울의 시각은 런던의 시각보다 9시간 빠릅니다.
⇨ (런던의 시각)$+9=$(서울의 시각)
또는 런던의 시각은 서울의 시각보다 9시간 느립니다.
⇨ (서울의 시각)$-9=$(런던의 시각)
따라서 서울이 12월 8일 오후 10시일 때 런던은 12월 8일 오후 1시이므로 이때부터 한 시간 동안 통화를 하고 마쳤을 때 런던은 12월 8일 오후 2시입니다.

7

상자에 넣은 수	3	9	12	……
상자에서 나온 수	2	4	5	……

$3\div3+1=2$, $9\div3+1=4$, $12\div3+1=5$……이므로 상자에 넣은 수와 상자에서 나온 수 사이의 대응 관계를 식으로 나타내면
(상자에 넣은 수)$\div3+1=$(상자에서 나온 수)입니다.
이 상자에 15를 넣으면 $15\div3+1=6$이 나오므로
♥$=6$이고
이 상자에 ▲를 넣으면 ▲$\div3+1=10$이 나오므로
▲$=27$입니다.
⇨ ♥$+$▲$=6+27=33$

8

순서	1	2	3	4	5	6	……
수	8	11	14	17	20	23	……

순서가 1씩 커질 때마다 수는 3씩 커집니다.
$1\times3+5=8$, $2\times3+5=11$, $3\times3+5=14$, $4\times3+5=17$, $5\times3+5=20$, $6\times3+5=23$……
이므로 순서를 □, 수를 ○라고 할 때 두 양 사이의 대응 관계를 식으로 나타내면 □$\times3+5=$○입니다.
따라서 48째 수가 $48\times3+5=149$,
49째 수가 $49\times3+5=152$이므로
처음으로 150보다 큰 수가 놓이는 것은 49째입니다.

9

단팥빵의 수(개)	8	16	24	32	……
밀가루의 양(g)	240	480	720	960	……
봉지의 수(봉지)	2	4	6	8	……

단팥빵의 수가 8개씩 늘어날 때마다 필요한 밀가루의 양은 240 g씩 늘어나고, 단팥빵을 담는 봉지의 수는 2봉지씩 늘어납니다.
단팥빵의 수와 밀가루의 양 사이의 대응 관계를 식으로 나타내면 (단팥빵의 수)$\times30=$(밀가루의 양)
또는 (밀가루의 양)$\div30=$(단팥빵의 수)입니다.
단팥빵의 수와 봉지의 수 사이의 대응 관계를 식으로 나타내면 (단팥빵의 수)$\div4=$(봉지의 수) 또는 (봉지의 수)$\times4=$(단팥빵의 수)입니다.
2 kg$=$2000 g이고 2000 g은 1920 g과 2160 g 사이이므로 밀가루를 1920 g까지 사용하여 만들 수 있습니다.
따라서 단팥빵은 $1920\div30=64$(개)까지 만들 수 있고, $64\div4=16$(봉지)까지 팔 수 있습니다.

10 (보라가 걸은 시간)$\times50=$(보라가 걸은 거리)이므로
보라가 학교를 떠나 4분 동안 걸은 거리는
$4\times50=200$(m)입니다.

준호가 걸은 시간(분)	1	2	3	4	……
보라가 걸은 거리(m)	200 +50	200 + 100	200 + 150	200 + 200	……
준호가 걸은 거리(m)	90	180	270	360	……

⇨ $200-$(준호가 걸은 시간)$\times(90-50)$
$=$(보라와 준호 사이의 거리)
보라와 준호가 만나려면 보라와 준호 사이의 거리가 0이어야 하므로 $200-$(준호가 걸은 시간)$\times40=0$입니다.
따라서 $200-5\times40=0$이므로 준호는 출발한 지 5분 만에 보라를 만날 수 있습니다.

11

그림의 수(장)	1	2	3	4	……
누름 못의 수(개)	6	9	12	15	……

⇨ (그림의 수)×3+3=(누름 못의 수)
그림을 가로로 12장 붙일 때 필요한 누름 못은 12×3+3=39(개)입니다.
그림을 한 줄에 12장씩 세로로 3줄을 붙이면 넷째 줄에 붙이는 그림은 45−12×3=9(장)이고 넷째 줄에 그림을 붙일 때 필요한 누름 못은 9×3+3=30(개)입니다.
따라서 입상한 그림 45장을 모두 붙일 때 필요한 누름 못은 39×3+30=147(개)입니다.

12 암호의 숫자들을 2개씩 끊어서 알아봅니다.
2개의 숫자 중 첫 번째 숫자는 가로줄, 두 번째 숫자는 세로줄을 나타내므로 두 줄이 만나는 칸에 있는 문자를 씁니다.

12	44	14	23	54	32	42
ㄴ	ㅗ	ㄹ	ㅇ	ㅣ	ㅌ	ㅓ

⇨ 놀이터

복습 최상위권 문제 24~25쪽

1 (위에서부터) 6, 16, 23, 31 / 예 ○×4+3=☆
2 24 L
3 27도막
4 82개
5 144개
6 4 cm

1 • 3×4=12, 5×4=20, 7×4=28, 8×4=32……이므로 ○와 ♡ 사이의 대응 관계를 식으로 나타내면 ○×4=♡ 또는 ♡÷4=○입니다.
⇨ ○=4일 때 ♡=4×4=16
♡=24일 때 ○=24÷4=6
• 12+3=15, 16+3=19, 24+3=27, 32+3=35……이므로 ♡와 ☆ 사이의 대응 관계를 식으로 나타내면 ♡+3=☆ 또는 ☆−3=♡입니다.
⇨ ♡=20일 때 ☆=20+3=23
♡=28일 때 ☆=28+3=31
따라서 3×4+3=15, 4×4+3=19, 5×4+3=23, 6×4+3=27, 7×4+3=31, 8×4+3=35……이므로 ○와 ☆ 사이의 대응 관계를 식으로 나타내면 ○×4+3=☆입니다.

2 비법 PLUS 먼저 1분에 따뜻한 물과 차가운 물이 각각 몇 L씩 나오는지 알아봅니다.

따뜻한 물은 1분에 9÷3=3(L)씩 나오고, 차가운 물은 1분에 20÷5=4(L)씩 나옵니다.

물을 받은 시간(분)	1	2	3	4	5	……
따뜻한 물의 양(L)	3	6	9	12	15	……
차가운 물의 양(L)	4	8	12	16	20	……

물을 받은 시간과 따뜻한 물의 양 사이의 대응 관계를 식으로 나타내면
(물을 받은 시간)×3=(따뜻한 물의 양)
또는 (따뜻한 물의 양)÷3=(물을 받은 시간)입니다.
물을 받은 시간과 차가운 물의 양 사이의 대응 관계를 식으로 나타내면
(물을 받은 시간)×4=(차가운 물의 양)
또는 (차가운 물의 양)÷4=(물을 받은 시간)입니다.
따라서 차가운 물의 양이 32 L일 때 물을 받은 시간은 32÷4=8(분)이고, 8분 동안 받은 따뜻한 물의 양은 8×3=24(L)입니다.

3 비법 PLUS 실을 1번, 2번, 3번, 4번…… 잘랐을 때 나누어진 도막의 수를 각각 구합니다.

자른 횟수(번)	1	2	3	4	……
도막의 수(도막)	3	5	7	9	……

1×2+1=3, 2×2+1=5, 3×2+1=7, 4×2+1=9……이므로 자른 횟수와 도막의 수 사이의 대응 관계를 식으로 나타내면
(자른 횟수)×2+1=(도막의 수)입니다.
따라서 실을 13번 자르면 13×2+1=27(도막)이 됩니다.

4 비법 PLUS 그린 원의 수가 1개씩 늘어날 때마나 나누어진 부분의 수는 몇 개씩 늘어나는지 알아봅니다.

그린 원의 수(개)	1	2	3	……
나누어진 부분의 수(개)	2	5	10	……

그린 원의 수를 ○, 나누어진 부분의 수를 △라고 할 때, 두 양 사이의 대응 관계를 식으로 나타내면
2+3+5+……+(○×2−1)=△입니다.
따라서 그린 원이 9개일 때 나누어진 부분은 모두 2+3+5+7+9+11+13+15+17=82(개)입니다.

5 비법 PLUS 배열 순서와 초록색 정사각형 조각의 수 사이의 대응 관계를 찾아 초록색 정사각형 조각이 52개일 때 배열 순서는 몇째인지 알아봅니다.

배열 순서	1	2	3	4	……
초록색 정사각형 조각의 수(개)	8	12	16	20	……
빨간색 정사각형 조각의 수(개)	1	4	9	16	……

배열 순서와 초록색 정사각형 조각의 수 사이의 대응 관계를 식으로 나타내면
(배열 순서)×4+4=(초록색 정사각형 조각의 수)
입니다.
초록색 정사각형 조각이 52개일 때 배열 순서는
(52−4)÷4=12이므로 열두째입니다.
배열 순서와 빨간색 정사각형 조각의 수 사이의 대응 관계를 식으로 나타내면
(배열 순서)×(배열 순서)
=(빨간색 정사각형 조각의 수)입니다.
따라서 열두째에 사용한 빨간색 정사각형 조각은
12×12=144(개)입니다.

6 비법 PLUS 작은 정삼각형 조각의 한 변의 길이를 □ cm 라고 하여 작은 정삼각형 조각의 수와 둘레 사이의 대응 관계를 알아봅니다.

작은 정삼각형 조각의 한 변의 길이를 □ cm라고 하면

배열 순서	1	2	3	4	……
작은 정삼각형 조각의 수(개)	1	4	9	16	……
둘레(cm)	□×1×3	□×2×3	□×3×3	□×4×3	……

배열 순서와 작은 정삼각형 조각의 수 사이의 대응 관계를 식으로 나타내면
(배열 순서)×(배열 순서)
=(작은 정삼각형 조각의 수)입니다.
7×7=49이므로 작은 정삼각형 조각 49개로 만든 모양은 일곱째입니다.
배열 순서와 둘레 사이의 대응 관계를 식으로 나타내면 □×(배열 순서)×3=(둘레)입니다.
일곱째에 만든 도형의 둘레는 □×7×3=□×21 입니다.
따라서 4×21=84이므로 작은 정삼각형 조각의 한 변은 4 cm입니다.

4 약분과 통분

복습 상위권 문제 26~27쪽

1 18개	2 18개
3 $\frac{25}{90}$	4 6
5 84	6 ㉠

1 51의 약수는 1, 3, 17, 51이므로 분자가 3의 배수 또는 17의 배수일 때 약분할 수 있습니다.
• 50÷3=16···2 ⇨ 3의 배수: 16개
• 50÷17=2···16 ⇨ 17의 배수: 2개
따라서 약분하여 나타낼 수 있는 분수는 모두 16+2=18(개)입니다.

2 40을 공통분모로 하여 $\frac{3}{20}$과 $\frac{5}{8}$를 통분하면
$\frac{3}{20}=\frac{6}{40}$, $\frac{5}{8}=\frac{25}{40}$입니다.
따라서 $\frac{6}{40}$보다 크고 $\frac{25}{40}$보다 작은 분수 중에서 분모가 40인 분수는
$\frac{7}{40}$, $\frac{8}{40}$, $\frac{9}{40}$ …… $\frac{22}{40}$, $\frac{23}{40}$, $\frac{24}{40}$로 모두 18개 입니다.

3 $\frac{5}{18}$의 분모와 분자의 차는 18−5=13입니다.
65는 $\frac{5}{18}$의 분모와 분자의 차인 13의
65÷13=5(배)이므로 조건을 모두 만족하는 분수는
$\frac{5\times5}{18\times5}=\frac{25}{90}$입니다.

4 $\frac{2}{□}<\frac{9}{25}$에서 분자를 18로 같게 하면
$\frac{18}{□\times9}<\frac{18}{50}$이므로 □×9>50입니다.
따라서 □ 안에 들어갈 수 있는 자연수 중에서 가장 작은 수는 6입니다.

5 84−63=21이므로 $\frac{84}{112}$와 크기가 같은 분수 중에서 분자가 21인 분수를 찾습니다.
$\frac{84}{112}=\frac{84\div4}{112\div4}=\frac{21}{28}$
따라서 분모에서 112−28=84를 빼야 합니다.

6 ㉠ (도, 솔) ⇨ $\frac{264}{396}=\frac{2}{3}$

㉡ (레, 파) ⇨ $\frac{297}{352}=\frac{27}{32}$

㉢ (라, 시) ⇨ $\frac{440}{495}=\frac{8}{9}$

따라서 분모와 분자가 모두 7보다 작은 것은 ㉠ $\frac{2}{3}$이므로 잘 어울리는 음은 ㉠ (도, 솔)입니다.

복습 상위권 문제 확인과 응용 28~31쪽

1 13개
2 $\frac{4}{5}$, $\frac{4}{9}$, $\frac{5}{9}$, $\frac{7}{9}$
3 $\frac{23}{50}$, $\frac{27}{50}$
4 혜수
5 $\frac{7}{10}$
6 5개
7 $\frac{20}{48}$
8 $\frac{11}{18}$
9 11
10 15, 4
11 22
12 O형, A형, B형, AB형

1 $\frac{5}{7}$와 크기가 같은 분수 중에서 분모가 두 자리 수인 분수는 $\frac{10}{14}$, $\frac{15}{21}$ …… $\frac{65}{91}$, $\frac{70}{98}$으로 모두 13개입니다.

2 45를 공통분모로 하여 통분할 수 있으려면 분모는 5 또는 9이어야 합니다. 따라서 만들 수 있는 진분수는 $\frac{4}{5}$, $\frac{4}{9}$, $\frac{5}{9}$, $\frac{7}{9}$입니다.

3 ㉠ 0.01이 45개인 수 → 0.45
㉡ 0.01이 58개인 수 → 0.58
분모가 50인 기약분수를 $\frac{\square}{50}$라 하면
$\frac{\square}{50}=\frac{\square\times2}{50\times2}=\frac{\square\times2}{100}$이므로
$0.45<\frac{\square\times2}{100}<0.58$
$\rightarrow \frac{45}{100}<\frac{\square\times2}{100}<\frac{58}{100}$
$\rightarrow 45<\square\times2<58$입니다.
따라서 □ 안에 들어갈 수 있는 수는 23, 24, 25, 26, 27, 28이고 이 중에서 기약분수는 $\frac{23}{50}$, $\frac{27}{50}$입니다.

4 $0.3=\frac{3}{10}$입니다.
$\frac{3}{10}=\frac{27}{90}$, $\frac{4}{9}=\frac{40}{90}$이므로
우현이와 혜수가 먹을 과자의 양은
전체의 $\frac{27}{90}+\frac{40}{90}=\frac{67}{90}$이고
정원이가 먹을 과자의 양은
전체의 $1-\frac{67}{90}=\frac{23}{90}$입니다.
따라서 $\frac{40}{90}>\frac{27}{90}>\frac{23}{90}$이므로 과자를 가장 많이 먹는 사람은 혜수입니다.

5 분모가 10인 분수를 $\frac{\square}{10}$라 하고 $\frac{\square}{10}$와 $\frac{17}{25}$을 통분하면
$\frac{\square}{10}=\frac{\square\times5}{10\times5}=\frac{\square\times5}{50}$, $\frac{17}{25}=\frac{17\times2}{25\times2}=\frac{34}{50}$
입니다.
$\frac{\square\times5}{50}$에서 □=6이면 $\frac{30}{50}$이고, □=7이면 $\frac{35}{50}$
입니다.
따라서 $\frac{30}{50}$과 $\frac{35}{50}$ 중에서 $\frac{34}{50}$에 더 가까운 분수는 $\frac{35}{50}$이므로 분모가 10인 분수 중에서
$\frac{17}{25}$에 가장 가까운 분수는 $\frac{35}{50}=\frac{7}{10}$입니다.

6 분모가 63이므로 기약분수로 나타내었을 때 단위분수가 되는 분수는 분자가 63의 약수일 때입니다.
63의 약수는 1, 3, 7, 9, 21, 63이므로 기약분수로 나타내었을 때 단위분수가 되는 분수는
$\frac{1}{63}$, $\frac{3}{63}$, $\frac{7}{63}$, $\frac{9}{63}$, $\frac{21}{63}$로 모두 5개입니다.

7 분모와 분자의 최대공약수를 □라 하면 약분하기 전의 분수는 $\frac{5\times\square}{12\times\square}$입니다.
분모와 분자의 최소공배수는 240이므로
□×5×12=240, □=240÷60=4입니다.
따라서 조건을 모두 만족하는 분수는
$\frac{5\times4}{12\times4}=\frac{20}{48}$입니다.

8 수직선에 주어진 두 분수 $\frac{4}{7}$와 $\frac{9}{14}$를 통분하면 $\frac{8}{14}$, $\frac{9}{14}$입니다.

$\frac{8}{14}$과 $\frac{9}{14}$의 분자는 1만큼 차이가 나고 수직선에서 $\frac{8}{14}$과 $\frac{9}{14}$ 사이는 9칸으로 나누어져 있으므로 분모와 분자에 각각 9를 곱하여 크기가 같은 분수를 만듭니다.

⇨ $\frac{8}{14}=\frac{8\times9}{14\times9}=\frac{72}{126}$, $\frac{9}{14}=\frac{9\times9}{14\times9}=\frac{81}{126}$

$\frac{72}{126}$ $\frac{73}{126}$ $\frac{74}{126}$ $\frac{75}{126}$ $\frac{76}{126}$ $\frac{77}{126}$(㉠) $\frac{78}{126}$ $\frac{79}{126}$ $\frac{80}{126}$ $\frac{81}{126}$

따라서 ㉠은 $\frac{77}{126}$이고, 기약분수로 나타내면 $\frac{11}{18}$입니다.

9 $\frac{3}{38}$의 분모와 분자에 각각 더한 수를 □라 하면 $\frac{3+\square}{38+\square}$입니다. $\frac{3+\square}{38+\square}$의 분모와 분자의 차는 $(38+\square)-(3+\square)=35$이므로 $\frac{2}{7}$와 크기가 같은 분수 중에서 분모와 분자의 차가 35인 분수를 찾습니다.

$\frac{2}{7}$의 분모와 분자의 차는 $7-2=5$이고 35는 분모와 분자의 차인 5의 $35\div5=7$(배)이므로

$\frac{3+\square}{38+\square}=\frac{2\times7}{7\times7}=\frac{14}{49}$입니다.

따라서 $\frac{3+\square}{38+\square}=\frac{14}{49}$에서 $\square=11$입니다.

10 $\frac{▲}{■+1}$와 $\frac{▲}{■+5}$의 분자는 ▲로 같고 분모의 차는 $(■+5)-(■+1)=4$입니다.

$\frac{1}{4}$, $\frac{1}{5}$과 각각 크기가 같은 분수 중에서 두 분수의 분자는 같고 분모의 차가 4인 분수를 찾습니다.

$\frac{▲}{■+1}=\frac{1}{4}=\frac{2}{8}=\frac{3}{12}=\frac{4}{16}=\cdots\cdots$,

$\frac{▲}{■+5}=\frac{1}{5}=\frac{2}{10}=\frac{3}{15}=\frac{4}{20}=\cdots\cdots$

⇨ $\frac{▲}{■+1}=\frac{4}{16}$, $\frac{▲}{■+5}=\frac{4}{20}$에서 $■=15$, $▲=4$입니다.

11 ㉮ 선수의 기록이 가장 좋으므로 ㉮ 선수의 기록을 나타내는 수가 가장 커야 합니다.

소수를 분수로 나타내어 크기를 비교하면

$6\frac{43}{50}<7\frac{7}{10}\left(=7\frac{14}{20}\right)<7.85\left(=7\frac{17}{20}\right)$이고

㉮ 선수의 기록이 가장 좋으므로 $7\frac{\square}{25}>7\frac{17}{20}$이어야 합니다.

$7\frac{\square}{25}>7\frac{17}{20}$ ⇨ $7\frac{\square\times4}{100}>7\frac{85}{100}$에서

$\square\times4>85$이므로 □ 안에 들어갈 수 있는 가장 작은 자연수는 22입니다.

12 $0.13=\frac{13}{100}$입니다.

$\frac{8}{25}$, $\frac{1}{5}$, $\frac{13}{100}$, $\frac{7}{20}$을 통분하면

$\frac{32}{100}$, $\frac{20}{100}$, $\frac{13}{100}$, $\frac{35}{100}$이므로

$\frac{35}{100}>\frac{32}{100}>\frac{20}{100}>\frac{13}{100}$입니다.

따라서 혈액형의 종류별로 학생 수가 많은 것부터 차례대로 쓰면 O형, A형, B형, AB형입니다.

복습 최상위권 문제 32~33쪽

1 $\frac{4}{7}$	**2** $\frac{23}{30}$
3 $\frac{28}{52}$	**4** 8째 번
5 48	**6** 225, 30

1 비법 PLUS
(분자)×2>(분모)이면 $0.5\left(=\frac{1}{2}\right)$보다 큰 분수입니다.

$0.5=\frac{5}{10}=\frac{1}{2}$

만들 수 있는 진분수 중에서 $\frac{1}{2}$보다 큰 수는

$\frac{3}{4}$, $\frac{3}{5}$, $\frac{4}{5}$, $\frac{4}{6}$, $\frac{5}{6}$, $\frac{4}{7}$, $\frac{5}{7}$, $\frac{6}{7}$입니다.

이 중 가장 작은 수를 구하기 위해 $\frac{3}{4}$, $\frac{3}{5}$, $\frac{4}{6}$, $\frac{4}{7}$의 크기를 비교하면 분자가 같을 때 분모가 작을수록 큰 수이므로 $\frac{3}{4}>\frac{3}{5}$, $\frac{4}{6}>\frac{4}{7}$이고

$\frac{3}{5}\left(=\frac{21}{35}\right)>\frac{4}{7}\left(=\frac{20}{35}\right)$입니다.

따라서 만들 수 있는 진분수 중에서 가장 작은 수는 $\frac{4}{7}$입니다.

2 비법 PLUS 30을 공통분모로 하여 $\frac{11}{15}$과 $\frac{5}{6}$를 통분한 후 두 분수 사이에 있는 분수를 찾아봅니다.

$\frac{11}{15}$과 $\frac{5}{6}$를 통분하면 $\frac{22}{30}$, $\frac{25}{30}$이므로 $\frac{22}{30}$보다 크고 $\frac{25}{30}$보다 작은 분수 중에서 분모가 30인 진분수는 $\frac{23}{30}$, $\frac{24}{30}$입니다.

$\frac{7}{9}$, $\frac{23}{30}$, $\frac{24}{30}$를 통분하면 $\frac{70}{90}$, $\frac{69}{90}$, $\frac{72}{90}$이고 이 중에서 $\frac{70}{90}$보다 작은 수는 $\frac{69}{90}\left(=\frac{23}{30}\right)$입니다.

따라서 조건을 모두 만족하는 분수는 $\frac{23}{30}$입니다.

3 비법 PLUS 분자에서 뺀 수와 분모에 더한 수가 같으면 분모와 분자의 합은 변하지 않습니다.

처음 분수를 $\frac{▲}{■}$라 하면

■+▲=80이고, $\frac{▲-3}{■+3}=\frac{5}{11}$입니다.

(■+3)+(▲−3)=■+▲=80이므로

$\frac{5}{11}$와 크기가 같은 분수 중에서 분모와 분자의 합이 80인 분수를 찾습니다.

$\frac{5}{11}$의 분모와 분자의 합은 11+5=16이고, 80은 16의 5배이므로 $\frac{▲-3}{■+3}=\frac{5\times5}{11\times5}=\frac{25}{55}$입니다.

■+3=55 ⇨ ■=52, ▲−3=25 ⇨ ▲=28

따라서 처음 분수는 $\frac{28}{52}$입니다.

4 비법 PLUS 규칙을 찾아 분수를 늘어놓은 뒤 $\frac{5}{8}$와 크기가 같은 분수를 찾습니다.

분모는 4씩 커지고 분자는 2씩 커지는 규칙입니다.

분수의 분모를 차례대로 쓰면 12, 16, 20, 24, 28, 32, 36, 40, 44……이고

이 중에서 8의 배수는 16, 24, 32, 40……이므로 각각의 경우의 분수를 구하면

$\frac{13}{16}$, $\frac{17}{24}$, $\frac{21}{32}$, $\frac{25}{40}$……입니다.

따라서 분모가 8의 배수인 분수 중에서 $\frac{5}{8}$와 크기가 같은 분수는 $\frac{25}{40}$이므로 $40\div4-2=8$(째 번)에 놓입니다.

5 비법 PLUS 분수의 분자가 3과 5이므로 3과 5의 최소공배수인 15로 분자를 같게 하여 분수의 크기를 비교합니다.

분자를 3, 5의 최소공배수인 15로 같게 하면

$\frac{3}{2}=\frac{15}{10}$, $\frac{5}{■}=\frac{15}{■\times3}$, $\frac{3}{4}=\frac{15}{20}$,

$\frac{5}{▲}=\frac{15}{▲\times3}$, $\frac{3}{5}=\frac{15}{25}$입니다.

• $\frac{15}{10}>\frac{15}{■\times3}>\frac{15}{20}$에서 $10<■\times3<20$이므로 ■=4, 5, 6이고 이 중에서 가장 큰 수는 6입니다.

• $\frac{15}{20}>\frac{15}{▲\times3}>\frac{15}{25}$에서 $20<▲\times3<25$이므로 ▲=7, 8이고 이 중에서 큰 수는 8입니다.

따라서 ■×▲의 계산 결과가 가장 클 때의 값은 6×8=48입니다.

6 $\frac{㉠}{㉡\times㉡\times㉡}=\frac{1}{120}$에서

$120=2\times2\times2\times3\times5$이므로

분모를 ㉡×㉡×㉡과 같이 똑같은 수를 세 번 곱한 수로 나타내기 위해서는 분모와 분자에 각각 (3×3×5×5)를 곱해야 합니다.

$$\Rightarrow \frac{1}{120}=\frac{1}{2\times2\times2\times3\times5}=\frac{1\times(3\times3\times5\times5)}{(2\times2\times2\times3\times5)\times(3\times3\times5\times5)}=\frac{3\times3\times5\times5}{(2\times3\times5)\times(2\times3\times5)\times(2\times3\times5)}$$

따라서 ㉠=3×3×5×5=225,

㉡=2×3×5=30입니다.

5 분수의 덧셈과 뺄셈

복습 상위권 문제 34~35쪽

1 $1\frac{37}{60}$	2 $5\frac{29}{40}$ m
3 8	4 $\frac{11}{15}$ kg
5 $17\frac{2}{15}$	6 예 $\frac{1}{2}$, $\frac{1}{16}$, $\frac{1}{32}$

1 어떤 수를 □라고 하면 $□-\frac{7}{12}=\frac{9}{20}$이므로

$□=\frac{9}{20}+\frac{7}{12}=\frac{27}{60}+\frac{35}{60}=1\frac{2}{60}=1\frac{1}{30}$입니다.

따라서 어떤 수는 $1\frac{1}{30}$이므로 바르게 계산하면

$1\frac{1}{30}+\frac{7}{12}=1\frac{2}{60}+\frac{35}{60}=1\frac{37}{60}$입니다.

2 (색 테이프 3장의 길이의 합)

$=2\frac{3}{8}+2\frac{3}{8}+2\frac{3}{8}=6\frac{9}{8}=7\frac{1}{8}$(m)

겹쳐진 부분이 2군데이므로 겹쳐진 부분의 길이의 합은 $\frac{7}{10}+\frac{7}{10}=\frac{14}{10}=1\frac{4}{10}=1\frac{2}{5}$(m)입니다.

⇨ (이어 붙인 색 테이프 전체의 길이)

$=7\frac{1}{8}-1\frac{2}{5}=7\frac{5}{40}-1\frac{16}{40}=5\frac{29}{40}$(m)

3 $\frac{9}{14}+\frac{8}{21}=\frac{27}{42}+\frac{16}{42}=\frac{43}{42}$이고

$\frac{□}{7}=\frac{□\times 6}{42}$이므로 식을 간단히 만들면

$\frac{43}{42}<\frac{□\times 6}{42}$ ⇨ $43<□\times 6$입니다.

따라서 □ 안에 들어갈 수 있는 자연수 중에서 가장 작은 수는 8입니다.

4 (전체 물의 반의 무게)

=(물이 가득 들어 있는 병의 무게)

−(물을 마시고 난 후의 병의 무게)

$=3\frac{17}{30}-2\frac{3}{20}=3\frac{34}{60}-2\frac{9}{60}=1\frac{5}{12}$(kg)

⇨ (빈 병의 무게)

=(물을 마시고 난 후의 병의 무게)

−(전체 물의 반의 무게)

$=2\frac{3}{20}-1\frac{5}{12}=2\frac{9}{60}-1\frac{25}{60}$

$=1\frac{69}{60}-1\frac{25}{60}=\frac{44}{60}=\frac{11}{15}$(kg)

5 합이 가장 크게 되려면 9와 7을 자연수 부분에 각각 놓고 1, 3, 4, 5로 합이 가장 큰 진분수를 2개 만들어야 합니다.

따라서 $9\frac{4}{5}+7\frac{1}{3}$ 또는 $9\frac{1}{3}+7\frac{4}{5}$일 때 합이 가장 크게 됩니다.

⇨ $9\frac{4}{5}+7\frac{1}{3}=9\frac{12}{15}+7\frac{5}{15}=16\frac{17}{15}=17\frac{2}{15}$

또는 $9\frac{1}{3}+7\frac{4}{5}=9\frac{5}{15}+7\frac{12}{15}$

$=16\frac{17}{15}=17\frac{2}{15}$

6 색종이 조각을 단위분수로 나타내면 다음과 같습니다.

$\frac{1}{2}$

$\frac{1}{16}$ $\frac{1}{32}$

$\frac{1}{2}+\frac{1}{16}+\frac{1}{32}=\frac{16}{32}+\frac{2}{32}+\frac{1}{32}=\frac{19}{32}$

복습 상위권 문제 확인과 응용 36~39쪽

1 3시간 40분	2 $2\frac{3}{40}$
3 41개	4 $\frac{5}{6}$ kg
5 $\frac{19}{40}$ L	6 48개
7 $2\frac{1}{9}$ m	8 $2\frac{1}{160}$
9 4일	10 $\frac{7}{15}$, $\frac{1}{6}$
11 $\frac{3}{40}$	12 $\frac{9}{100}$

1 (광주에 가는 데 걸린 시간)

$=1\frac{1}{4}+1\frac{11}{12}+\frac{1}{2}=1\frac{3}{12}+1\frac{11}{12}+\frac{6}{12}$

$=2\frac{20}{12}=3\frac{8}{12}=3\frac{2}{3}$(시간)

⇨ $\frac{2}{3}$시간$=\frac{40}{60}$시간=40분이므로 범호가 광주에 가는 데 걸린 시간은 모두 $3\frac{2}{3}$시간=3시간 40분입니다.

2 $\frac{3}{5} \odot \frac{7}{8} = \frac{3}{5} + \frac{3}{5} + \frac{7}{8} = \frac{6}{5} + \frac{7}{8} = \frac{48}{40} + \frac{35}{40}$
$= \frac{83}{40} = 2\frac{3}{40}$

3 $\frac{1}{6} - \frac{1}{7} = \frac{7}{42} - \frac{6}{42} = \frac{1}{42}$이므로
$\frac{1}{6} - \frac{1}{7} < \frac{1}{\square - 5}$ ⇨ $\frac{1}{42} < \frac{1}{\square - 5}$입니다.
단위분수는 분모가 작을수록 더 큰 분수이므로
$\square - 5 < 42$, $\square < 47$이고 $\square - 5 > 0$이므로 $\square > 5$
입니다.
따라서 $5 < \square < 47$이므로 $\square$ 안에 들어갈 수 있는
자연수는 6, 7, 8 …… 45, 46으로 모두 41개입니다.

4 (전체 사과의 $\frac{3}{4}$의 무게)
$= 6\frac{1}{3} - 2\frac{5}{24} = 6\frac{8}{24} - 2\frac{5}{24} = 4\frac{3}{24} = 4\frac{1}{8}$(kg)
$4\frac{1}{8} = \frac{33}{8} = \frac{11}{8} + \frac{11}{8} + \frac{11}{8}$이므로 전체 사과의
$\frac{1}{4}$의 무게는 $\frac{11}{8}\left(=1\frac{3}{8}\right)$ kg입니다.
⇨ (빈 상자의 무게)
=(사과를 나누어 준 후의 상자의 무게)
−(전체 사과의 $\frac{1}{4}$의 무게)
$= 2\frac{5}{24} - 1\frac{3}{8} = 2\frac{5}{24} - 1\frac{9}{24} = \frac{20}{24} = \frac{5}{6}$(kg)

다른 풀이 (전체 사과의 $\frac{3}{4}$의 무게)
$= 6\frac{1}{3} - 2\frac{5}{24} = 6\frac{8}{24} - 2\frac{5}{24} = 4\frac{3}{24} = 4\frac{1}{8}$(kg)
$4\frac{1}{8} = \frac{33}{8} = \frac{11}{8} + \frac{11}{8} + \frac{11}{8}$이므로 전체 사과의 $\frac{1}{4}$의
무게는 $\frac{11}{8}\left(=1\frac{3}{8}\right)$ kg이고, 전체 사과의 무게는
$1\frac{3}{8} + 1\frac{3}{8} + 1\frac{3}{8} + 1\frac{3}{8} = 5\frac{4}{8} = 5\frac{1}{2}$(kg)입니다.
⇨ (빈 상자의 무게)
=(사과를 가득 채운 상자의 무게)
−(전체 사과의 무게)
$= 6\frac{1}{3} - 5\frac{1}{2} = 6\frac{2}{6} - 5\frac{3}{6} = 5\frac{8}{6} - 5\frac{3}{6} = \frac{5}{6}$(kg)

5 처음 ㉯ 병에 들어 있던 우유의 양을 □ L라 하면
$\frac{7}{8} - \frac{1}{5} = \square + \frac{1}{5}$이므로 $\frac{27}{40} = \square + \frac{1}{5}$,
$\square = \frac{27}{40} - \frac{1}{5} = \frac{27}{40} - \frac{8}{40} = \frac{19}{40}$입니다.
따라서 처음 ㉯ 병에 들어 있던 우유의 양은 $\frac{19}{40}$ L
입니다.

6 승우가 처음에 가지고 있던 사탕의 양을 1이라 하면
친구들과 나누어 먹고 남은 사탕의 양은 전체의
$1 - \left(\frac{1}{3} + \frac{1}{4} + \frac{3}{8}\right) = 1 - \left(\frac{8}{24} + \frac{6}{24} + \frac{9}{24}\right)$
$= 1 - \frac{23}{24} = \frac{1}{24}$입니다.
따라서 전체 사탕의 $\frac{1}{24}$이 2개이므로 승우가 처음에
가지고 있던 사탕은 $2 \times 24 = 48$(개)입니다.

7 (색 테이프 4장의 겹쳐진 부분의 길이의 합)
$= \frac{4}{9} + \frac{4}{9} + \frac{4}{9} = \frac{12}{9} = 1\frac{3}{9} = 1\frac{1}{3}$(m)
(색 테이프 4장의 길이의 합)
=(이어 붙인 색 테이프 전체의 길이)
+(겹쳐진 부분의 길이의 합)
$= 7\frac{1}{9} + 1\frac{1}{3} = 7\frac{1}{9} + 1\frac{3}{9} = 8\frac{4}{9}$(m)
⇨ $8\frac{4}{9} = 2\frac{1}{9} + 2\frac{1}{9} + 2\frac{1}{9} + 2\frac{1}{9}$이므로
색 테이프 한 장의 길이는 $2\frac{1}{9}$ m입니다.

참고
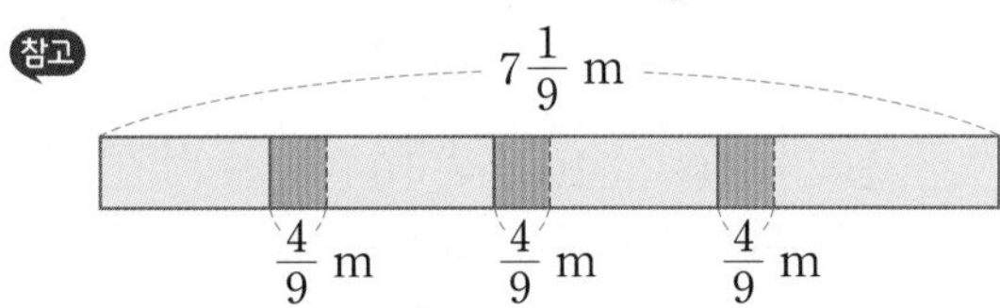

색 테이프 4장을 겹치게 이어 붙였으므로 겹쳐진 부분은 3군데
입니다.

8 자연수 부분은 1씩, 분자는 2씩, 분모는 4씩 커지는
규칙입니다.
따라서 여덟째 분수는 $8\frac{15}{32}$이고
열째 분수는 $10\frac{19}{40}$입니다.
⇨ $10\frac{19}{40} - 8\frac{15}{32} = 10\frac{76}{160} - 8\frac{75}{160} = 2\frac{1}{160}$

9 혼자서 일을 모두 끝내는 데 재훈이는 $3 \times 2 = 6$(일),
하늘이는 $4 \times 3 = 12$(일)이 걸리므로 재훈이와 하늘
이가 하루에 하는 일의 양은 각각 전체의 $\frac{1}{6}$, 전체의
$\frac{1}{12}$입니다.
따라서 두 사람이 함께 하루에 하는 일의 양은 전체의
$\frac{1}{6} + \frac{1}{12} = \frac{2}{12} + \frac{1}{12} = \frac{3}{12} = \frac{1}{4}$이므로 두 사람
이 함께 일을 해서 이 일을 모두 끝내는 데 4일이 걸
립니다.

10 • (■+▲)+(■−▲)

$=\frac{19}{30}+\frac{3}{10}=\frac{19}{30}+\frac{9}{30}=\frac{28}{30}=\frac{14}{15}$

■+■$=\frac{14}{15}=\frac{7}{15}+\frac{7}{15}$

⇨ ■$=\frac{7}{15}$

• ■+▲$=\frac{19}{30}$ ⇨ $\frac{7}{15}$+▲$=\frac{19}{30}$

⇨ ▲$=\frac{19}{30}-\frac{7}{15}=\frac{19}{30}-\frac{14}{30}$

$=\frac{5}{30}=\frac{1}{6}$

다른 풀이 • ■−▲$=\frac{3}{10}$ ⇨ ■$=\frac{3}{10}$+▲

• ■+▲$=\frac{19}{30}$ ⇨ $\left(\frac{3}{10}\right.$+▲$\left.\right)$+▲$=\frac{19}{30}$

⇨ ▲+▲$=\frac{19}{30}-\frac{3}{10}$

$=\frac{19}{30}-\frac{9}{30}=\frac{10}{30}$

$\frac{5}{30}+\frac{5}{30}=\frac{10}{30}$이므로 ▲$=\frac{5}{30}\left(=\frac{1}{6}\right)$이고,

■$=\frac{3}{10}$+▲$=\frac{3}{10}+\frac{1}{6}=\frac{14}{30}\left(=\frac{7}{15}\right)$입니다.

11 만든 AG800 은반지는 전체의 $\frac{80}{100}\left(=\frac{4}{5}\right)$만큼이 은이고, 전체의 $\frac{1}{8}$은 구리이므로

아연은 은반지 전체의

$1-\frac{4}{5}-\frac{1}{8}=\frac{40}{40}-\frac{32}{40}-\frac{5}{40}=\frac{3}{40}$ 입니다.

12 (6대륙이 차지하는 부분의 합)

$=\frac{8}{25}+\frac{1}{5}+\frac{3}{50}+\frac{4}{25}+\frac{3}{25}+\frac{1}{20}$

$=\frac{32}{100}+\frac{20}{100}+\frac{6}{100}+\frac{16}{100}+\frac{12}{100}+\frac{5}{100}$

$=\frac{91}{100}$

⇨ (남극 대륙이 차지하는 부분)$=1-\frac{91}{100}=\frac{9}{100}$

복습 최상위권 문제 40~41쪽

1 7일	**2** $\frac{19}{40}$
3 $\frac{1}{10}$	**4** $\frac{4}{75}$
5 $23\frac{7}{12}$분	**6** $1\frac{23}{48}$ m

1 비법 PLUS 책을 2일 동안 전체의 얼마만큼 읽는지 먼저 구합니다.

아름이는 책을 2일 동안 전체의

$\frac{1}{8}+\frac{1}{6}=\frac{3}{24}+\frac{4}{24}=\frac{7}{24}$만큼 읽습니다.

책 전체를 1이라 하면

$1-\frac{7}{24}-\frac{7}{24}-\frac{7}{24}=\frac{3}{24}=\frac{1}{8}$이므로 6일 동안 책을 읽으면 책 전체의 $\frac{1}{8}$이 남습니다.

따라서 7일째에 책을 모두 읽을 수 있으므로 7일이 걸립니다.

2 비법 PLUS

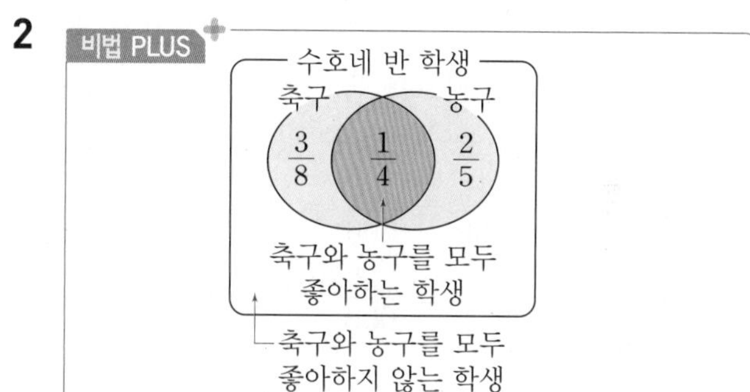

축구 또는 농구를 좋아하는 학생은 전체의

$\frac{3}{8}+\frac{2}{5}-\frac{1}{4}=\frac{15}{40}+\frac{16}{40}-\frac{1}{4}$

$=\frac{31}{40}-\frac{1}{4}$

$=\frac{31}{40}-\frac{10}{40}=\frac{21}{40}$입니다.

따라서 축구와 농구를 모두 좋아하지 않는 학생은 전체의 $1-\frac{21}{40}=\frac{19}{40}$입니다.

3 비법 PLUS 먼저 단위분수의 분모를 연속하는 두 자연수의 곱으로 나타냅니다.

$\frac{1}{30}+\frac{1}{42}+\frac{1}{56}+\frac{1}{72}+\frac{1}{90}$

$=\frac{1}{5\times6}+\frac{1}{6\times7}+\frac{1}{7\times8}$

$+\frac{1}{8\times9}+\frac{1}{9\times10}$

$=\frac{1}{5}-\cancel{\frac{1}{6}}+\cancel{\frac{1}{6}}-\cancel{\frac{1}{7}}+\cancel{\frac{1}{7}}-\cancel{\frac{1}{8}}$

$+\cancel{\frac{1}{8}}-\cancel{\frac{1}{9}}+\cancel{\frac{1}{9}}-\frac{1}{10}$

$=\frac{1}{5}-\frac{1}{10}=\frac{2}{10}-\frac{1}{10}=\frac{1}{10}$

4 비법 PLUS (㉮와 ㉯ 펌프를 동시에 사용하여 배수구를 연 수영장을 1분 동안 채울 수 있는 물의 양)
=(㉮ 펌프로만 1분 동안 채울 수 있는 물의 양)
+(㉯ 펌프로만 1분 동안 채울 수 있는 물의 양)
−(1분 동안 배수구로 나가는 물의 양)

㉮ 펌프로만 1분 동안 채울 수 있는 물의 양은 전체의 $\frac{1}{30}$이고, ㉯ 펌프로만 1분 동안 채울 수 있는 물의 양은 전체의 $\frac{1}{40}$입니다.
배수구를 연 수영장에 물을 가득 채우는 데 ㉯ 펌프로만 50분이 걸렸으므로 1분 동안 나가는 배수구로 물의 양은 전체의 $\frac{1}{40}-\frac{1}{50}=\frac{5}{200}-\frac{4}{200}=\frac{1}{200}$ 입니다.
따라서 ㉮와 ㉯ 펌프를 동시에 사용하여 배수구를 연 수영장을 1분 동안 채울 수 있는 물의 양은 전체의
$\frac{1}{30}+\frac{1}{40}-\frac{1}{200}=\frac{20}{600}+\frac{15}{600}-\frac{3}{600}$
$=\frac{32}{600}=\frac{4}{75}$ 입니다.

5 나무 막대를 6도막으로 자르려면 5번 자르고 4번을 쉬게 됩니다.
(6도막으로 자르는 데 걸리는 시간의 합)
$=3\frac{1}{4}+3\frac{1}{4}+3\frac{1}{4}+3\frac{1}{4}+3\frac{1}{4}$
$=15\frac{5}{4}=16\frac{1}{4}$(분)
(쉬는 시간의 합)$=1\frac{5}{6}+1\frac{5}{6}+1\frac{5}{6}+1\frac{5}{6}$
$=4\frac{20}{6}=7\frac{2}{6}=7\frac{1}{3}$(분)
따라서 나무 막대를 6도막으로 자르는 데 걸리는 시간은 모두
$16\frac{1}{4}+7\frac{1}{3}=16\frac{3}{12}+7\frac{4}{12}=23\frac{7}{12}$(분)입니다.

6 연못의 깊이를 □ m라고 하면
□$+1\frac{5}{12}+$□$=4\frac{3}{8}$입니다.
⇨ □+□$=4\frac{3}{8}-1\frac{5}{12}=4\frac{9}{24}-1\frac{10}{24}$
$=3\frac{33}{24}-1\frac{10}{24}=2\frac{23}{24}$
따라서 $2\frac{23}{24}=2\frac{46}{48}=1\frac{23}{48}+1\frac{23}{48}$이므로 연못의 깊이는 $1\frac{23}{48}$ m입니다.

6 다각형의 둘레와 넓이

복습 상위권 문제 42~43쪽

1 108 cm	**2** 90 cm
3 840 cm^2	**4** 216 cm^2
5 402 cm^2	**6** 390 m^2
7 85 cm^2	**8** 84 cm^2

1
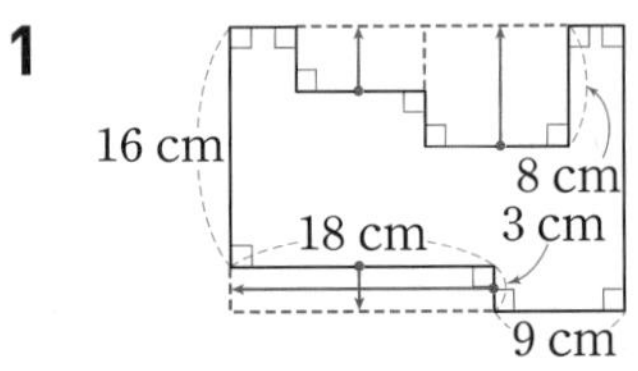

도형의 둘레는 가로가 18+9=27(cm)이고, 세로가 16+3=19(cm)인 직사각형의 둘레에 8 cm인 변의 길이를 2번 더한 것과 같습니다.
⇨ (도형의 둘레)=(27+19)×2+8×2
=46×2+16=108(cm)

2 정사각형 14개를 겹치지 않게 이어 붙여서 만들었으므로 정사각형 한 개의 넓이는 126÷14=9(cm^2) 입니다.
3×3=9이므로 정사각형의 한 변의 길이는 3 cm 입니다.
따라서 도형의 둘레에는 정사각형의 한 변이 30개 있으므로 도형의 둘레는 3×30=90(cm)입니다.

3 잘라 내고 남은 부분을 모으면 다음과 같은 직사각형이 됩니다.
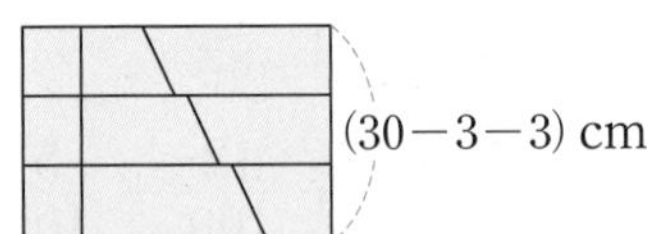

⇨ (남은 부분의 넓이)
=(45−5−5)×(30−3−3)
=35×24=840(cm^2)

4 (큰 마름모의 넓이)=18×32÷2=288(cm^2)
작은 마름모의 두 대각선의 길이는 각각
18÷2=9(cm)와 32÷2=16(cm)이므로
(작은 마름모의 넓이)=9×16÷2=72(cm^2)
입니다.
⇨ (색칠한 부분의 넓이)
=(큰 마름모의 넓이)−(작은 마름모의 넓이)
=288−72=216(cm^2)

5 겹쳐진 직사각형의 가로는 $16-6=10$(cm)이고, 세로는 $16-11=5$(cm)입니다.
(겹쳐진 부분의 넓이)$=10\times5=50$(cm^2)
⇨ (도형의 넓이)$=(16\times16)+(14\times14)-50$
$=256+196-50=402$(cm^2)

6 (삼각형 ㄱㄴㄷ의 넓이)$=25\times12\div2=150$(m^2)
삼각형 ㄱㄴㄷ에서 변 ㄴㄷ을 밑변이라고 할 때 높이를 □m라 하면 $20\times$□$\div2=150$, □$=15$입니다.
⇨ (사다리꼴 ㄱㄴㄷㄹ의 넓이)
$=(32+20)\times15\div2=390$(m^2)

7 (삼각형 ㄱㄴㄷ의 넓이)$=34\times20\div2=340$(cm^2)
삼각형 ㄱㄴㄷ과 삼각형 ㄴㅂㅁ의 높이는 같고, 삼각형 ㄱㄴㄷ의 밑변의 길이가 삼각형 ㄴㅂㅁ의 밑변의 길이의 4배이므로 넓이도 4배입니다.
⇨ (삼각형 ㅁㄴㅂ의 넓이)$=340\div4=85$(cm^2)

8 (파란색 정사각형의 넓이)$=14\times14=196$(cm^2)
(초록색 삼각형의 넓이)$=(2+10+2)\times16\div2$
$=112$(cm^2)
⇨ (파란색 정사각형의 넓이)$-$(초록색 삼각형의 넓이)
$=196-112=84$(cm^2)

복습 상위권 문제 확인과 응용 44~47쪽

1 1620000 cm^2	**2** 70 m
3 18 cm^2	**4** 180 cm^2
5 88 cm	**6** 396 cm^2
7 5 cm	**8** 29 cm^2
9 20 cm^2	**10** 105 cm^2
11 35 m^2	**12** 5645200 cm^2

1 정사각형은 네 변의 길이가 모두 같으므로 마름모라고 할 수 있습니다.
⇨ (정사각형 모양의 밭의 넓이)
$=$(마름모의 넓이)$=18\times18\div2=162$(m^2)
따라서 밭의 넓이는 162 m^2$=$1620000 cm^{2}입니다.

2 직사각형의 세로를 □m라고 하면 가로는 (□$\times6$) m입니다.
□$\times6\times$□$=150$, □$\times$□$=150\div6=25$이고 $5\times5=25$이므로 □$=5$입니다.
⇨ 직사각형의 세로는 5 m, 가로는 $5\times6=30$(m)이므로 직사각형의 둘레는 $(5+30)\times2=70$(m)입니다.

3

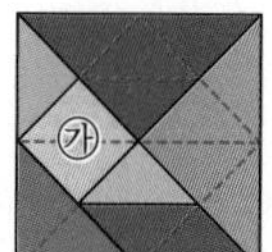

(칠교판의 넓이)$=12\times12=144$(cm^2)
칠교판 안에 있는 모든 도형은 가장 작은 직각삼각형 모양으로 나눌 수 있으므로 가장 작은 직각삼각형 모양을 이용하여 정사각형 ㉮의 넓이를 구합니다.
(가장 작은 직각삼각형의 넓이)
$=144\div16=9$(cm^2)
⇨ (정사각형 ㉮의 넓이)$=9\times2=18$(cm^2)

4 (마름모 ㄱㄴㄷㄹ의 넓이)
$=30\times24\div2=360$(cm^2)
선분 ㄱㅁ, 선분 ㅁㄷ, 선분 ㄷㅂ, 선분 ㅂㄱ의 길이가 모두 같으므로 사각형 ㄱㅁㄷㅂ은 마름모입니다.
선분 ㅁㅂ의 길이는 $30\div2=15$(cm)이므로 마름모 ㄱㅁㄷㅂ의 넓이는 $15\times24\div2=180$(cm^2)입니다.
따라서 색칠한 부분의 넓이는 $360-180=180$(cm^2)입니다.

5

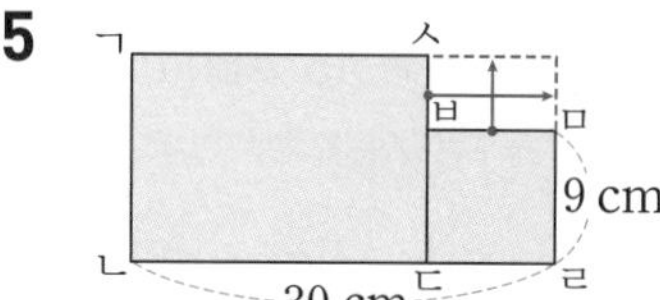

(정사각형 ㅂㄷㄹㅁ의 넓이)$=9\times9=81$(cm^2)
(직사각형 ㄱㄴㄷㅅ의 넓이)
$=375-81=294$(cm^2)
(선분 ㄴㄷ)$=30-9=21$(cm),
(선분 ㄱㄴ)$=294\div21=14$(cm)
도형의 둘레는 가로가 30 cm이고 세로가 14 cm인 직사각형의 둘레와 같습니다.
⇨ (도형의 둘레)$=(30+14)\times2=88$(cm)

6 (마름모 3개의 넓이)
$=(12\times12\div2)\times2+(24\times24\div2)$
$=144+288=432$(cm^2)
겹쳐진 부분은 두 대각선의 길이가 각각 6 cm인 마름모이므로 겹쳐진 부분의 넓이의 합은 $(6\times6\div2)\times2=36$(cm^2)입니다.
따라서 도형의 넓이는 $432-36=396$(cm^2)입니다.

7 (정사각형 ㄱㄴㄷㄹ의 넓이)
$=11\times11=121(\text{cm}^2)$
정사각형 ㄱㄴㄷㄹ과 평행사변형 ㄱㅁㅂㄹ의 넓이는 같습니다.
(삼각형 ㄹㄱㅅ의 넓이)
=(정사각형 ㄱㄴㄷㄹ의 넓이)×2
−(색칠한 부분의 넓이)
$=121\times2-209$
$=33(\text{cm}^2)$
선분 ㅅㄷ의 길이를 □cm라 하면 선분 ㄹㅅ의 길이는 (11−□) cm이므로
11×(11−□)÷2=33,
11−□=33×2÷11=6,
□=11−6=5입니다.
따라서 선분 ㅅㄷ의 길이는 5 cm입니다.

8 도형 전체의 넓이는
$(3\times3)+(4\times4)+(5\times5)+(6\times8\div2)=74(\text{cm}^2)$
입니다.
색칠하지 않은 부분은
밑변의 길이가 $3+4+5+6=18(\text{cm})$,
높이가 5 cm인 삼각형이므로
넓이는 $18\times5\div2=45(\text{cm}^2)$입니다.
따라서 색칠한 부분의 넓이는 $74-45=29(\text{cm}^2)$입니다.

9

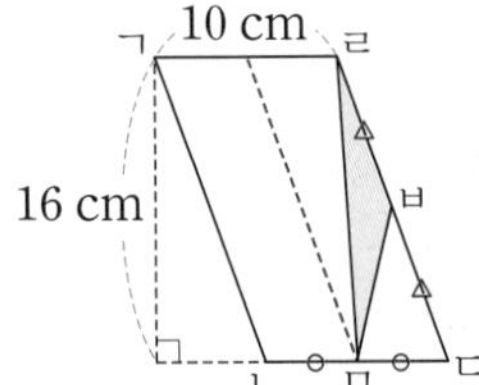

평행사변형 ㄱㄴㄷㄹ의 넓이는
$10\times16=160(\text{cm}^2)$입니다.
변 ㄱㄴ과 평행하고 점 ㅁ을 지나는 선을 그어 보면 크기가 같은 평행사변형이 2개 생기고,
새로 생긴 작은 평행사변형 1개의 넓이는
$160\div2=80(\text{cm}^2)$입니다.
삼각형 ㄹㅁㄷ의 넓이는 작은 평행사변형의 넓이의 반이므로 $80\div2=40(\text{cm}^2)$입니다.
삼각형 ㄹㅁㅂ과 삼각형 ㅂㅁㄷ은 밑변의 길이와 높이가 각각 같으므로 넓이도 같습니다.
따라서 삼각형 ㄹㅁㅂ의 넓이는 $40\div2=20(\text{cm}^2)$입니다.

10 사다리꼴 ㄱㄴㄷㄹ의 높이를 □cm라 하면
(18+32)×□÷2=750, □=750×2÷50=30입니다.
선분 ㄴㅁ과 선분 ㄹㅁ의 길이가 같으므로 삼각형 ㄱㄴㅁ과 삼각형 ㄱㅁㄹ의 넓이가 같고,
삼각형 ㄷㅁㄴ과 삼각형 ㄷㄹㅁ의 넓이가 같습니다.
따라서 사각형 ㄱㅁㄷㄹ의 넓이는 사다리꼴 ㄱㄴㄷㄹ의 넓이의 반이므로 $750\div2=375(\text{cm}^2)$입니다.
(삼각형 ㄱㄷㄹ의 넓이)$=18\times30\div2=270(\text{cm}^2)$
⇨ (삼각형 ㄱㅁㄷ의 넓이)
=(사각형 ㄱㅁㄷㄹ의 넓이)
−(삼각형 ㄱㄷㄹ의 넓이)
$=375-270=105(\text{cm}^2)$

11 (방 1의 넓이)
$=(3\times4)+(2\times1)=12+2=14(\text{m}^2)$
(방 2의 넓이)+(방 3의 넓이)
$=(8\times3)-(1\times3)=24-3=21(\text{m}^2)$
⇨ (방 1의 넓이)+(방 2의 넓이)+(방 3의 넓이)
$=14+21=35(\text{m}^2)$

12 (한 팀의 페널티 에어리어의 넓이)
$=(1100+1832+1100)\times1650$
$=4032\times1650=6652800(\text{cm}^2)$
(한 팀의 골 에어리어의 넓이)
$=1832\times550=1007600(\text{cm}^2)$
⇨ $6652800-1007600=5645200(\text{cm}^2)$

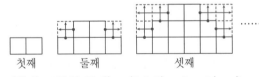

복습 최상위권 문제 48~49쪽

1 180 cm	**2** 504 cm²
3 48 cm²	**4** 68 cm²
5 17 cm²	**6** 153 cm², 4초

1

첫째 둘째 셋째 ……

(첫째 도형의 둘레)$=(2+1)\times2=6(\text{cm})$
(둘째 도형의 둘레)$=(4+2)\times2=12(\text{cm})$
(셋째 도형의 둘레)$=(6+3)\times2=18(\text{cm})$
⋮
(삼십째 도형의 둘레)$=(60+30)\times2=180(\text{cm})$

2

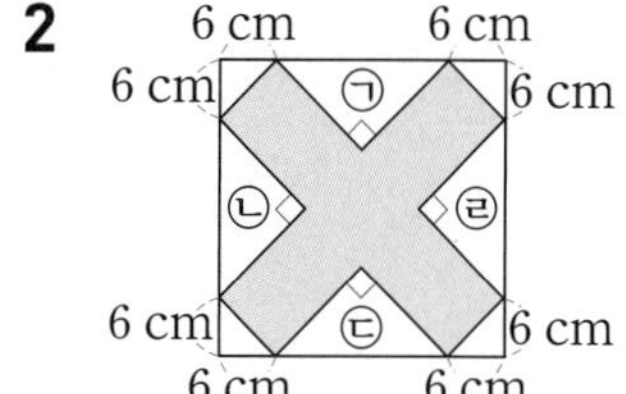

정사각형의 꼭짓점을 포함하는 작은 삼각형 1개의 넓이는 $6\times6\div2=18(\mathrm{cm}^2)$이므로 정사각형의 꼭짓점을 포함하는 작은 삼각형 4개의 넓이의 합은 $18\times4=72(\mathrm{cm}^2)$입니다.

㉠, ㉡, ㉢, ㉣은 다음 그림과 같이 한 각이 직각인 이등변삼각형입니다. ㉠, ㉡, ㉢, ㉣을 모으면 한 변의 길이가 $30-6-6=18(\mathrm{cm})$인 정사각형이 되므로 ㉠, ㉡, ㉢, ㉣의 넓이의 합은 $18\times18=324(\mathrm{cm}^2)$입니다.

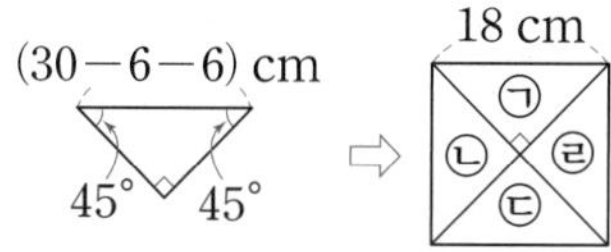

⇨ (색칠한 부분의 넓이)
=(정사각형의 넓이)−(작은 삼각형 4개의 넓이)
−(㉠, ㉡, ㉢, ㉣의 넓이의 합)
$=30\times30-72-324=504(\mathrm{cm}^2)$

3

비법 PLUS 평행사변형의 두 대각선은 서로 다른 대각선을 이등분합니다.

평행사변형의 한 대각선은 다른 대각선을 이등분하므로 변 ㄱㅂ과 변 ㄷㅂ의 길이가 같고, 변 ㄴㅂ과 변 ㄹㅂ의 길이가 같습니다.

삼각형 ㅂㄱㄴ과 삼각형 ㅂㄴㄷ은 밑변의 길이와 높이가 각각 같으므로 넓이가 같고, 삼각형 ㅂㄱㄴ과 삼각형 ㄱㅂㄹ도 밑변의 길이와 높이가 각각 같으므로 넓이가 같습니다. 같은 방법으로 넓이를 비교하면 삼각형 ㅂㄱㄴ, 삼각형 ㄱㅂㄹ, 삼각형 ㅂㄴㄷ, 삼각형 ㄹㅂㄷ의 넓이는 모두 같습니다.

삼각형 ㅁㅂㄹ과 삼각형 ㄱㅂㅁ의 높이가 같고, 삼각형 ㅁㅂㄹ의 밑변의 길이가 삼각형 ㄱㅂㅁ의 밑변의 길이의 3배이므로 넓이도 3배입니다. 삼각형 ㅁㅂㄹ의 넓이는 $3\times3=9(\mathrm{cm}^2)$입니다.

따라서 삼각형 ㄱㅂㄹ의 넓이는 $3+9=12(\mathrm{cm}^2)$이므로 평행사변형 ㄱㄴㄷㄹ의 넓이는 $12\times4=48(\mathrm{cm}^2)$입니다.

4

비법 PLUS 정육각형은 정삼각형 6개를 이어 붙여서 만들 수 있습니다.

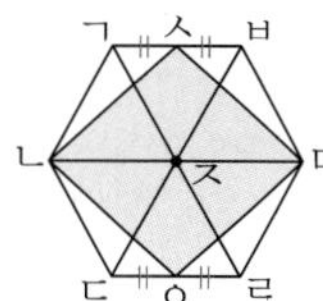

정육각형은 크기가 같은 정삼각형 6개로 나눌 수 있으므로 작은 정삼각형 한 개의 넓이는 $102\div6=17(\mathrm{cm}^2)$입니다. 삼각형 ㄱㄴㅅ과 삼각형 ㅂㅁㅅ은 밑변의 길이와 높이가 같으므로 넓이가 같고, 삼각형 ㄱㅈㅂ의 밑변의 길이는 삼각형 ㄱㄴㅅ의 밑변의 길이의 2배이고 높이는 같으므로 삼각형 ㄱㄴㅅ과 삼각형 ㅂㅁㅅ의 넓이의 합은 삼각형 ㄱㅈㅂ의 넓이와 같습니다. 같은 방법으로 삼각형 ㄷㄴㅇ과 삼각형 ㄹㅁㅇ의 넓이의 합도 작은 정삼각형 한 개의 넓이와 같으므로 색칠하지 않은 부분의 넓이는 작은 정삼각형 2개의 넓이와 같습니다.

따라서 색칠하지 않은 부분의 넓이가 $17\times2=34(\mathrm{cm}^2)$이므로 색칠한 부분의 넓이는 $102-34=68(\mathrm{cm}^2)$입니다.

5

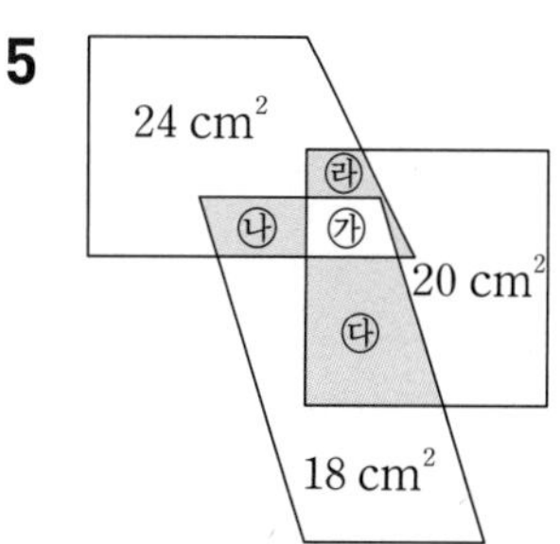

㉯+㉱$=36-24-4=8(\mathrm{cm}^2)$
㉯+㉰$=36-18-4=14(\mathrm{cm}^2)$
㉰+㉱$=36-20-4=12(\mathrm{cm}^2)$
(㉯+㉱)+(㉯+㉰)+(㉰+㉱)
=(㉯+㉰+㉱)$\times2=8+14+12=34(\mathrm{cm}^2)$
따라서 색칠한 부분의 넓이는 ㉯+㉰+㉱이므로 $34\div2=17(\mathrm{cm}^2)$입니다.

6

비법 PLUS 먼저 직사각형과 이등변삼각형이 겹쳐지는 부분의 넓이가 가장 넓게 될 때의 모양을 알아봅니다.

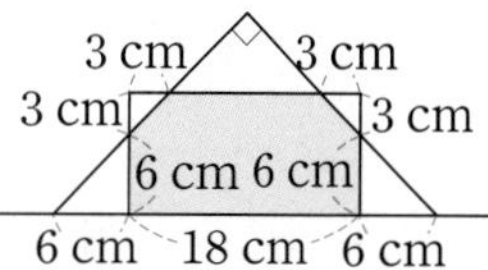

왼쪽 그림과 같이 겹쳐졌을 때 겹쳐지는 부분의 넓이가 가장 넓게 됩니다.

⇨ (겹쳐지는 부분의 넓이가 가장 넓게 될 때의 넓이)
$=18\times(6+3)-(3\times3\div2)\times2=153(\mathrm{cm}^2)$

따라서 직사각형은 $18+6=24(\mathrm{cm})$를 움직였으므로 넓이가 가장 넓게 될 때는 직사각형이 움직이기 시작한 지 $24\div6=4$(초) 후입니다.

MEMO

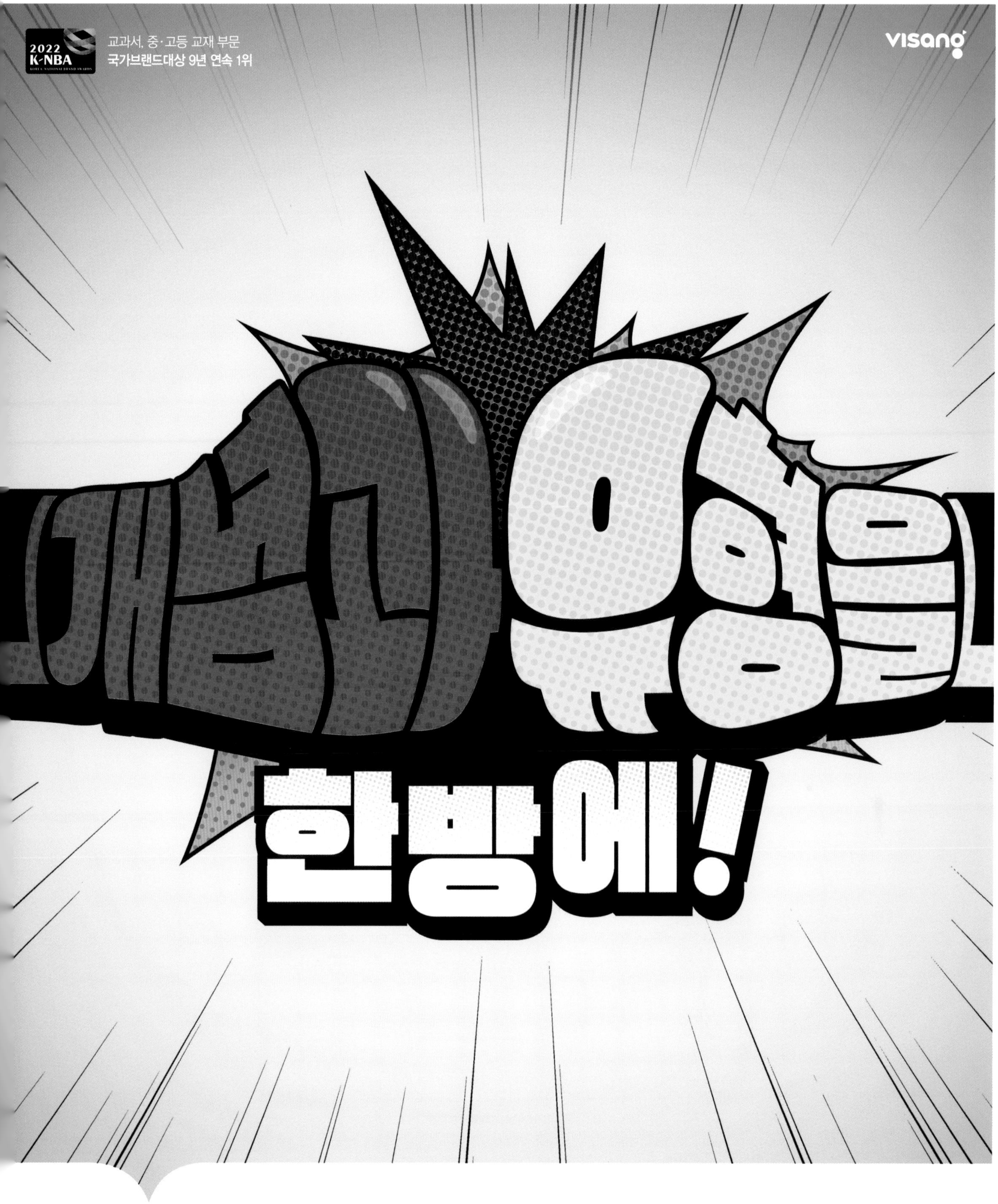
2022 K-NBA
교과서, 중·고등 교재 부문
국가브랜드대상 9년 연속 1위
visang
개념과 유형을
한방에!

개념·플러스·유형·시리즈 개념과 유형이 하나로! 가장 효과적인 수학 공부 방법을 제시합니다.

대표전화 1544-0554
주소 서울특별시 구로구 디지털로33길 48 대륭포스트타워 7차 20층

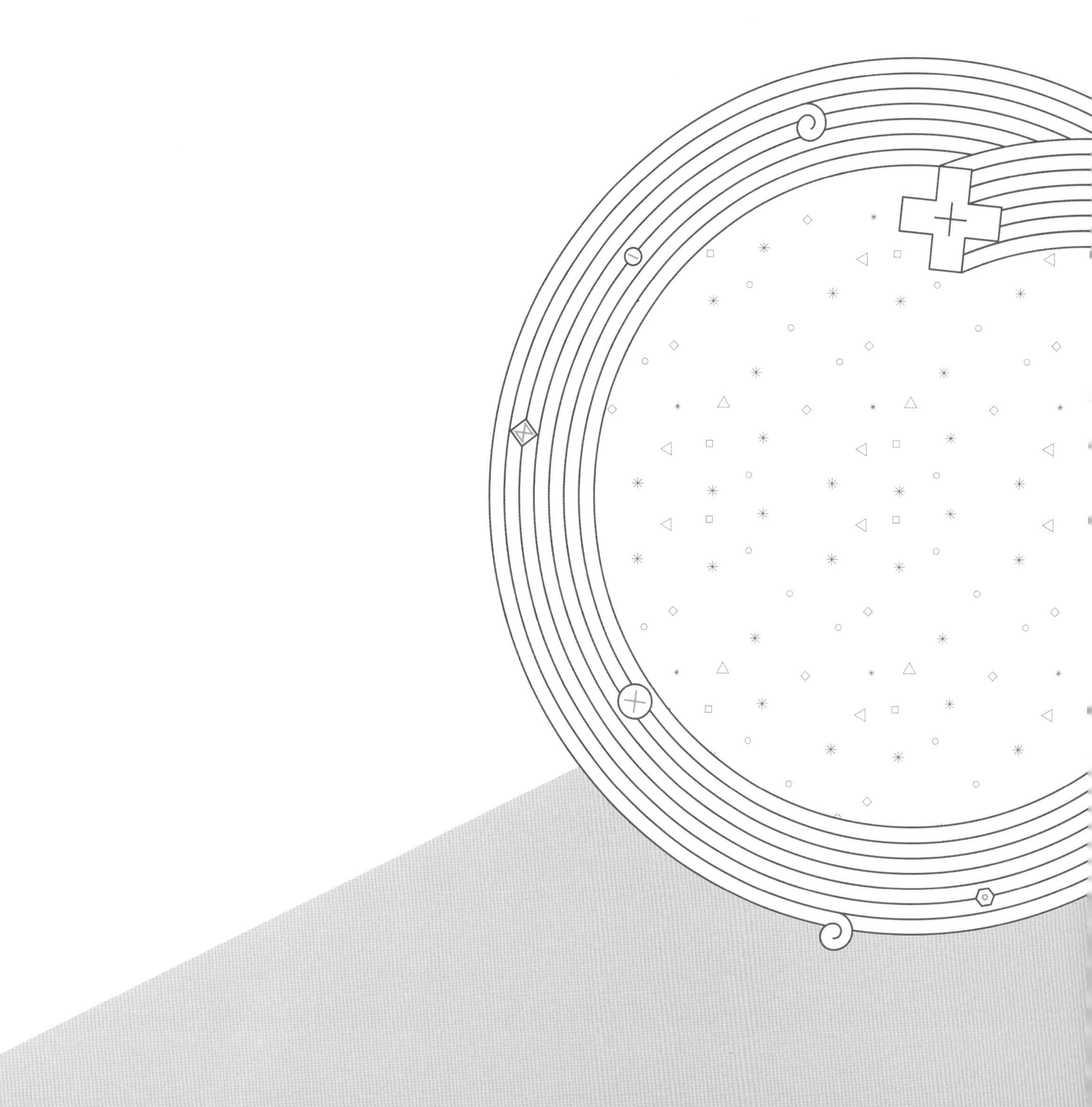

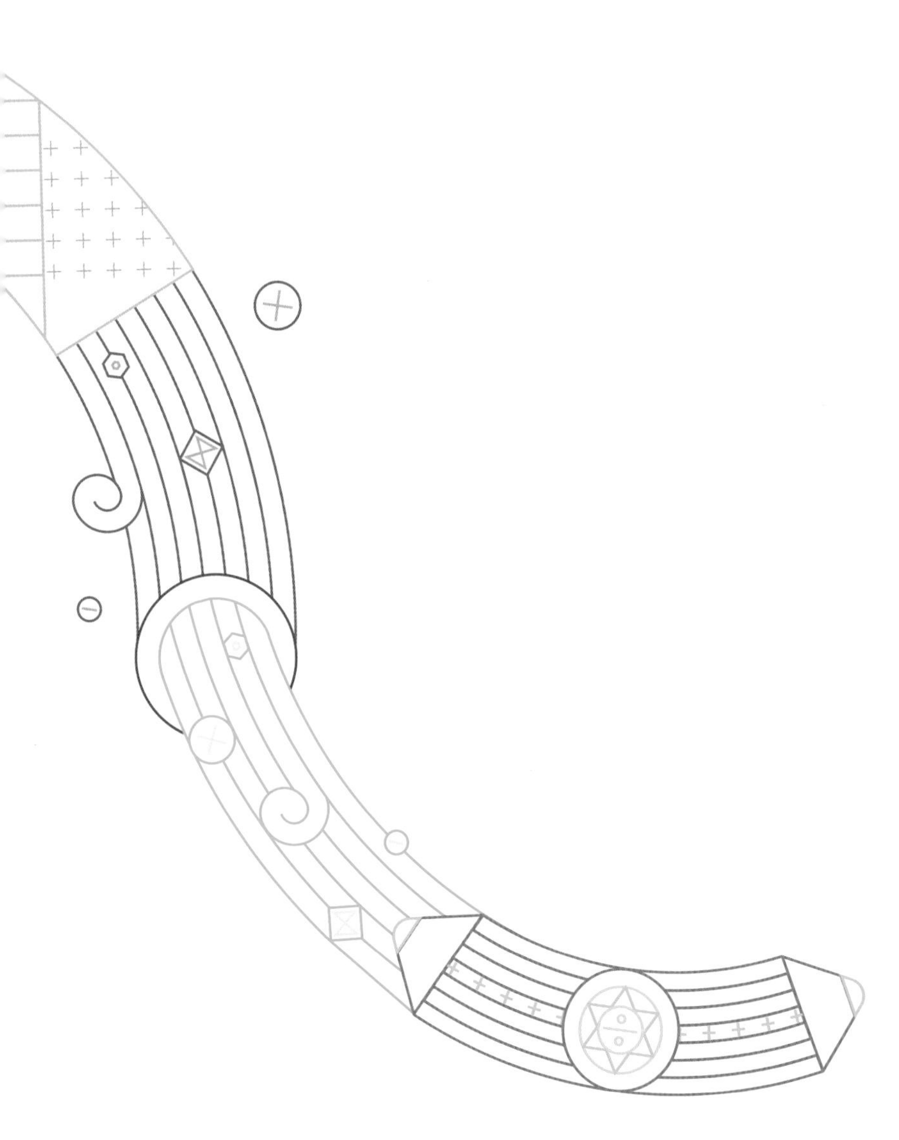

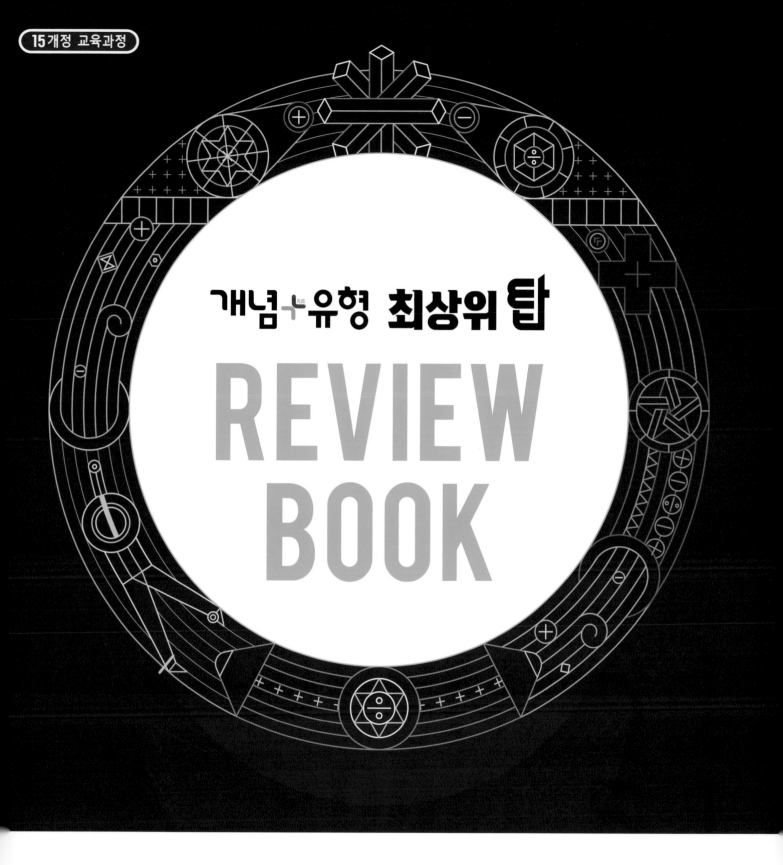

15개정 교육과정

개념+유형 최상위 탑

REVIEW BOOK

초등 수학

5·1

책 속의 가접 별책 (특허 제 0557442호)

• 'REVIEW BOOK'은 TOP BOOK에서 쉽게 분리할 수 있도록 제작되었으므로 유통 과정에서 분리될 수 있으나 파본이 아닌 정상제품입니다.

우리는 남다른 상상과 혁신으로
교육 문화의 새로운 전형을 만들어
모든 이의 행복한 경험과 성장에 기여한다

개념+유형
최상위 탑

Review Book

5·1

복습 상위권 문제

• 식이 성립하도록 ○ 안에 $+$, $-$, $\times$, $\div$ 써넣기

대표유형 1 식이 성립하도록 ○ 안에 $+$, $-$, $\times$, $\div$를 한 번씩 알맞게 써넣으시오.

$$10 \bigcirc 2 \bigcirc 3 \bigcirc 12 \bigcirc 8 = 33$$

• 약속에 따라 계산하기

대표유형 2 ㉮★㉯를 다음과 같이 약속할 때 (12★3)★4의 값을 구해 보시오.

㉮★㉯=㉮×(㉮+㉯)÷㉯

(　　　　　　　　)

• □ 안에 들어갈 수 있는 수 구하기

대표유형 3 □ 안에 들어갈 수 있는 가장 큰 자연수를 구해 보시오.

$$40-(20+12)\div 2 < 36-\square$$

(　　　　　　　　)

빠른 정답 6쪽 —— 정답과 풀이 40쪽

대표유형 4

• 어떤 수 구하기

어떤 수에서 13과 7의 곱을 뺀 다음 2로 나누면 17과 5의 곱과 같습니다. 어떤 수를 구해 보시오.

(　　　　　　　　)

대표유형 5

• 혼합 계산을 활용하여 문장제 해결하기

귤이 55개 있습니다. 여학생 5명과 남학생 3명으로 이루어진 모둠에 한 사람당 귤을 3개씩 나누어 주려고 합니다. 귤을 2모둠에 나누어 주고 선생님께 2개를 드린다면 남은 귤은 몇 개인지 하나의 식으로 나타내어 구해 보시오.

식 |

답 |

신유형 6

• 바코드 숫자 사이의 규칙

바코드(barcode)는 상품의 정보를 기계가 읽을 수 있도록 굵기가 다른 검은색 선들의 조합으로 나타낸 것입니다. 바코드 아래에는 13개의 숫자가 있는데 앞쪽 3자리 숫자는 제조 국가, 다음 4자리 숫자는 제조 업체, 그 다음 5자리 숫자는 고유 상품을 나타내고 마지막 한 자리 숫자는 바코드가 정확히 구성되어 있는지를 확인할 수 있는 체크 숫자입니다. 바코드 숫자 사이에는 다음과 같은 규칙이 있습니다.

(홀수 번째 자리 수의 합)+(짝수 번째 자리 수의 합)×3+(체크 숫자)
=10×★ (단, ★은 자연수입니다.)

바코드의 체크 숫자를 구해 보시오.

(　　　　　　　　)

비법 NOTE

1 세 개의 식을 하나의 식으로 나타내어 보시오.

㉠ $7\times6+30=72$
㉡ $10-52\div13=6$
㉢ $95\div5+11=30$

식 |

2 □ 안에 들어갈 수 있는 자연수는 모두 몇 개인지 구해 보시오.

$\square+12<15\div3+2\times7$

(　　　　　　　　)

3 사과 36상자와 복숭아 9상자가 있습니다. 사과는 한 상자에 15개씩 들어 있고, 복숭아는 한 상자에 12개씩 들어 있습니다. 사과 수는 복숭아 수의 몇 배인지 구해 보시오.

(　　　　　　　　)

4 오른쪽 그림과 같이 한 변의 길이가 40 cm인 정사각형을 모양과 크기가 같은 4개의 직사각형으로 나누었습니다. 나눈 직사각형 한 개의 네 변의 길이의 합은 몇 cm인지 구해 보시오.

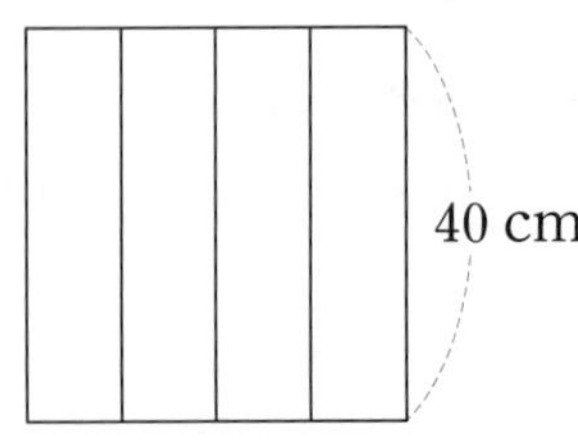

(　　　　　　　　)

빠른 정답 6쪽 —— 정답과 풀이 40쪽

5 어떤 수에서 20을 빼고 3으로 나누어야 하는데 잘못하여 어떤 수에 20을 더하고 3을 곱했더니 165가 되었습니다. 바르게 계산한 값은 얼마인지 구해 보시오.

(   )

비법 NOTE

6 기호 $\begin{vmatrix} & \\ & \end{vmatrix}$를 다음과 같이 약속할 때 $\begin{vmatrix} 7 & 2 \\ 4 & ★ \end{vmatrix}=55$에서 ★에 알맞은 수를 구해 보시오.

$$\begin{vmatrix} ㉠ & ㉡ \\ ㉢ & ㉣ \end{vmatrix}=㉠\times㉣-㉡\times㉢$$

(   )

7 자전거 한 대를 빌려 타는 데 20분에 6000원이라고 합니다. 15명이 자전거 5대를 1시간 40분 동안 빌려 타고 똑같이 나누어 대여비를 내기로 했습니다. 한 사람이 내야 하는 돈은 얼마인지 구해 보시오.

(   )

비법 NOTE

8 똑같은 컵 12개가 들어 있는 상자의 무게를 재어 보니 980 g이었습니다. 여기에 똑같은 컵 4개를 더 넣어서 무게를 재어 보니 1280 g이었습니다. 빈 상자는 몇 g인지 구해 보시오.

( )

9 호영이네 학교에는 510명이 있습니다. 이 학교에서 영어 학원을 다니는 학생은 330명이고, 논술 학원을 다니는 학생은 125명입니다. 또 영어 학원과 논술 학원을 모두 다니는 학생은 96명입니다. 호영이네 학교에서 영어 학원도 논술 학원도 다니지 않는 학생은 몇 명인지 구해 보시오.

( )

10 도란이는 매일 아침에 우유를 한 팩씩 마십니다. 9월 중에 우유 한 팩의 값이 950원에서 1000원으로 올라 9월의 우윳값으로 29100원을 냈습니다. 9월에 오른 우윳값으로 마신 우유는 몇 팩인지 구해 보시오.

( )

빠른 정답 6쪽 ─── 정답과 풀이 40쪽

창의융합형 문제

11 KTX는 2004년 4월 1일 경부고속철도의 개통과 함께 운행이 시작된 고속열차입니다. KTX의 길이는 388 m이고, 한 시간에 300 km를 갈 수 있습니다. KTX가 한 시간에 300 km를 가는 빠르기로 터널을 들어가기 시작한 지 3분 만에 완전히 통과했다면 이 터널의 길이는 몇 m인지 구해 보시오.

( )

창의융합 PLUS

✚ KTX(Korea Train Express)
영업최고속도는 한 시간에 300 km를 달리는 빠르기이지만 직선 구간에서는 이보다 속도를 더 낼 수 있다고 합니다.

12 경민이는 가지고 있는 돈을 베트남 돈으로 바꾸려고 합니다. 한국 돈 52원을 베트남 돈 1000동으로 바꿀 수 있습니다. 경민이가 500원짜리 동전 1개, 100원짜리 동전 1개, 10원짜리 동전 18개를 모두 베트남 돈으로 바꾸면 몇 동이 되는지 구해 보시오. (단, 환전 수수료는 생각하지 않습니다.)

오늘의 환율

베트남 VND ▽ 1000 = 대한민국 KRW ▽ 52

통화명	환율	현찰		송금		그래프
		살 때	팔 때	보낼 때	받을 때	
일본 JPY	1,021.55	1,029.14	993.74	1,021.35	1,001.53	

( )

✚ 베트남
인도차이나 반도의 동쪽에 위치한 베트남의 공용어는 베트남어이고, 수도는 하노이입니다. 화폐 단위는 '동'이며 VND로 표기합니다.

최상위권 문제

1 혜수는 기차역에서 출발하여 이모 댁에 가는 데 15분에 30 km씩 가는 기차를 2시간 15분 동안 타고, 남은 거리는 1분에 20 m씩 가는 빠르기로 걸었습니다. 기차역에서 이모 댁까지의 거리가 271 km라면 혜수가 걸어간 시간은 몇 분인지 구해 보시오.

( )

2 가▲나=(가×6+나×9)÷8이라고 약속할 때 □ 안에 알맞은 수를 구해 보시오.

(□▲4)▲8=45

( )

3 긴 변이 28 cm, 짧은 변이 10 cm인 직사각형 모양의 색 테이프 18장을 그림과 같이 겹치게 이어 붙였습니다. 이어 붙인 색 테이프 전체의 네 변의 길이의 합은 몇 cm인지 구해 보시오.

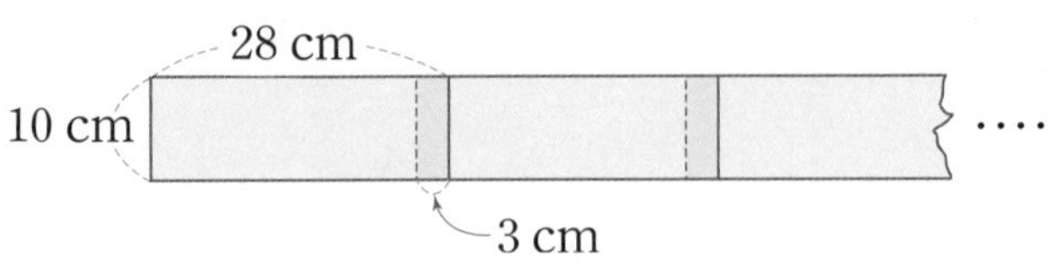

( )

빠른 정답 6쪽 —— 정답과 풀이 41쪽

4 준호가 가지고 있는 돈은 민아가 가지고 있는 돈의 2배보다 2000원 더 많고, 소현이가 가지고 있는 돈보다 2000원 더 적습니다. 소현이가 민아보다 5000원 더 많이 가지고 있다면 준호가 가지고 있는 돈은 얼마인지 구해 보시오.

( )

5 과학관의 입장료는 한 사람당 3000원입니다. 10명이 넘는 단체일 때에는 10명을 넘는 사람 수에 대해서만 500원씩 할인해 주고, 15명을 넘으면 15명을 넘는 사람 수에 대해서만 200원씩 더 할인해 줍니다. 예를 들어 25명이 입장을 하는 경우 10명은 3000원, 5명은 2500원, 10명은 2300원씩 내야 합니다. 소민이네 반 학생의 입장료가 60900원일 때 소민이네 반 학생은 몇 명인지 구해 보시오.

( )

6 5장의 수 카드 [2], [3], [4], [6], [8]과 $+$, $-$, $\times$, $\div$, ( )를 각각 한 번씩 모두 사용하여 계산 결과가 가장 크게 되는 식을 만들고, 계산해 보시오. (단, 계산 결과는 자연수입니다.)

식 |

답 |

• 조건을 만족하는 어떤 수 구하기

대표유형 1 다음 〈조건〉을 모두 만족하는 어떤 수를 구해 보시오.

〈조건〉
• 어떤 수는 54의 약수입니다.
• 어떤 수의 약수를 모두 더하면 40입니다.

(　　　　　　　　)

• 주어진 범위에서 공배수의 개수 구하기

대표유형 2 200부터 500까지의 수 중에서 3의 배수이면서 8의 배수인 수는 모두 몇 개인지 구해 보시오.

(　　　　　　　　)

• 배수 판정하기

대표유형 3 다음 네 자리 수가 9의 배수일 때 □ 안에 들어갈 수 있는 숫자를 구해 보시오.

79□5

(　　　　　　　　)

• 나머지가 있을 때 어떤 수(나누는 수) 구하기

대표유형 4 37과 45를 어떤 수로 나누면 나머지가 모두 5입니다. 어떤 수를 구해 보시오.

(　　　　　　　　)

빠른 정답 6쪽 —— 정답과 풀이 42쪽

• 나머지가 있을 때 어떤 수(나누어지는 수) 구하기

대표유형 5 12로 나누어도 2가 남고 16으로 나누어도 2가 남는 어떤 수가 있습니다. 어떤 수가 될 수 있는 수 중에서 가장 작은 수를 구해 보시오.

(　　　　　　　　)

• 직사각형을 나누어 정사각형 만들기

대표유형 6 가로가 70 cm, 세로가 98 cm인 직사각형 모양의 게시판에 크기가 같은 정사각형 모양의 색종이를 빈틈없이 겹치지 않게 붙이려고 합니다. 가장 큰 정사각형 모양의 색종이를 붙인다면 색종이는 모두 몇 장이 필요한지 구해 보시오.

(　　　　　　　　)

• 최대공약수와 최소공배수를 이용하여 어떤 수 구하기

대표유형 7 80과 어떤 수의 최대공약수는 16이고 최소공배수는 240입니다. 어떤 수를 구해 보시오.

(　　　　　　　　)

• 띠가 서로 같을 때 나이 구하기

신유형 8 다인이의 외삼촌은 올해 10살인 다인이와 띠가 서로 같습니다. 대화를 읽고 다인이의 외삼촌의 나이를 구해 보시오.

엄마, 외삼촌의 나이가 어떻게 되나요?
다인
외삼촌의 나이는 32살인 이모보다는 많고 45살인 엄마보다는 적어.

(　　　　　　　　)

비법 NOTE

1 공책 42권을 8명보다 많은 학생에게 남김없이 똑같이 나누어 주려고 합니다. 나누어 줄 수 있는 방법은 모두 몇 가지인지 구해 보시오.

(　　　　　　　)

2 수 카드 중에서 3장을 골라 한 번씩 사용하여 세 자리 수를 만들려고 합니다. 만들 수 있는 세 자리 수 중에서 3의 배수는 모두 몇 개인지 구해 보시오.

0　2　5　7

(　　　　　　　)

3 어느 기차역에서 ㉮ 기차는 20분마다 출발하고, ㉯ 기차는 28분마다 출발합니다. 두 기차가 오전 7시에 동시에 출발할 때, 오전 7시부터 낮 12시까지 동시에 출발하는 시각은 모두 몇 번인지 구해 보시오.

(　　　　　　　)

4 가로 42 m, 세로 24 m인 직사각형 모양의 밭이 있습니다. 밭의 가장자리를 따라 일정한 간격으로 말뚝을 박아 울타리를 설치하려고 합니다. 네 모퉁이에는 반드시 말뚝을 박아야 하고, 말뚝은 가장 적게 사용하려고 합니다. 울타리를 설치하는 데 필요한 말뚝의 수를 구해 보시오. (단, 말뚝의 두께는 생각하지 않습니다.)

(　　　　　　　)

빠른 정답 6쪽 —— 정답과 풀이 43쪽

5 다음을 계산한 값은 4의 배수입니다. □ 안에 들어갈 수 있는 두 자리 수는 모두 몇 개인지 구해 보시오.

516+□

( )

비법 NOTE

6 풀 57개와 수수깡 70개를 최대한 많은 학생에게 똑같이 나누어 주었더니 풀은 3개, 수수깡은 4개가 남았습니다. 풀과 수수깡을 몇 명에게 나누어 준 것인지 구해 보시오.

( )

7 길이가 480 m인 도로의 한쪽에 처음부터 16 m 간격으로 의자를 놓고, 24 m 간격으로 표지판을 세우려고 합니다. 의자와 표지판이 겹치는 부분에는 표지판만 세우고, 도로의 처음과 끝에도 표지판만 세우려고 합니다. 필요한 의자는 모두 몇 개인지 구해 보시오. (단, 의자와 표지판의 두께는 생각하지 않습니다.)

( )

8 1부터 300까지의 자연수 중에서 5의 배수도 6의 배수도 아닌 수는 모두 몇 개인지 구해 보시오.

( )

비법 NOTE

9 다음을 만족하는 수 중에서 100에 가장 가까운 수를 구해 보시오.

- 3으로 나누면 2가 남습니다.
- 7로 나누면 6이 남습니다.

( )

10 톱니 수가 각각 16개, 40개, 48개인 3개의 톱니바퀴 ㉮, ㉯, ㉰가 맞물려 돌아가고 있습니다. 세 톱니바퀴의 톱니가 처음 맞물렸던 자리에서 다시 만나려면 ㉯ 톱니바퀴는 적어도 몇 바퀴를 돌아야 하는지 구해 보시오.

( )

빠른 정답 6쪽 —— 정답과 풀이 43쪽

창의융합형 문제

11 고대 그리스의 피타고라스학파는 만물이 수로 이루어졌다고 믿고 수 하나하나에 의미를 부여하였습니다. 피타고라스학파는 수 8과 같이 자신을 제외한 약수의 합이 자신보다 작은 수를 부족수라고 불렀습니다. 15부터 20까지의 자연수 중에서 부족수를 모두 구해 보시오.

8의 약수: 1, 2, 4, 8 ⇨ $1+2+4=7<8$

( )

12 등대는 바닷가나 섬 같은 곳에 탑 모양으로 높이 세워 밤에 다니는 배에 목표, 뱃길, 위험한 곳 따위를 알려 주려고 불을 켜 비추는 시설입니다. 빨간색 등대의 등은 4초 동안 켜져 있다가 2초 동안 꺼져 있고, 흰색 등대의 등은 5초 동안 켜져 있다가 3초 동안 꺼져 있습니다. 오후 10시에 두 등대의 등이 동시에 켜진 뒤 오후 11시까지 함께 켜져 있는 시간은 모두 몇 초인지 구해 보시오.

( )

창의융합 PLUS

✚ 완전수, 부족수, 과잉수
피타고라스학파는 자신을 제외한 약수의 합이 자신이 되는 수를 완전수, 자신보다 작은 수를 부족수, 자신보다 큰 수를 과잉수라고 불렀습니다.

✚ 등대
등대의 불빛에는 흰색·주황색·녹색이 사용되며 안개가 많은 곳에 있는 등대에는 안개가 발생할 때 소리를 내어 신호를 보내는 안개신호소를 설치합니다.

복습 최상위권 문제

1 어떤 수의 배수를 구했더니 100보다 작은 수가 5개였습니다. 어떤 수가 될 수 있는 수 중에서 가장 작은 수의 약수의 합을 구해 보시오.

(　　　　　　　　)

2 다음 다섯 자리 수는 4의 배수이면서 9의 배수입니다. 다섯 자리 수가 될 수 있는 수 중에서 가장 작은 수를 구해 보시오.

3㉠72㉡

(　　　　　　　　)

3 두 자연수 ㉮와 ㉯의 최대공약수는 8이고 최소공배수는 168입니다. 이 두 수의 차가 32일 때 ㉯를 구해 보시오. (단, ㉮ < ㉯입니다.)

(　　　　　　　　)

빠른 정답 6쪽 —— 정답과 풀이 45쪽

4 오른쪽 그림과 같은 삼각형 모양의 땅의 둘레에 같은 간격으로 나무를 심으려고 합니다. 세 모퉁이에는 반드시 나무를 심어야 하고 나무를 가장 적게 심으려고 합니다. 필요한 나무는 모두 몇 그루인지 구해 보시오. (단, 나무의 두께는 생각하지 않습니다.)

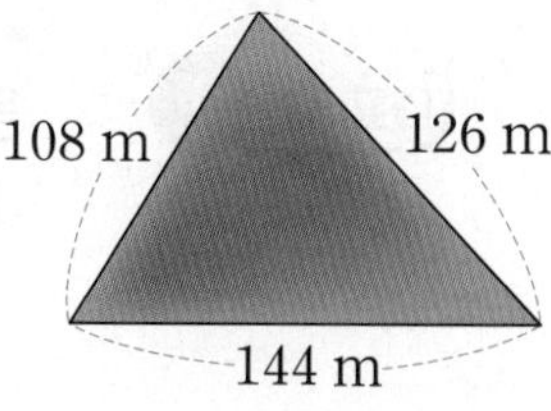

(　　　　　　　　)

5 지호네 학교 운동장에 있는 학생은 100명보다 많고 150명보다 적습니다. 각 줄에 학생 수를 똑같이 세우려고 한 줄에 학생을 2명, 5명, 8명으로 인원을 바꾸어 세워 보아도 항상 1명이 남는다고 합니다. 운동장에 있는 학생은 모두 몇 명인지 구해 보시오.

(　　　　　　　　)

6 오늘은 일요일입니다. 오늘부터 ㉠일 후는 수요일이고, ㉡일 후는 목요일입니다. 오늘로부터 (㉠ × ㉡)일 후는 무슨 요일인지 구해 보시오.

(　　　　　　　　)

• 나이 사이의 대응 관계

대표유형 1 올해 민주의 나이는 10살이고 이모의 나이는 35살입니다. 민주가 25살이 될 때 이모는 몇 살이 되는지 구해 보시오.

( )

• 대응 관계 알아맞히기

대표유형 2 종욱이와 도현이가 대응 관계 알아맞히기 놀이를 하고 있습니다. 종욱이가 2라고 말하면 도현이는 6이라고 답하고, 종욱이가 4라고 말하면 도현이는 7이라고 답합니다. 또 종욱이가 6이라고 말하면 도현이는 8이라고 답합니다. 종욱이가 30이라고 말할 때 도현이가 답할 수를 구해 보시오.

( )

• 도형의 수와 성냥개비의 수 사이의 대응 관계

대표유형 3 다음과 같은 방법으로 성냥개비를 사용하여 정육각형을 만들고 있습니다. 정육각형을 15개 만들 때 필요한 성냥개비는 몇 개인지 구해 보시오.

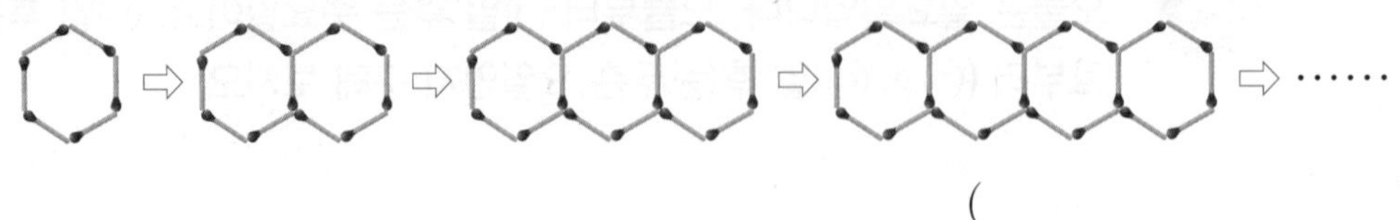

( )

• 크고 작은 도형의 수 구하기

대표유형 4 작은 정사각형 조각으로 규칙적인 배열을 만들고 있습니다. 일곱째 모양에서 찾을 수 있는 크고 작은 정사각형은 모두 몇 개인지 구해 보시오.

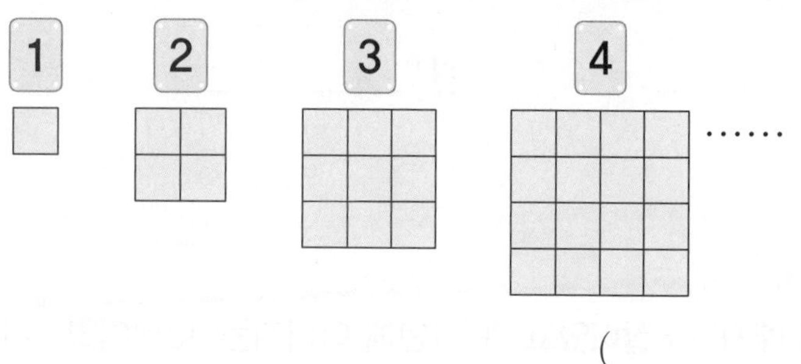

( )

• 자르는 데 걸리는 시간 구하기

대표유형 5 철근 한 개를 자르려고 합니다. 철근을 한 번 자르는 데 7분이 걸린다면 쉬지 않고 17도막으로 자르는 데 걸리는 시간은 몇 시간 몇 분인지 구해 보시오.

( )

• 두 도시의 시각 사이의 대응 관계

신유형 6 1월의 어느 날 서울에 사는 유진이는 헬싱키로 여행을 간 이모와 헬싱키의 시각으로 내일 오전 10시에 영상 통화를 하기로 했습니다. 유진이가 내일 이모에게 전화를 해야 하는 시각은 서울의 시각으로 몇 시인지 구해 보시오.

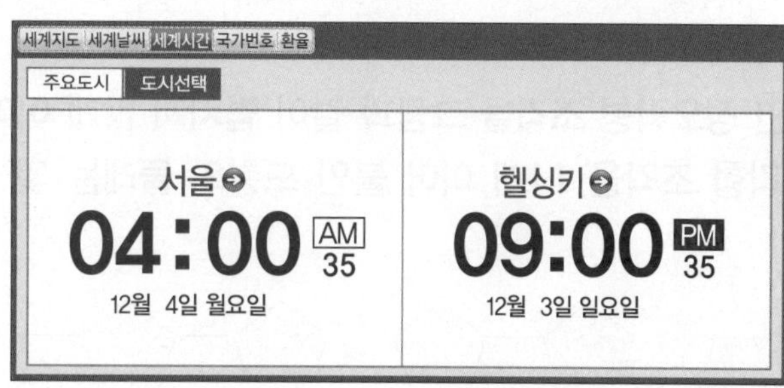

(AM: 오전, PM: 오후)

( )

비법 NOTE

1 길이가 48 cm인 끈을 겹치지 않게 모두 사용하여 직사각형 모양을 한 개 만들었습니다. 만든 직사각형의 가로를 ○, 세로를 ◇라고 할 때, 두 양 사이의 대응 관계를 식으로 나타내어 보시오.

식 | ______________________

2 2011년에 예지는 8살이었고 2014년에 아버지는 42살이었습니다. 아버지가 60살이 될 때 예지는 몇 살이 되는지 구해 보시오.

(　　　　　　　　)

3 8명이 앉을 수 있는 탁자를 그림과 같이 한 줄로 이어 붙이려고 합니다. 탁자를 7개 이어 붙였을 때 앉을 수 있는 사람은 모두 몇 명인지 구해 보시오.

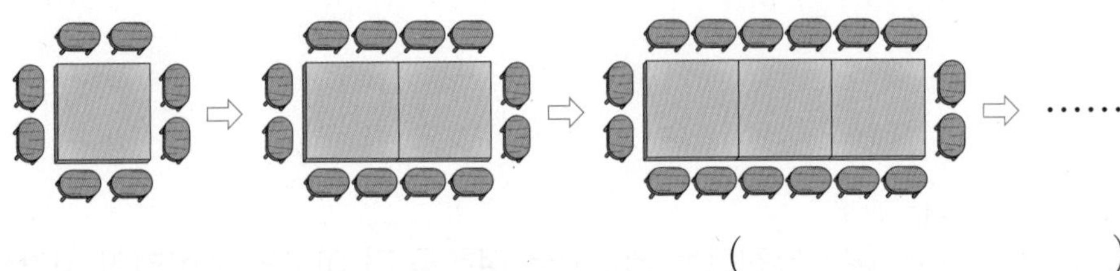

(　　　　　　　　)

4 한 변이 2 cm인 정오각형 조각을 그림과 같이 겹치지 않게 이어 붙이고 있습니다. 정오각형 조각을 14개 이어 붙인 도형의 둘레는 몇 cm인지 구해 보시오.

⬠ ⇨ ⬠⬠ ⇨ ⬠⬠⬠ ⇨ ⬠⬠⬠⬠ ⇨ ……

(　　　　　　　　)

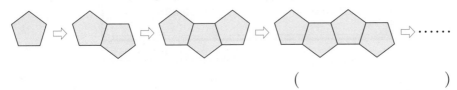

5 문구점에서 600원짜리 볼펜을 한 자루 팔 때마다 볼펜 값의 $\frac{1}{5}$이 이익으로 남는다고 합니다. 팔린 볼펜의 수를 □, 남는 이익을 △라고 할 때, 두 양 사이의 대응 관계를 식으로 나타내고, 남는 이익이 7200원일 때 팔린 볼펜은 몇 자루인지 구해 보시오.

식 | ______________________

답 | ______________________

비법 NOTE

6 12월의 어느 날 서울의 시각이 오후 1시일 때 런던의 시각은 오전 4시입니다. 서울에 사는 은우는 12월 8일 오후 10시부터 한 시간 동안 런던에 있는 삼촌과 통화를 했습니다. 통화를 마쳤을 때 런던은 몇 월 며칠 몇 시인지 구해 보시오.

(　　　　　　　　　　)

7 어떤 상자에 ③을 넣으면 ②가 나오고 ⑨를 넣으면 ④가 나옵니다. 또 ⑫를 넣으면 ⑤가 나옵니다. 이 상자에 ⑮를 넣으면 (♥)가 나오고, (▲)를 넣으면 10이 나올 때 ♥+▲의 값을 구해 보시오.

(　　　　　　　　　　)

비법 NOTE

8 일정한 규칙에 따라 수를 늘어놓은 것입니다. 처음으로 150보다 큰 수가 놓이는 것은 몇째인지 구해 보시오.

8, 11, 14, 17, 20, 23……

(　　　　　　　　)

9 어느 제과점에서 똑같은 단팥빵 8개를 만드는 데 밀가루 240 g이 필요하고, 만든 단팥빵은 한 봉지에 4개씩 담아 판매합니다. 밀가루 2 kg으로 단팥빵을 몇 개까지 만들 수 있고, 몇 봉지까지 팔 수 있는지 구해 보시오. (단, 단팥빵은 한 번에 8개씩만 만듭니다.)

(　　　　　　,　　　　　　)

10 보라가 학교를 떠난 지 4분 후에 준호가 보라를 만나기 위해 뒤따라갔습니다. 보라는 일정한 빠르기로 1분에 50 m씩 걷고, 준호는 일정한 빠르기로 1분에 90 m씩 걷습니다. 준호가 출발한 지 몇 분 만에 보라를 만날 수 있는지 구해 보시오.

(　　　　　　　　)

빠른 정답 6쪽 —— 정답과 풀이 46쪽

창의융합형 문제

11 유리네 학교는 과학의 날을 맞이하여 과학 그림 그리기 대회를 개최하였습니다. 그중 입상한 그림을 전교생이 볼 수 있도록 강당에 있는 게시판에 누름 못을 사용하여 붙여 전시하려고 합니다. 그림과 같이 게시판의 가로로는 12장까지 이어 붙일 수 있고, 세로로는 겹치지 않게 붙여야 합니다. 입상한 그림 45장을 가로로 최대한 이어 붙여서 모두 붙일 때 필요한 누름 못은 모두 몇 개인지 구해 보시오.

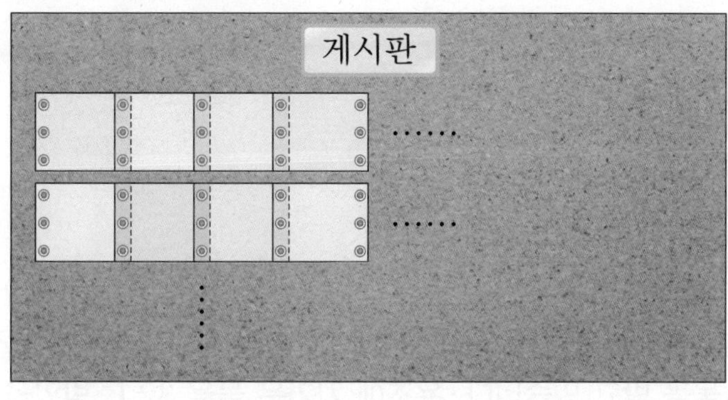

(　　　　　　　　　)

12 폴리비우스 암호는 문자를 숫자로 바꾸어 표현하는 암호입니다. 재호는 〈보기〉와 같이 폴리비우스 암호표를 한글로 나타내어 자신만의 암호표를 만들었습니다. 같은 규칙으로 재호가 연아에게 약속 장소를 암호로 적어 쪽지를 보냈습니다. 쪽지에 적힌 암호가 '12441423543242'일 때 암호를 풀어 약속 장소를 써 보시오.

〈보기〉

	1	2	3	4	5
1	ㄱ	ㄴ	ㄷ	ㄹ	ㅁ
2	ㅂ	ㅅ	ㅇ	ㅈ	ㅊ
3	ㅋ	ㅌ	ㅍ	ㅎ	ㅏ
4	ㅑ	ㅓ	ㅕ	ㅗ	ㅛ
5	ㅜ	ㅠ	ㅡ	ㅣ	ㅐ/ㅔ

ㄱ → 11, ㅛ → 45
수학 → 2251343511
국어 → 1151112342

(　　　　　　　　　)

창의융합 PLUS

과학의 날
매년 4월 21일은 과학의 날입니다. 국민에게 과학 기술의 중요성을 널리 알리고 과학 기술 발전에 적극적인 참여를 유도하기 위하여 제정한 기념일입니다.

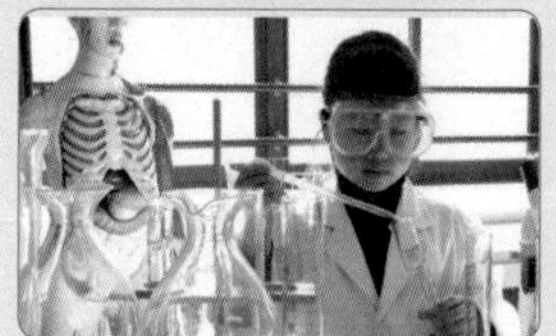

폴리비우스 암호
고대 그리스의 역사가인 폴리비우스가 만든 암호로 암호표를 바탕으로 문자를 숫자로 바꾸어 암호화하는 방법입니다. 처음에는 그리스 문자로 된 암호표만 있었지만 매우 간단한 방법으로 암호화되기 때문에 여러 가지 문자들을 사용하여 암호표를 만들 수 있습니다.

	1	2	3	4	5
1	A	B	C	D	E
2	F	G	H	I/J	K
3	L	M	N	O	P
4	Q	R	S	T	U
5	V	W	X	Y	Z

▲ 알파벳으로 만든 암호표

최상위권 문제

1

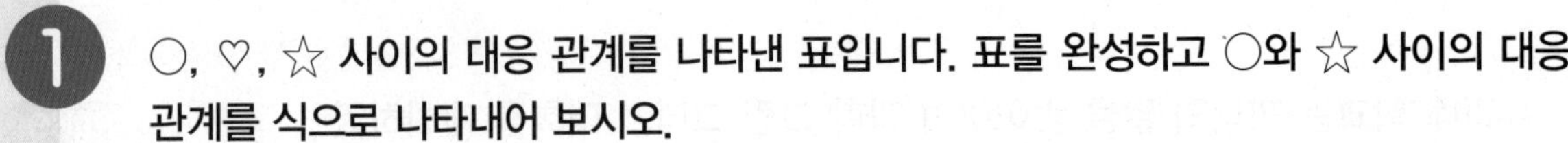

○, ♡, ☆ 사이의 대응 관계를 나타낸 표입니다. 표를 완성하고 ○와 ☆ 사이의 대응 관계를 식으로 나타내어 보시오.

○	3	4	5		7	8	……
♡	12		20	24	28	32	……
☆	15	19		27		35	……

식 | ____________________

2

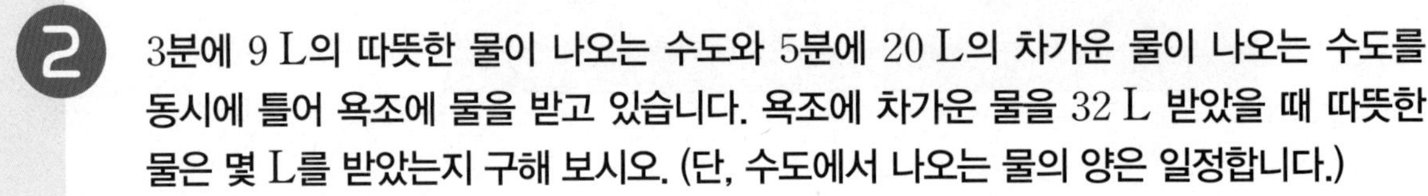

3분에 9 L의 따뜻한 물이 나오는 수도와 5분에 20 L의 차가운 물이 나오는 수도를 동시에 틀어 욕조에 물을 받고 있습니다. 욕조에 차가운 물을 32 L 받았을 때 따뜻한 물은 몇 L를 받았는지 구해 보시오. (단, 수도에서 나오는 물의 양은 일정합니다.)

(　　　　　　　　)

3

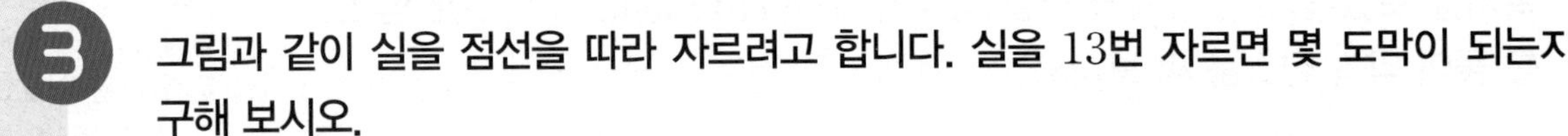

그림과 같이 실을 점선을 따라 자르려고 합니다. 실을 13번 자르면 몇 도막이 되는지 구해 보시오.

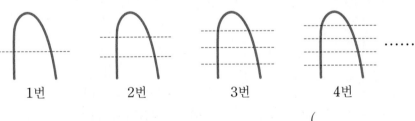

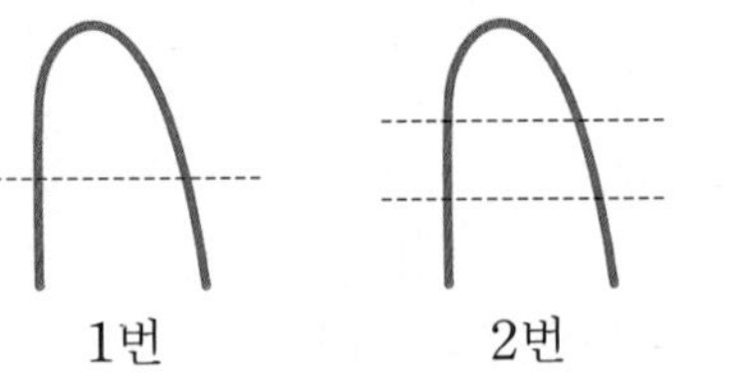

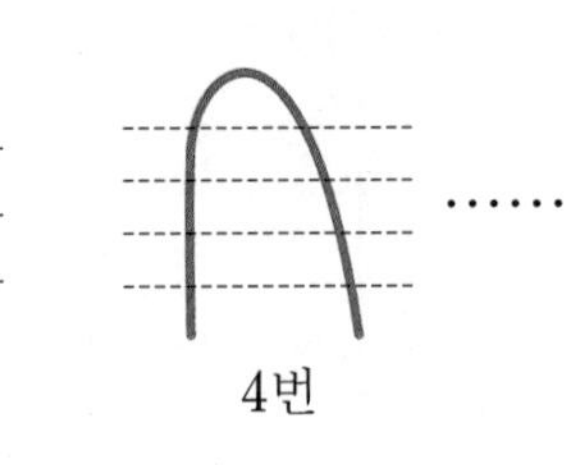

(　　　　　　　　)

빠른 정답 6쪽 —— 정답과 풀이 48쪽

4 그림과 같이 큰 원 안에 나누어진 부분의 수가 최대가 되도록 작은 원을 그리려고 합니다. 작은 원을 9개 그렸을 때 나누어진 부분은 모두 몇 개인지 구해 보시오.

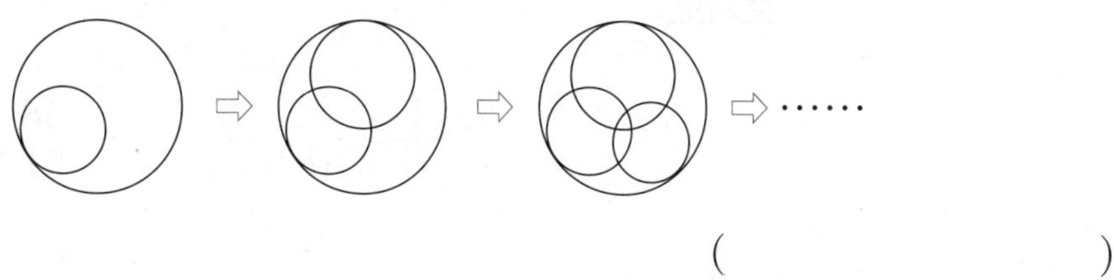

( )

5 빨간색 정사각형 조각과 초록색 정사각형 조각으로 규칙적인 배열을 만들고 있습니다. 초록색 정사각형 조각이 52개일 때 사용한 빨간색 정사각형 조각은 몇 개인지 구해 보시오.

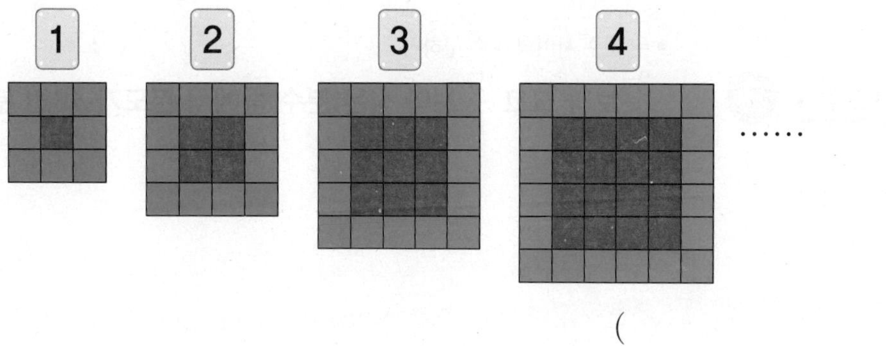

( )

6 작은 정삼각형 조각으로 규칙적인 배열을 만들고 있습니다. 작은 정삼각형 조각 49개로 만든 모양의 둘레가 84 cm일 때 작은 정삼각형 조각의 한 변은 몇 cm인지 구해 보시오.

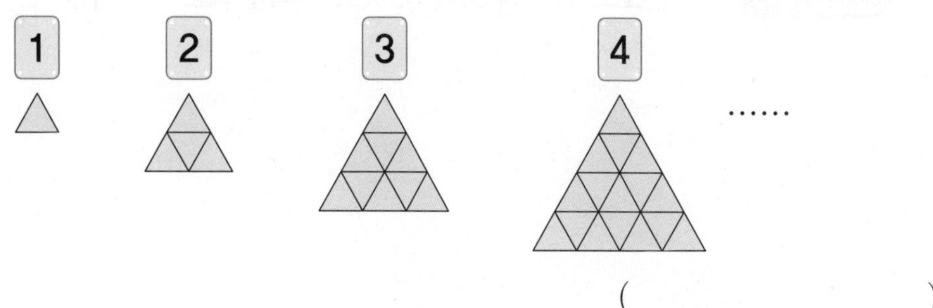

( )

• 약분하여 나타낼 수 있는 분수의 개수 구하기

대표유형 1 분모가 51인 진분수 중에서 약분하여 나타낼 수 있는 분수는 모두 몇 개인지 구해 보시오.

$$\frac{1}{51}, \frac{2}{51}, \frac{3}{51} \cdots\cdots \frac{48}{51}, \frac{49}{51}, \frac{50}{51}$$

(　　　　　　　　)

• 두 분수 사이의 분수 구하기

대표유형 2 $\frac{3}{20}$보다 크고 $\frac{5}{8}$보다 작은 분수 중에서 분모가 40인 분수는 모두 몇 개인지 구해 보시오.

(　　　　　　　　)

• 약분하기 전의 분수 구하기

대표유형 3 분모와 분자의 차가 65이고 기약분수로 나타내면 $\frac{5}{18}$가 되는 분수를 구해 보시오.

(　　　　　　　　)

빠른 정답 6쪽 —— 정답과 풀이 49쪽

• 분자를 같게 하여 분수의 크기 비교하기

대표유형 4 □ 안에 들어갈 수 있는 자연수 중에서 가장 작은 수를 구해 보시오.

$$\frac{2}{\square} < \frac{9}{25}$$

(　　　　　　　　)

• 분수의 크기가 변하지 않게 분모 또는 분자에 더하거나 빼는 수 구하기

대표유형 5 $\frac{84}{112}$의 분자에서 63을 뺐을 때 분수의 크기가 변하지 않으려면 분모에서 얼마를 빼야 하는지 구해 보시오.

(　　　　　　　　)

• 잘 어울리는 음 찾기

신유형 6 두 음의 진동수를 각각 분모와 분자로 하는 진분수를 만들어 기약분수로 나타내었을 때, 분모와 분자가 모두 7보다 작으면 두 음이 잘 어울려서 우리 귀에 아름답게 들리고, 그렇지 않으면 잘 어울리지 않는 음이라고 합니다. 다음 중 잘 어울리는 음을 찾아 기호를 써 보시오.

각 음의 진동수

음	도	레	미	파	솔	라	시
진동수	264	297	330	352	396	440	495

㉠ (도, 솔)　　㉡ (레, 파)　　㉢ (라, 시)

(　　　　　　　　)

비법 NOTE

1 $\frac{5}{7}$와 크기가 같은 분수 중에서 분모가 두 자리 수인 분수는 모두 몇 개인지 구해 보시오.

( )

2 4장의 수 카드 중에서 2장을 뽑아 한 번씩만 사용하여 만들 수 있는 진분수 중에서 45를 공통분모로 하여 통분할 수 있는 진분수를 모두 써 보시오.

5 9 4 7

( )

3 ㉠과 ㉡ 사이에 있는 분수 중에서 분모가 50인 기약분수를 모두 구해 보시오.

㉠ 0.01이 45개인 수
㉡ 0.01이 58개인 수

( )

4 과자 한 봉지를 우현, 혜수, 정원이가 나누어 먹으려고 합니다. 우현이는 전체의 0.3을, 혜수는 전체의 $\frac{4}{9}$를 먹고, 나머지를 정원이가 먹는다면 과자를 가장 많이 먹는 사람은 누구인지 구해 보시오.

( )

빠른 정답 7쪽 —— 정답과 풀이 50쪽

5 분모가 10인 분수 중에서 $\frac{17}{25}$에 가장 가까운 분수는 얼마인지 구해 보시오.

( )

비법 NOTE

6 분모가 63인 진분수 중에서 기약분수로 나타내었을 때 단위분수가 되는 분수는 모두 몇 개인지 구해 보시오.

$\frac{1}{63}, \frac{2}{63}, \frac{3}{63} \cdots\cdots \frac{60}{63}, \frac{61}{63}, \frac{62}{63}$

( )

7 다음 〈조건〉을 모두 만족하는 분수를 구해 보시오.

〈조건〉

- 분모와 분자의 최대공약수로 약분하면 $\frac{5}{12}$입니다.
- 분모와 분자의 최소공배수는 240입니다.

( )

비법 NOTE

8 수직선에서 ㉠이 나타내는 수를 기약분수로 나타내어 보시오.

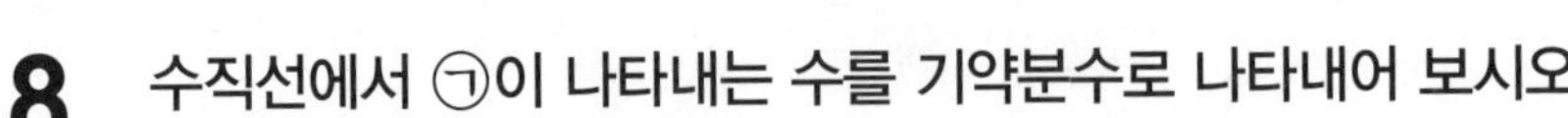

( )

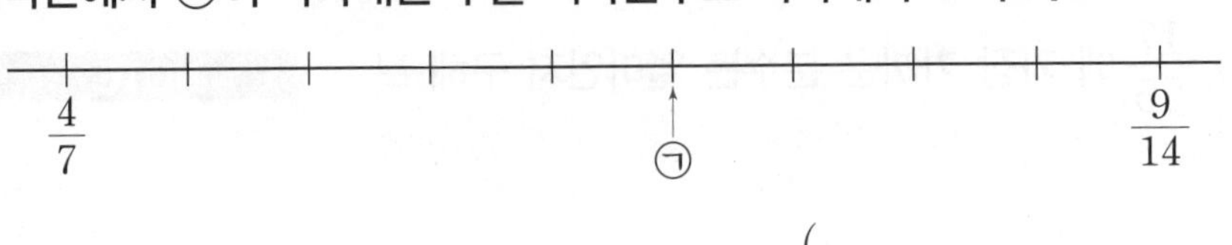

9 $\frac{3}{38}$의 분모와 분자에 각각 같은 수를 더했더니 $\frac{2}{7}$와 크기가 같은 분수가 되었습니다. 분모와 분자에 각각 더한 수는 얼마인지 구해 보시오.

( )

10 두 식을 모두 만족하는 ■와 ▲를 각각 구해 보시오.

$$\frac{▲}{■+1}=\frac{1}{4}, \frac{▲}{■+5}=\frac{1}{5}$$

■ ( )

▲ ( )

빠른 정답 7쪽 —— 정답과 풀이 50쪽

창의융합형 문제

11 멀리뛰기는 일정 거리를 도움닫기한 뒤 구름판에서 한 발로 굴러 멀리 뛴 거리를 겨루는 경기입니다.

다음은 4명의 선수들의 멀리뛰기 기록입니다. ㉮ 선수의 기록이 가장 좋을 때, □ 안에 들어갈 수 있는 가장 작은 자연수를 구해 보시오.

선수	㉮	㉯	㉰	㉱
기록	$7\frac{\square}{25}$ m	$7\frac{7}{10}$ m	$6\frac{43}{50}$ m	7.85 m

( )

12 혈액형은 혈액의 종류를 구분한 것으로 보통 A형, B형, AB형, O형으로 구분합니다. 지우네 학교 학생들의 혈액형을 조사하였더니 A형인 학생은 전체의 $\frac{8}{25}$, B형인 학생은 전체의 $\frac{1}{5}$, AB형인 학생은 전체의 0.13, O형인 학생은 전체의 $\frac{7}{20}$이었습니다. 혈액형의 종류별로 학생 수가 많은 것부터 차례대로 써 보시오.

( )

창의융합 PLUS

멀리뛰기(long jump)
육상경기에서 도약 경기의 한 종류로 고대 올림픽에서도 채택되었을 만큼 오랜 역사를 가지고 있습니다. 멀리뛰기는 도움닫기, 발 구르기, 공중 동작, 착지의 순으로 이루어집니다.

혈액형
1901년 의학자 란트슈타이너는 사람의 피를 세 가지 종류로 나눌 수 있다는 사실을 발견하고 각각 A형, B형, C형이라고 하였습니다. 그리고 1년 뒤인 1902년 데카스텔로와 스털리는 다른 성질의 피 AB형을 발견했습니다.
피는 다른 피끼리 서로 뭉치는 성질이 있다고 합니다. 이때 C형은 피끼리 뭉치는 반응이 없다는 의미로 나중에 O(제로)형으로 이름이 바뀌었다고 합니다.

최상위권 문제

1 5장의 수 카드 중에서 2장을 뽑아 한 번씩만 사용하여 0.5보다 큰 진분수를 만들려고 합니다. 만들 수 있는 진분수 중에서 가장 작은 수를 구해 보시오.

6 3 7 5 4

(　　　　　　　　)

2 다음 〈조건〉을 모두 만족하는 분수를 구해 보시오.

〈조건〉
- $\frac{11}{15}$보다 크고 $\frac{5}{6}$보다 작습니다.
- 분모가 30인 진분수입니다.
- $\frac{7}{9}$보다 작은 분수입니다.

(　　　　　　　　)

3 분모와 분자의 합이 80인 분수가 있습니다. 이 분수의 분자에서 3을 빼고 분모에 3을 더한 다음 기약분수로 나타내었더니 $\frac{5}{11}$가 되었습니다. 처음 분수를 구해 보시오.

(　　　　　　　　)

빠른 정답 7쪽 —— 정답과 풀이 51쪽

4 다음과 같이 분수를 규칙에 따라 늘어놓았습니다. $\frac{5}{8}$와 크기가 같은 분수가 처음으로 놓이는 때는 몇째 번인지 구해 보시오.

$$\frac{11}{12}, \frac{13}{16}, \frac{15}{20}, \frac{17}{24}, \frac{19}{28}\cdots\cdots$$

( )

5 분수를 큰 수부터 차례대로 늘어놓은 것입니다. ■와 ▲에 알맞은 자연수 중에서 ■×▲의 계산 결과가 가장 클 때의 값을 구해 보시오.

$$\frac{3}{2}, \frac{5}{■}, \frac{3}{4}, \frac{5}{▲}, \frac{3}{5}$$

( )

6 ㉠과 ㉡에 알맞은 수 중에서 가장 작은 자연수를 각각 구해 보시오.

$$\frac{㉠}{㉡\times㉡\times㉡}=\frac{1}{120}$$

㉠ ( )

㉡ ( )

• 바르게 계산한 값 구하기

대표유형 1

어떤 수에 $\frac{7}{12}$을 더해야 할 것을 잘못하여 뺐더니 $\frac{9}{20}$가 되었습니다. 바르게 계산한 값을 구해 보시오.

(　　　　　　　　　)

• 이어 붙인 색 테이프 전체의 길이 구하기

대표유형 2

길이가 $2\frac{3}{8}$ m인 색 테이프 3장을 그림과 같이 $\frac{7}{10}$ m씩 겹치게 이어 붙였습니다. 이어 붙인 색 테이프 전체의 길이는 몇 m인지 구해 보시오.

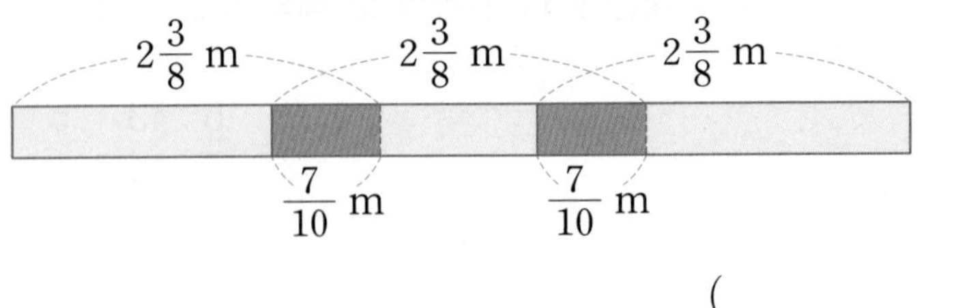

(　　　　　　　　　)

• □ 안에 들어갈 수 있는 자연수 구하기

대표유형 3

□ 안에 들어갈 수 있는 자연수 중에서 가장 작은 수를 구해 보시오.

$$\frac{9}{14}+\frac{8}{21}<\frac{\square}{7}$$

(　　　　　　　　　)

빠른 정답 7쪽 —— 정답과 풀이 53쪽

대표유형 4

• 빈 물통의 무게 구하기

물이 가득 들어 있는 병의 무게를 재었더니 $3\frac{17}{30}$ kg이었습니다. 이 병에 들어 있는 물의 반을 마신 다음 무게를 다시 재었더니 $2\frac{3}{20}$ kg이었습니다. 빈 병의 무게는 몇 kg인지 구해 보시오.

(　　　　　　　　)

대표유형 5

• 수 카드로 만든 두 대분수의 합 또는 차 구하기

6장의 수 카드를 한 번씩만 모두 사용하여 2개의 대분수를 만들었습니다. 만든 두 대분수의 합이 가장 크게 될 때의 합을 구해 보시오.

4　7　3　1　9　5

(　　　　　　　　)

신유형 6

• 분수를 단위분수의 합으로 나타내기

정사각형 모양의 색종이 한 장의 크기를 1이라고 할 때, 색종이를 똑같이 반으로 계속해서 접어 나가면 크기가 각각 $\frac{1}{2}$, $\frac{1}{4}$, $\frac{1}{8}$, $\frac{1}{16}$, $\frac{1}{32}$……인 색종이 조각을 만들 수 있습니다. 색종이를 5번 접은 다음 오려서 만든 오른쪽 색종이 조각을 보고 $\frac{19}{32}$를 서로 다른 단위분수의 합으로 나타내어 보시오.

$\frac{1}{32}$	$\frac{1}{32}$	$\frac{1}{32}$	$\frac{1}{32}$	$\frac{1}{32}$	$\frac{1}{32}$	$\frac{1}{32}$	$\frac{1}{32}$
$\frac{1}{32}$	$\frac{1}{32}$	$\frac{1}{32}$	$\frac{1}{32}$	$\frac{1}{32}$	$\frac{1}{32}$	$\frac{1}{32}$	$\frac{1}{32}$
$\frac{1}{32}$	$\frac{1}{32}$	$\frac{1}{32}$					

$$\frac{19}{32} = \square + \square + \square$$

비법 NOTE

1 범호는 광주에 가는 데 버스를 $1\frac{1}{4}$시간, 기차를 $1\frac{11}{12}$시간 타고, $\frac{1}{2}$시간 동안 걸어서 도착했습니다. 범호가 광주에 가는 데 걸린 시간은 모두 몇 시간 몇 분인지 구해 보시오.

(　　　　　　　　)

2 ㉠◉㉡을 다음과 같이 약속할 때 $\frac{3}{5}$◉$\frac{7}{8}$을 계산해 보시오.

㉠◉㉡=㉠+㉠+㉡

(　　　　　　　　)

3 □ 안에 들어갈 수 있는 자연수는 모두 몇 개인지 구해 보시오.

$$\frac{1}{6}-\frac{1}{7}<\frac{1}{\square-5}$$

(　　　　　　　　)

4 빈 상자에 사과를 가득 채우고 무게를 재었더니 $6\frac{1}{3}$ kg이었습니다. 효원이가 이 상자에 든 사과를 $\frac{3}{4}$만큼 나누어 주고 다시 상자의 무게를 재었더니 $2\frac{5}{24}$ kg이었습니다. 빈 상자의 무게는 몇 kg인지 구해 보시오.

(　　　　　　　　)

빠른 정답 7쪽 —— 정답과 풀이 53쪽

비법 NOTE

5 ㉮ 병과 ㉯ 병에 우유가 각각 들어 있습니다. $\frac{7}{8}$ L의 우유가 들어 있는 ㉮ 병에서 $\frac{1}{5}$ L의 우유를 ㉯ 병으로 옮겨 담았더니 두 병에 들어 있는 우유의 양이 같아졌습니다. 처음 ㉯ 병에 들어 있던 우유는 몇 L인지 구해 보시오.

( )

6 승우는 가지고 있던 사탕을 친구들과 나누어 먹었습니다. 승우는 전체의 $\frac{1}{3}$을, 종수는 전체의 $\frac{1}{4}$을, 혜원이는 전체의 $\frac{3}{8}$을 먹었습니다. 나누어 먹고 남은 사탕이 2개라면 승우가 처음에 가지고 있던 사탕은 몇 개인지 구해 보시오.

( )

7 길이가 같은 색 테이프 4장을 $\frac{4}{9}$ m씩 겹치게 한 줄로 이어 붙였더니 색 테이프 전체의 길이가 $7\frac{1}{9}$ m가 되었습니다. 색 테이프 한 장의 길이는 몇 m인지 구해 보시오.

( )

8 다음과 같은 규칙으로 분수를 늘어놓으려고 합니다. 여덟째 분수와 열째 분수의 차를 구해 보시오.

$$1\frac{1}{4},\ 2\frac{3}{8},\ 3\frac{5}{12},\ 4\frac{7}{16},\ 5\frac{9}{20}\cdots\cdots$$

(　　　　　　　　)

비법 NOTE

9 재훈이는 어떤 일의 $\frac{1}{3}$을 하는 데 2일이 걸리고, 하늘이는 같은 일의 $\frac{1}{4}$을 하는 데 3일이 걸립니다. 이 일을 두 사람이 함께 한다면 일을 모두 끝내는 데 며칠이 걸리는지 구해 보시오. (단, 두 사람이 하루에 하는 일의 양은 각각 일정합니다.)

(　　　　　　　　)

10 ■와 ▲는 서로 다른 기약분수입니다. ■와 ▲를 각각 구해 보시오.

$$■+▲=\frac{19}{30},\ ■-▲=\frac{3}{10}$$

■ (　　　　　　　　)

▲ (　　　　　　　　)

빠른 정답 7쪽 —— 정답과 풀이 53쪽

창의융합형 문제

11 은은 무르기 때문에 다른 금속과 섞어서 단단하게 만들어 사용합니다. 이때 다른 금속과 섞인 정도에 따라 AG999, AG800, AG700 등으로 표시하여 나타내는데 AG999는 전체의 $\frac{99}{100}$만큼이 은으로 순은이라 부르고, AG800은 전체의 $\frac{80}{100}$만큼이 은이며 나머지는 구리, 아연 등과 같은 다른 물질로 이루어져 있습니다. 은, 구리, 아연을 섞어서 만든 AG800 은반지 전체의 $\frac{1}{8}$이 구리로 되어 있다면 아연은 은반지 전체의 몇 분의 몇인지 구해 보시오.

( )

창의융합 PLUS

은(Ag)
예로부터 귀금속으로 여겨져 화폐, 장식품, 장신구, 거울, 고급 식기 등을 만드는 데 사용되어 왔습니다. 흔히 귀금속을 말할 때 금과 은을 합쳐 '금은(金銀)'이라 부릅니다.

12 5대양 6대륙이란 지구 위의 5개의 바다와 6개의 대륙을 이르는 말입니다. 아래의 표는 지구 육지 전체를 1이라 할 때 각 대륙이 육지 전체의 얼마만큼을 차지하는지 분수로 나타낸 것입니다. 6대륙을 제외한 나머지 육지는 사람이 살지 않는 남극 대륙에 해당합니다. 남극 대륙이 차지하는 부분은 지구 육지 전체의 얼마만큼인지 분수로 나타내어 보시오.

6대륙	아시아	아프리카	유럽	북아메리카	남아메리카	오세아니아
차지하는 부분	$\frac{8}{25}$	$\frac{1}{5}$	$\frac{3}{50}$	$\frac{4}{25}$	$\frac{3}{25}$	$\frac{1}{20}$

( )

5대양 6대륙
5대양이란 지구의 바다 중에서 특히 넓은 부분을 차지하는 5개의 바다로 태평양, 대서양, 인도양, 남극해, 북극해를 말합니다.
6대륙이란 지구 위의 6개의 대륙으로 아시아, 아프리카, 유럽, 북아메리카, 남아메리카, 오세아니아를 말하며 사람이 살기 힘든 남극 대륙을 포함하여 7대륙이라고 말하기도 합니다.

최상위권 문제

1 아름이는 책을 읽는 데 홀수 날에는 전체의 $\frac{1}{8}$을 읽고, 짝수 날에는 전체의 $\frac{1}{6}$을 읽으려고 합니다. 이와 같은 방법으로 6월 1일부터 매일 책을 읽는다면 책을 모두 읽는 데 며칠이 걸리는지 구해 보시오.

( )

2 수호네 반 학생들이 좋아하는 운동을 조사하였더니 축구를 좋아하는 학생은 전체의 $\frac{3}{8}$, 농구를 좋아하는 학생은 전체의 $\frac{2}{5}$, 축구와 농구를 모두 좋아하는 학생은 전체의 $\frac{1}{4}$이었습니다. 축구와 농구를 모두 좋아하지 않는 학생은 전체의 몇 분의 몇인지 구해 보시오.

( )

3 단위분수의 분모가 연속하는 두 자연수의 곱일 때 〈보기〉와 같은 방법으로 나타낼 수 있습니다. 이를 이용하여 주어진 $\frac{1}{30}+\frac{1}{42}+\frac{1}{56}+\frac{1}{72}+\frac{1}{90}$을 계산해 보시오.

〈보기〉

$$\frac{1}{6}=\frac{1}{2\times3}=\frac{1}{2}-\frac{1}{3}$$

( )

4 비어 있는 수영장에 ㉮ 펌프로만 물을 가득 채우는 데 30분이 걸리고, ㉯ 펌프로만 물을 가득 채우는 데 40분이 걸립니다. 만약 비어 있는 수영장에 물이 나가는 배수구를 열고 ㉯ 펌프로만 물을 가득 채우는 데 50분이 걸립니다. ㉮와 ㉯ 펌프를 동시에 사용하여 배수구를 연 수영장을 1분 동안 채울 수 있는 물의 양은 수영장 전체의 몇 분의 몇인지 구해 보시오. (단, 두 펌프에서 나오는 물의 양과 배수구로 나가는 물의 양은 각각 일정합니다.)

(　　　　　　　　)

5 나무 막대를 6도막으로 자르려고 합니다. 한 번 자르는 데 $3\frac{1}{4}$분이 걸리고 자른 다음 $1\frac{5}{6}$분 동안 쉽니다. 같은 빠르기로 나무 막대를 6도막으로 자르는 데 걸리는 시간은 모두 몇 분인지 구해 보시오.

(　　　　　　　　)

6 길이가 $4\frac{3}{8}$ m인 막대로 바닥이 평평한 연못의 깊이를 재려고 합니다. 막대를 연못 바닥에 끝까지 넣어 보고 다시 꺼내어 거꾸로 바닥 끝까지 넣었을 때 막대에서 젖지 않은 부분의 길이가 $1\frac{5}{12}$ m였습니다. 이 연못의 깊이는 몇 m인지 구해 보시오. (단, 막대는 수면과 서로 수직이 되도록 넣었습니다.)

(　　　　　　　　)

• 직각으로 이루어진 도형의 둘레 구하기

대표유형 1 오른쪽 도형의 둘레는 몇 cm인지 구해 보시오.

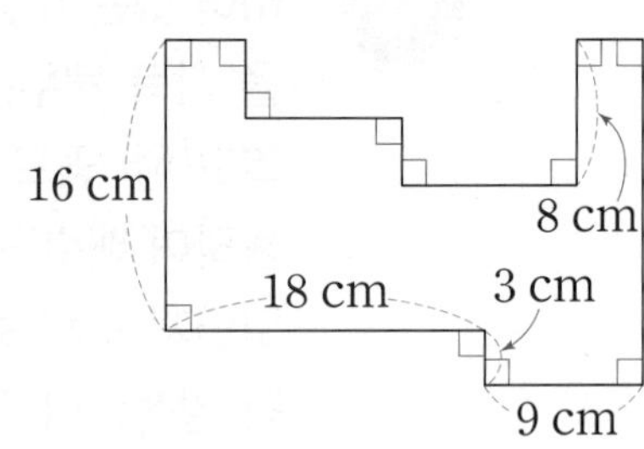

(　　　　　　　　)

• 크기가 같은 정사각형으로 만든 도형의 둘레 또는 넓이 구하기

대표유형 2 오른쪽 도형은 크기가 같은 정사각형을 겹치지 않게 이어 붙여서 만든 도형입니다. 도형 전체의 넓이가 126 cm^2일 때 도형의 둘레는 몇 cm인지 구해 보시오.

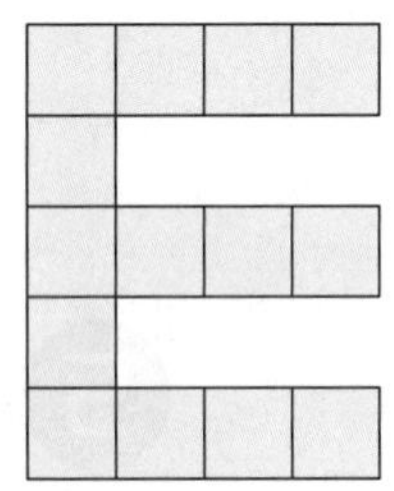

(　　　　　　　　)

• 폭을 일정하게 잘라 내고 남은 부분의 넓이 구하기

대표유형 3 다음은 직사각형 모양의 종이를 폭이 일정하게 잘라 낸 것입니다. 잘라 내고 남은 부분의 넓이는 몇 cm^2인지 구해 보시오.

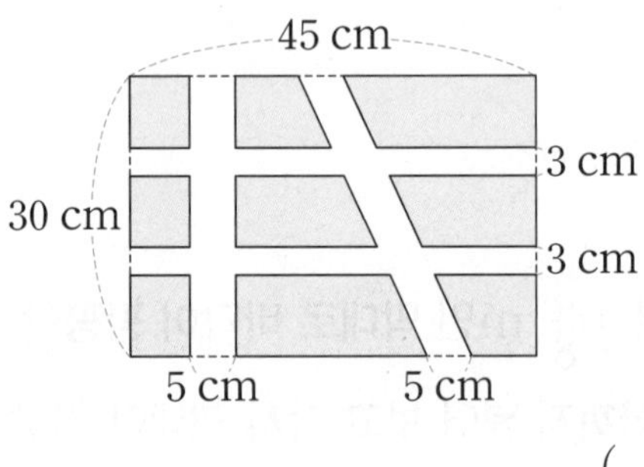

(　　　　　　　　)

• 마름모에서 색칠한 부분의 넓이 구하기

대표유형 4 오른쪽은 큰 마름모 안에 작은 마름모를 그린 것입니다. 작은 마름모의 두 대각선의 길이는 각각 큰 마름모의 두 대각선의 길이의 반입니다. 색칠한 부분의 넓이는 몇 cm^2인지 구해 보시오.

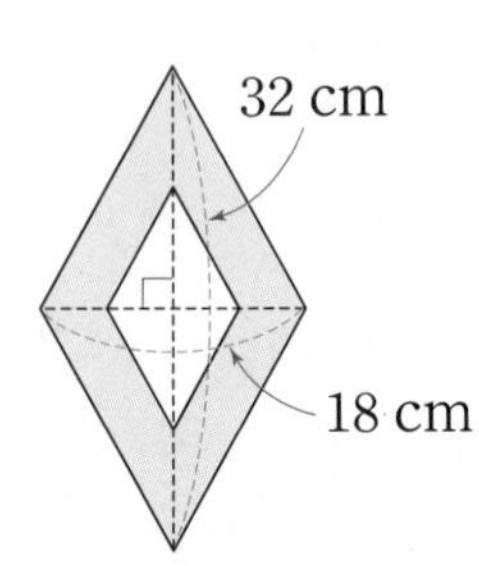

(　　　　　　　　)

빠른 정답 7쪽 —— 정답과 풀이 56쪽

대표유형 5

• 도형을 겹쳐서 만든 도형의 넓이 구하기

오른쪽은 크기가 서로 다른 정사각형 모양의 종이 두 장을 겹쳐서 만든 도형입니다. 겹쳐진 부분이 직사각형일 때 도형의 넓이는 몇 cm^2인지 구해 보시오.

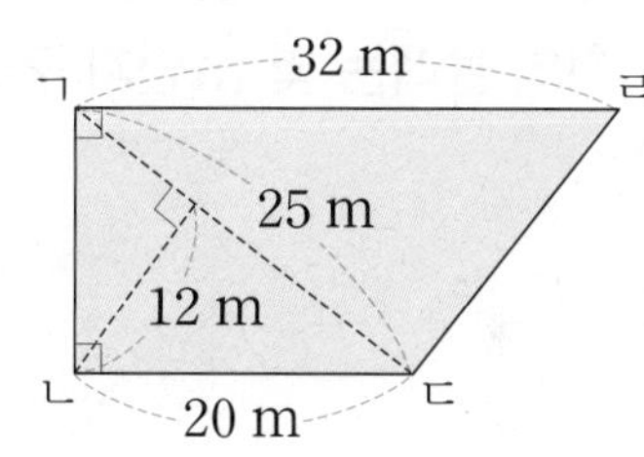

(　　　　　　　　)

대표유형 6

• 사다리꼴의 넓이 구하기

오른쪽 사다리꼴 ㄱㄴㄷㄹ의 넓이는 몇 m^2인지 구해 보시오.

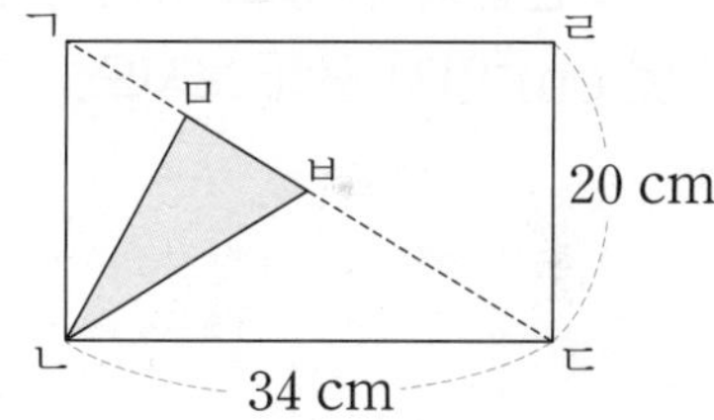

(　　　　　　　　)

대표유형 7

• 넓이의 관계를 이용하여 삼각형의 넓이 구하기

오른쪽 직사각형 ㄱㄴㄷㄹ에서 점 ㅁ과 점 ㅂ은 대각선 ㄱㄷ을 4등분하는 점입니다. 삼각형 ㄴㅂㅁ의 넓이는 몇 cm^2인지 구해 보시오.

ㄱ ㄹ ㅁ ㅂ 20 cm ㄴ ㄷ 34 cm

(　　　　　　　　)

신유형 8

• 도형의 넓이 비교하기

소미는 칸딘스키의 '초록지시'라는 작품을 보고 비슷한 그림을 그렸습니다. 소미가 그린 그림에서 파란색 정사각형의 넓이는 초록색 삼각형의 넓이보다 몇 cm^2만큼 더 넓은지 구해 보시오.

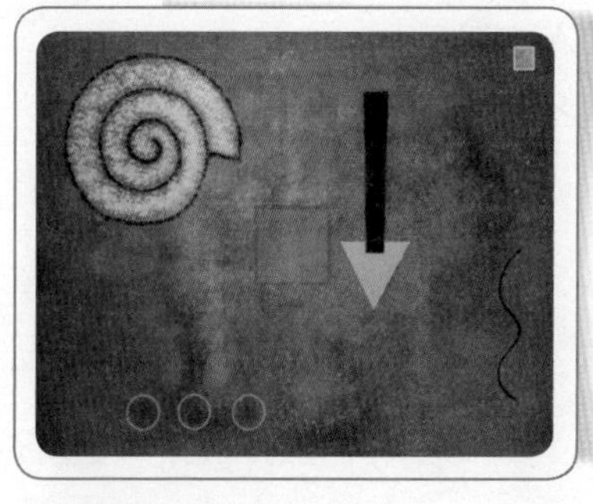
▲ 초록지시

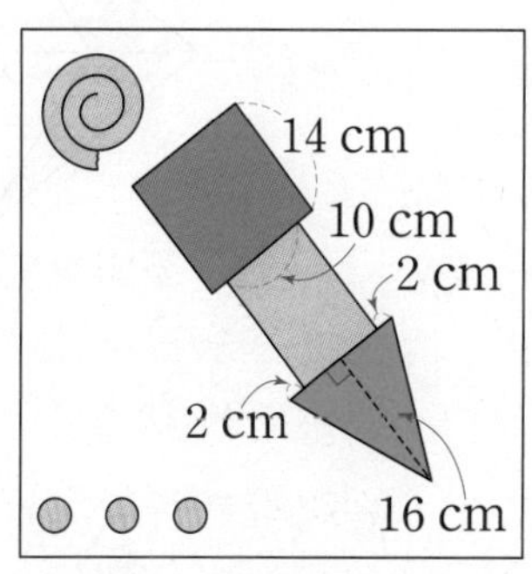

▲ 소미가 그린 그림

(　　　　　　　　)

비법 NOTE

1 오른쪽은 한 대각선의 길이가 18 m인 정사각형 모양의 밭입니다. 밭의 넓이는 몇 cm^2인지 구해 보시오.

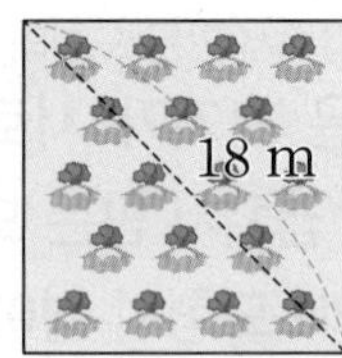

( )

2 넓이가 150 m^2인 직사각형의 가로는 세로의 6배라고 합니다. 이 직사각형의 둘레는 몇 m인지 구해 보시오.

( )

3 오른쪽은 한 변의 길이가 12 cm인 정사각형 모양의 칠교판입니다. 칠교판 안에 있는 정사각형 ㉮의 넓이는 몇 cm^2인지 구해 보시오.

( )

4 마름모 ㄱㄴㄷㄹ에서 점 ㅁ과 점 ㅂ은 각각 선분 ㄴㅅ과 선분 ㄹㅅ을 각각 이등분하는 점입니다. 색칠한 부분의 넓이는 몇 cm^2인지 구해 보시오.

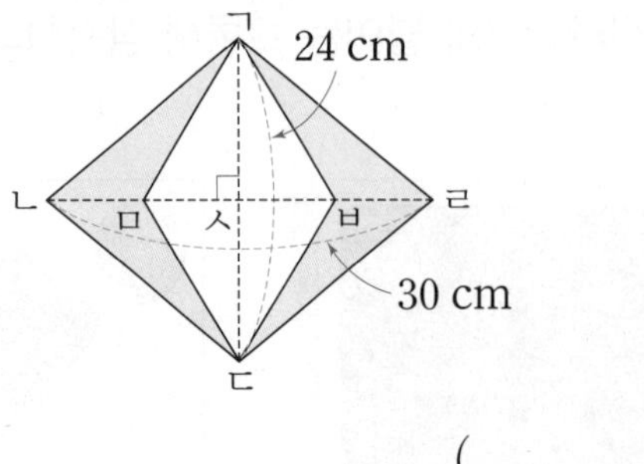

( )

5 직사각형과 정사각형을 겹치지 않게 이어 붙여서 만든 도형입니다. 도형의 전체 넓이가 $375\ \mathrm{cm}^2$일 때 도형의 둘레는 몇 cm인지 구해 보시오.

9 cm
30 cm

( )

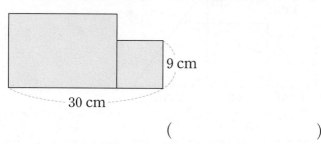

6 마름모 3개를 겹치게 이어 붙여서 만든 도형입니다. 도형의 넓이는 몇 cm^2인지 구해 보시오.

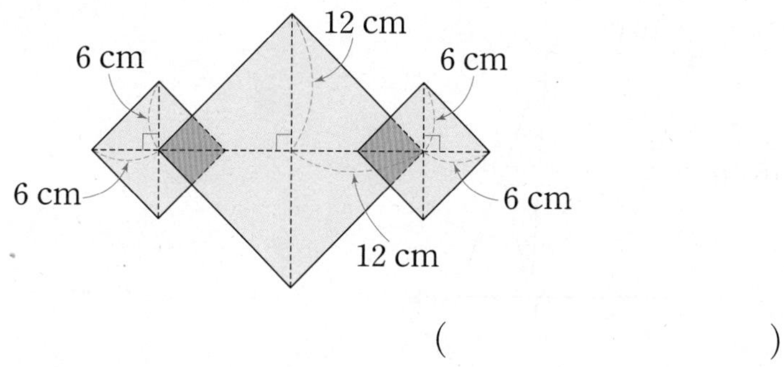

( )

7 주어진 도형에서 색칠한 부분의 넓이는 $209\ \mathrm{cm}^2$입니다. 선분 ㅅㄷ의 길이는 몇 cm인지 구해 보시오.

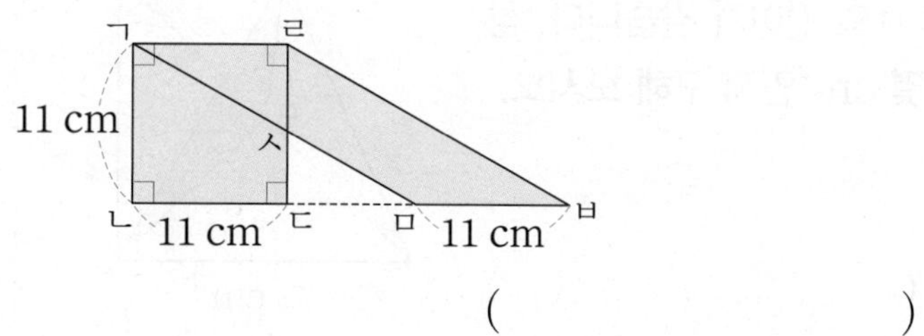

( )

비법 NOTE

비법 NOTE

8 크기가 서로 다른 정사각형 3개와 직각삼각형 1개를 겹치지 않게 이어 붙여서 만든 도형입니다. 색칠한 부분의 넓이는 몇 cm^2인지 구해 보시오.

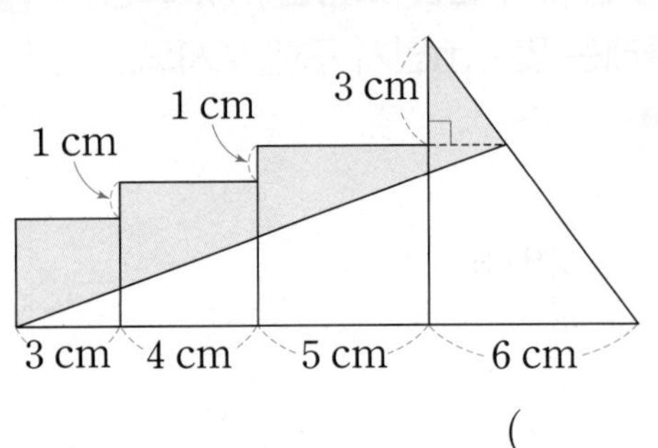

(   )

9 평행사변형 ㄱㄴㄷㄹ에서 점 ㅁ과 점 ㅂ은 각각 변 ㄴㄷ과 변 ㄹㄷ을 이등분하는 점입니다. 삼각형 ㄹㅁㅂ의 넓이는 몇 cm^2인지 구해 보시오.

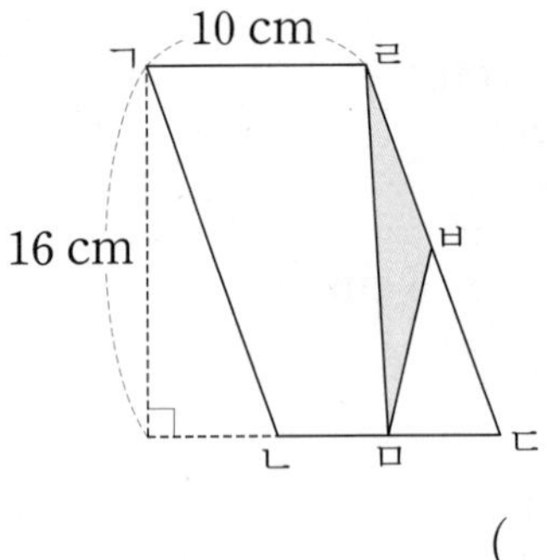

(   )

10 오른쪽 사다리꼴 ㄱㄴㄷㄹ의 넓이는 750 cm^2이고 선분 ㄴㅁ과 선분 ㄹㅁ의 길이가 같습니다. 삼각형 ㄱㅁㄷ의 넓이는 몇 cm^2인지 구해 보시오.

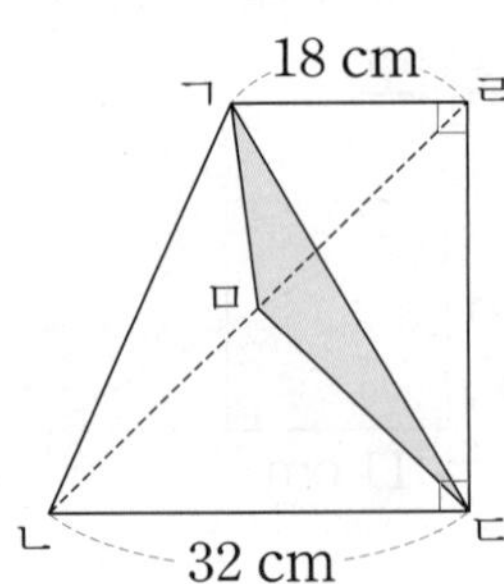

(   )

빠른 정답 7쪽 —— 정답과 풀이 57쪽

창의융합형 문제

11 소라네 가족이 살고 있는 한옥의 평면도입니다. 평면도에서 방 3개의 넓이의 합은 몇 m^2인지 구해 보시오. (단, 방은 모두 직각으로 이루어져 있고 벽의 두께는 생각하지 않습니다.)

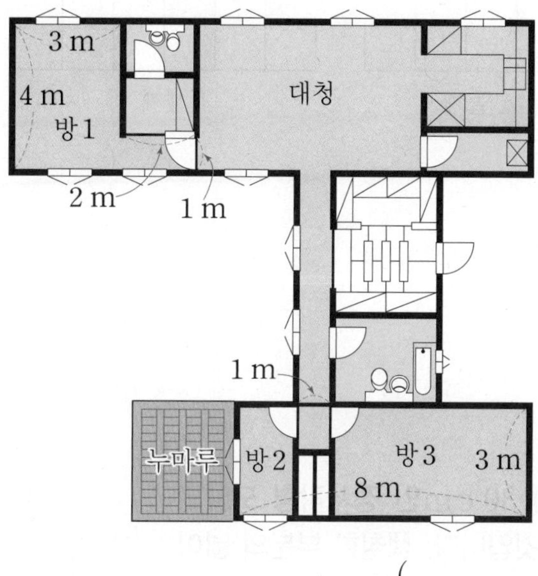

( )

창의융합 PLUS

한옥
한옥은 우리나라의 전통 가옥으로 사계절이 뚜렷한 우리나라의 기후에 맞게 여름에는 시원하고 겨울에는 따뜻하도록 설계되었습니다. 그중 대청은 방과 방 사이에 있는 큰 마루이고 누마루는 다락처럼 높게 만든 마루입니다.

12 다음은 축구 경기장의 규격을 나타낸 것입니다. 한 팀의 직사각형 모양의 페널티 에어리어(penalty area)의 넓이는 직사각형 모양의 골 에어리어(goal area)의 넓이보다 몇 cm^2 더 넓은지 구해 보시오.

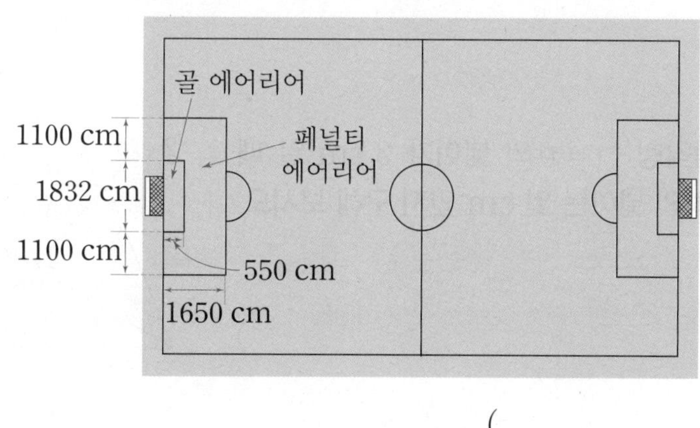

( )

페널티 에어리어 (penalty area)
축구에서 수비를 하는 편의 선수가 반칙을 하였을 때에 공격 측에게 페널티 킥을 허용할 수 있는 구역을 나타냅니다.

골 에어리어(goal area)
축구나 하키에서 골키퍼를 보호할 목적으로 골 앞에 설정한 구역을 나타냅니다.

최상위권 문제

1 한 변의 길이가 1 cm인 정사각형을 그림과 같이 일정한 규칙으로 겹치지 않게 이어 붙여서 도형을 만들고 있습니다. 삼십째 도형의 둘레는 몇 cm인지 구해 보시오.

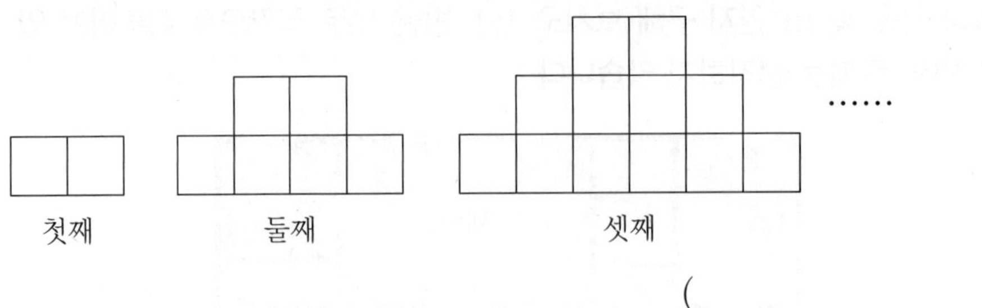

(　　　　　　　　)

2 오른쪽은 한 변의 길이가 30 cm인 정사각형 모양의 종이에 일부분을 색칠한 것입니다. 색칠한 부분의 넓이는 몇 cm^2인지 구해 보시오.

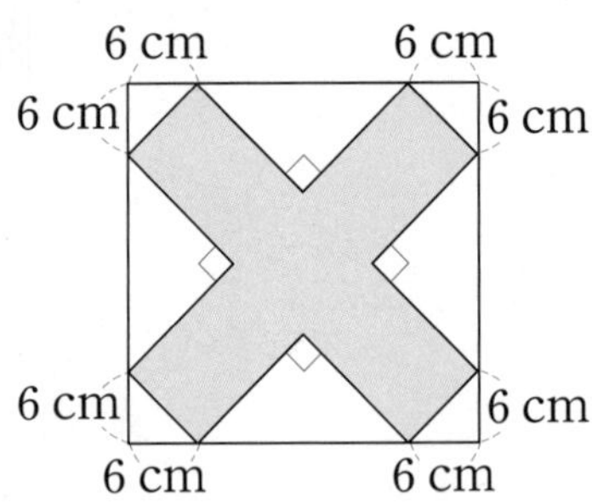

(　　　　　　　　)

3 오른쪽 도형에서 삼각형 ㄱㅂㅁ의 넓이가 3 cm^2일 때 평행사변형 ㄱㄴㄷㄹ의 넓이는 몇 cm^2인지 구해 보시오.

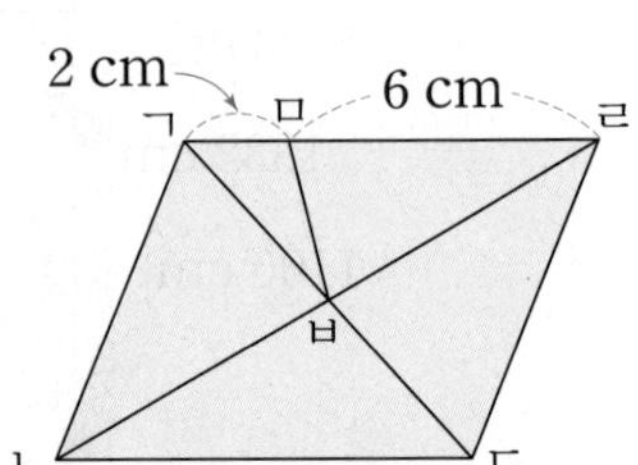

(　　　　　　　　)

빠른 정답 7쪽 —— 정답과 풀이 58쪽

4 오른쪽 정육각형 ㄱㄴㄷㄹㅁㅂ의 넓이는 102 cm^2입니다. 점 ㅅ과 점 ㅇ은 각각 변 ㄱㅂ과 변 ㄷㄹ을 이등분하는 점일 때 색칠한 부분의 넓이는 몇 cm^2인지 구해 보시오.

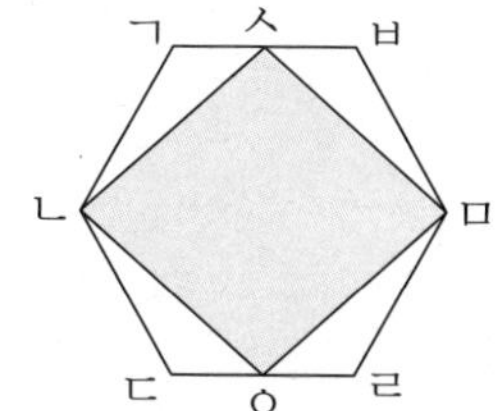

(　　　　　　　　)

5 넓이가 각각 36 cm^2인 사다리꼴, 평행사변형, 정사각형을 오른쪽 그림과 같이 겹쳐 놓았을 때 다른 도형과 겹쳐지지 않은 사다리꼴, 평행사변형, 정사각형의 일부분의 넓이가 각각 24 cm^2, 18 cm^2, 20 cm^2입니다. 세 도형이 겹쳐진 ㉮ 부분의 넓이가 4 cm^2일 때 색칠한 부분의 넓이는 몇 cm^2인지 구해 보시오.

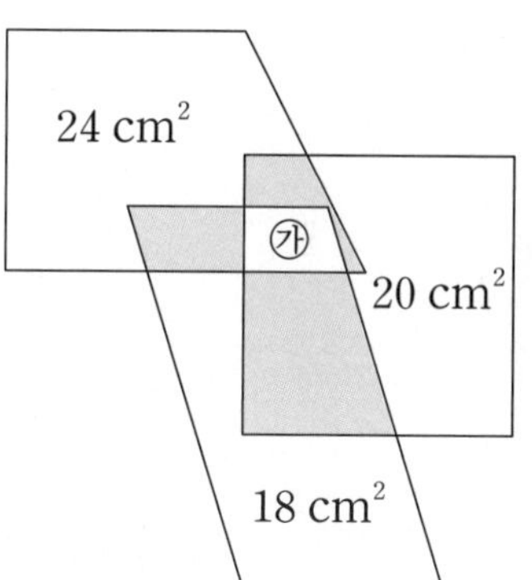

(　　　　　　　　)

6 다음과 같이 직선 위에 직사각형과 이등변삼각형이 놓여 있습니다. 이등변삼각형은 움직이지 않고, 직사각형은 1초에 6 cm를 가는 빠르기로 화살표 방향으로 움직인다고 합니다. 겹쳐지는 부분의 넓이가 가장 넓게 될 때의 넓이는 몇 cm^2이고, 직사각형이 움직이기 시작한 지 몇 초 후인지 구해 보시오.

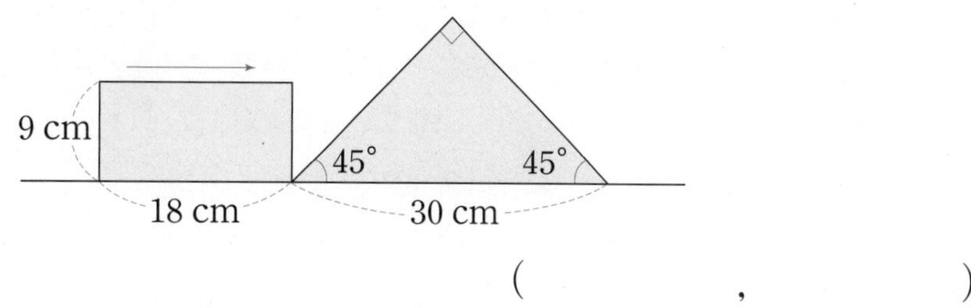

(　　　　　,　　　　　)

MEMO

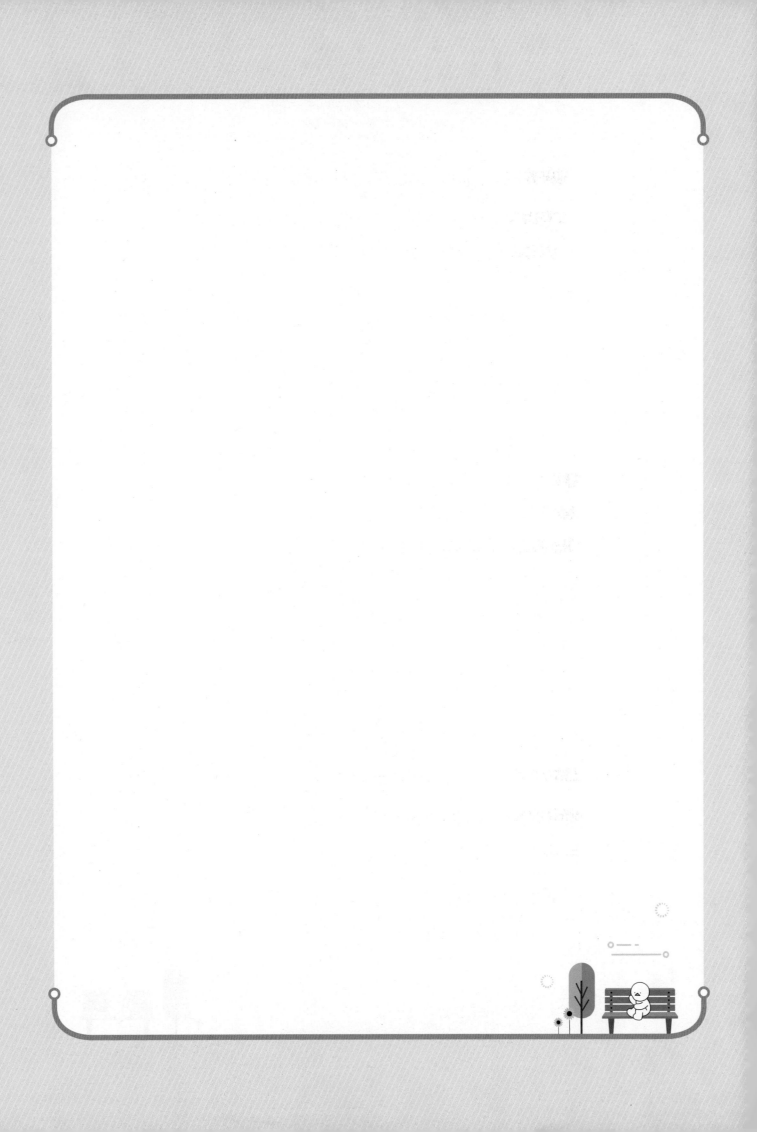